POTSIARS MÔN

EMLYN RICHARDS

Gwasg
Gwynedd

Argraffiad Cyntaf — Tachwedd 2001

ISBN 0 86074 180 X

*Cyhoeddwyd ac argraffwyd
gan Wasg Gwynedd, Caernarfon*

I Goffadwriaeth fy nhad, Evan Richards,
a fu'n dal cwningod drwy'i oes.

Cynnwys

Diolchiadau

Wrth gasglu'r darnau coll i jig-so darlun y potsiars ym Môn rwy'n ddiolchgar i gynifer am ganiatáu imi eu blino'n barhaus ar eu haelwyd a thros y ffôn. Bu Wil Rowlands yn chwilio a dyfalu nes llwyddo i gael llun o'r hen botsiar mewn paent a rhoes Einion Thomas y darlun mewn geiriau. Diolch i'r ddau am eu cyflwyniad i'r gyfrol. Rhoes Marion Price raen ar lawysgrif flêr i'w chyflwyno i Wasg Gwynedd – rwy'n dra diolchgar iddynt hwy ac i'r Cyngor Llyfrau am eu cefnogaeth.

Bûm ymhlith y doctoriaid hyn hefyd: Enid Pierce Roberts, Dafydd Glyn Jones, Dafydd Wyn Wiliam a Meredydd Williams, ynghyd â Charles Parry, Helen Hughes ac Ann Venables o fyd y llawysgrifau.

Ond difyrrach o lawer fu mynd i 'lygad y ffynnon'. Euthum i Walchmai a chefais sawl seiad brofiad yng nghwmni Elwyn Jones, Dickie Jones, Gwilym Thomas, Glyn Jones, Dic y Baledwr, Lewis R., Emrys Evans, Richard Cyril Hughes, Nancy Jones a Henrie Jones. Yna tri phregethwr cynorthwyol: J. O. Hughes, Henry Lewis a John Roberts, 'Isfron'; yr oedd ganddynt gymysgfa o atgofion difyr ac ambell un yn dweud ei brofiad go-iawn.

Bu eraill hefyd, laweroedd ohonynt, yn casglu'r darnau coll: Evan Jones, y Kennels; Rachel Parry; Owen Hugh Roberts; Ellis Wyn; Idris Jones, Fferam Rhosydd; J. Wynne Lewis; Richard Williams, Tŷ Wian; William Evans, Llangefni; Gerallt Lloyd Evans; E. R. Roberts; Ken Lloyd Gruffydd, yr Wyddgrug; Gwyn Morris, Bangor; Annie Hughes, Drws y Coed; Eifion Griffith, Benllech; Megan Lloyd, Pentraeth; Emyr Jones, Wigoedd; William Jones a Herbert Griffith o Lantrisant.

EMLYN RICHARDS

Rhagair

Y bedwaredd ganrif ar bymtheg oedd oes aur potsio. Mae'n wir fod yr arfer mewn bri ymhell cyn hynny ac fe barhaodd hyd at ein dyddiau ni ond, heb os, y ganrif honno oedd oes y potsiar. Y prif reswm am hyn yw mai dyma gyfnod amlwg y ddau ddosbarth – y tlawd a'r cyfoethog. Ar un llaw fe geid byd bras a moethus yr uchelwr yn ei blasty wedi ei amgylchynu â channoedd o erwau o diroedd bras, llynnoedd a choedwigoedd. Ar y llaw arall fe drigai'r werin mewn bythynnod di-raen gan grafu byw ar gyflog isel a'r byrddau'n llwm. Yr oedd ateb i'w chyfyngder wrth ymyl. Yr oedd tir a choed y plas yn symud gan blâu o gwningod ac fe grwydrai'r ffesant a'r petris yn hyf a balch. Yr oedd y ddau fyd yn glòs, glòs at ei gilydd; dim ond ffin denau clawdd terfyn y plas yn eu gwahanu. Yr agosatrwydd yma a greai'r tensiwn a'r temtasiwn. Yr oedd tir a choed y plas yn baradwys i bob potsiar gyda'i filgi, ei rwyd a'i groglath. Byddai'r farn am y potsiar yn dibynnu i ba un o'r ddau fyd y perthynid. I rai yr oedd gweithredoedd beiddgar y potsiar yn ffieidd-dra llwyr, ond i eraill byddai'n destun edmygedd a chydymdeimlad. Câi'r sawl a ddelid gosb anhygoel yn y llysoedd, a hynny yn arwydd clir o sut yr amddiffynnai'r byddigions eu heiddo. Yn wir, yng ngolwg rhai fe gyfrifid tresbasu yn drosedd anfad.

Ond rhag i neb holi beth a ŵyr rhyw sbrigyn o weinidog Methodist am botsiar a photsio – dyma weithredoedd y cysgodion os nad y tywyllwch – rwy'n brysio i ateb i mi gael fy magu yn un o wyth o blant yn nhri a phedwar degau'r ganrif ddiwethaf ar enillion cwningwr. Mae'n wir fod gan fy nhad ryw lain o dyddyn fel pob cwningwr arall yn Llŷn bryd hynny. Roeddem ninnau'r plant, fel plant pob oes a gwlad, yn llawn diddordeb ac edmygedd o alwedigaeth ein tad.

Magwyd ynom ryw ysfa ryfeddol i hela. Daethom, er yn ifanc iawn, i adnabod pob anifail ac aderyn gwyllt yn ein cwmwd. Gwyddem am bob elfen a'u gwahaniaethai ac a'u nodweddai. Caem fwynhad pur yn cerdded y crastir a'r crindir hefo'r milgi – ein ffrind pennaf. Sylwi ar hwyaden wyllt yn llusgo yn ei chloffni a ninnau yn rhuthro i'w dal. Wedi rhoi cyfle i'w rhai bach gael dianc, codai'r fam o'n cyrraedd. Fe wyddem ninnau, fel Eifion Wyn yn ei gerdd 'Cwm Pennant' yn *Caniadau'r Allt* am:

> Gynefin y carlwm a'r cadno
> A hendref yr hebog a'i ryw.

Byddai pnawn o ffureta yn fwynhad pur i ni y plant. Rhyfeddem mewn syndod at guddliw y betrisen a'r ffesant ar eu nythod.

Mae'r potsiar yn rhan annatod o hanes bywyd cefn gwlad. Yr oedd hela, adara a physgota yn darparu achlysuron cymdeithasol a brawdol i drigolion cefn gwlad ac, ar wedd wahanol, fe bery'r achlysuron hyn o hyd.

Cyflwyniad

Dros y ffôn y daeth y cais: 'Dwi newydd sgwennu llyfr am botsiars Môn, wnei di sgwennu cyflwyniad iddo?' Testun anarferol i weinidog wedi ymddeol; oni fyddai hanes y mân broffwydi yn fwy cymwys at ei alwedigaeth na hynt a helynt rhai o adar brith Môn? Ond person anghyffredin yw'r awdur, gyda'r ddawn ddihafal i ddweud stori ac mae hanes potsio yn haeddu storïwr da. Ar wahân i bapurau'r llys bach ac ambell erthygl yma ac acw, yr unig ffynhonnell arall yw hanesion llafar, ac mae angen dybryd i'r rhain gael eu cofnodi cyn iddynt fynd yn angof. Yn achos fy nheulu fy hun – a dwi'n sicr fod hyn yn wir am deuluoedd ledled Cymru – mae yna stôr o straeon am botsio, gan amlaf fel y bu i hwn a hwn gael y llaw uchaf ar ryw gipar mwy dieflig na'i gilydd mewn sgarmes.

Ond pam gofyn i Archifydd Meirion ysgrifennu cyflwyniad i lyfr sy'n ymdrin â hanes Môn? Ar wahân i mi dreulio wyth mlynedd hapus fel archifydd ym Môn, y rheswm arall yw fy mod wedi ymchwilio ychydig i'r hanes, yn enwedig yn ardal y Bala, a rhag ofn i ryw gipar craffach na'i gilydd weld ei gyfle i gornelu archifydd distadl, sylwer mai *hanes* potsio yn unig y mae gen i ddiddordeb ynddo! Deillia'r diddordeb hwn, fwy na thebyg, o'm cefndir. Cefais fy magu, fel y dywedais eisoes, ar straeon potsio y teulu yn ardal Llwyneinion. Ar ben hyn roedd y ddwy ochr o'r teulu yn hoff o hela – yn wir yn nechrau'r ganrif ddiwethaf yng nghyffiniau Llanuwchllyn fe wnaeth un aelod rywbeth hollol anhygoel – ac erbyn heddiw hollol anfaddeuol – sef saethu eryr, yr ola yng Nghymru yn ôl rhai! Am y teulu ar yr ochr arall, roedd potsio yn eu gwaed, er na fuasai neb yn meddwl hynny gan eu bod yn ddigon parchus eu buchedd – sefyllfa ddigon nodweddiadol yng nghefndir aml i botsiar.

Dywed rhai fod potsio yn grefft, ac mae rhuddin o wirionedd yn hynny. Mae'n angenrheidiol deall arwyddion y tywydd – ydi'r gwynt yn chwythu'r ffordd iawn, ydi hi'n mynd i fod yn noson glir neu gymylog, pryd mae'r lleuad llawn nesa ac yn y blaen. Rhaid hefyd adnabod y tirwedd neu'r pyllau mewn afon i wybod am y lle gorau i gael gafael yn y prae. At hyn oll daw'r arfau angenrheidiol at y gwaith a sut i'w defnyddio yn effeithiol: y gwn, y rhwyd, y fagl, y gaff, y tryfer a'r ddau hoff anifail, y ffured a'r milgi. Un peth diddorol arall i'w nodi ydi fel y bydd rhai potsiars yn canol-bwyntio ar hela un anifail arbennig gan anwybyddu'r lleill.

Yn hanes cymdeithasol cefn gwlad mae elfen arwrol a rhamantus yn perthyn i'r potsiar. Yng nghanol y bedwaredd ganrif ar bymtheg, y cyfreithiau a gaseid yn gyffredinol gan bawb, ar wahân wrth gwrs i'r tirfeddianwyr, oedd y rhai hynny a adnabuwyd fel y *Game Laws*, sef cyfres o gyfreithiau a basiwyd i amddiffyn y gêm ac i gadw'r hawl i hela yn nwylo'r tirfeddianwyr. Edrychid ar y potsiar fel rhywun oedd yn ymladd yn erbyn y cyfreithiau hyn ac yn ceisio amddiffyn hawliau'r bobl i hela beth a lle y mynnent heb neb i'w gwahardd. Y gred gyffredinol oedd nad oedd potsio yn dor-cyfraith yn yr un modd â lladrata, ond yn hytrach yn drosedd wedi ei chreu gan y gyfraith ac roedd y gyfraith yn nwylo'r tirfeddianwyr – nid oedd sen o gael eich hun o flaen y llys ar gyhuddiad o botsio.

Gor-ramanteiddio hwyrach, oherwydd yr oedd yna gondemnio hallt arnynt, nid yn unig gan y llysoedd – *'poachers are the most disreputable class on the face of the earth,'* meddai Crwner Conwy ym 1860 – ond condemnid hwy hefyd o'r pulpud. Ofnid mai segurdod a meddwdod oedd yn creu potsiar ac mai carchar neu hyd yn oed y crocbren fyddai diwedd y daith.

Yn rhifynnau cyntaf *Y Dydd* ym 1868 mae gan J. R. (brawd yr enwog S. R.) stori, neu ffugchwedl fel y geilw hi, yn dwyn y teitl 'Ned y *Poacher*' lle y moesolir yn erbyn potsio. Ar y diwedd cael ei grogi wna Ned am ladd cipar ond er hyn ceir cydymdeimlad tuag ato, a'r landlord sy'n cael y bai: 'ynfydrwydd arglwyddi tiroedd gododd herwhelwyr allan.' Yn wahanol i Ned, dianc i'r America gyda chymorth ei gymdogion, er bod gwobr o £100 ar ei ben, wnaeth Wil Cefn Coch ar ôl iddo ladd cipar yr Arglwydd Lisburne yn Llangwyryfon, Ceredigion ym 1868.

Y cipar oedd y prif elyn ac nid oedd yn anarferol iddynt gael bygythiadau yn eu herbyn, fel y bygythiad hwn ar gipar a ysgrifennwyd ar giât ger y Bala ym 1873: *'Thomas Storer shall be murdered.'* Teimlir y casineb tuag atynt yn nhystiolaeth Tom Ellis AS i'r Comisiwn Tir ym 1893: *'a crowd of English and Scotch gamekeepers were introduced… I cannot describe the repugnance and loathing caused by the overbearing conduct and petty tyrrany of many of these gamekeepers.'* Roedd y ciperiaid hyn yn ddi-Gymraeg, yn Eglwyswyr a heb weld rhinweddau dirwest – a dyma pwy oedd y denantiaeth Gymreig, Anghydffurfiol a, chan amlaf, lwyrymwrthodol yn eu gweld yn ei lordio hi drostynt ac yn gwneud eu bywyd yn fwrn. Does dim rhyfedd i'r potsiar ddod yn arwr, ac adlewyrchir hyn yn llenyddiaeth boblogaidd y cyfnod. Yn *Gwen Tomos* mae potsio a photsiars yn chwarae rhan bwysig yng nghefndir y nofel. Potsio a anfonodd Wil i garchar Rhuthun. Doedd yna'r un felodrama Fictoraidd gwerth ei halen – chwi gofiwch 'Antur y Ddrama' yn *Storïau'r Henllys Fawr* – heb nad oedd ynddi gipar dialgar, landlord afradus, hen gwpwl parchus gyda merch rinweddol hardd, cyw gweinidog mewn cariad â'r ferch ac, wrth gwrs, y potsiar.

O fynd drwy'r dystiolaeth sydd ar gael, un peth arall diddorol sy'n dod i'r amlwg yw nad pobl yr ymylon yn unig oedd yn potsio. Gallai potsiar fod yn perthyn i unrhyw haen o gymdeithas: yn weithiwr tlawd, yn flaenor parchus, yn weinidog yr Efengyl neu hyd yn oed yn aelod o'r haen uchelwrol, fel y rhyfeddol *'Julius le Prince de Vismes et de Ponthieu'* a ddisgrifiwyd yn y llys fel uchelwr Ffrengig, a ddaliwyd yn potsio ar dir Syr Watcyn Williams Wynn yn Llanuwchllyn ac a ddirwywyd £2 am y fraint ym 1871. Yn chwe degau'r bedwaredd ganrif ar bymtheg, pan oedd ymladdfeydd milain rhwng gangiau o botsiars a chiperiaid stad y Rhiwlas ger y Bala, disgrifiwyd y potsiars a ddygwyd o flaen yr Ynadon fel 'dynion ieuanc parchus' – nid pobl yr ymylon oedd y rhain ac, er dirfawr ofid i'r awdurdodau, roedd cryn gefnogaeth iddynt.

Daw'r gyfrol hon allan o'r un stabal â *Porthmyn Môn*, ac os bydd mor llwyddiannus â honno, ac nid oes reswm i amau hynny, yna mae gennym berl o gyfrol sy'n taflu goleuni ar ffordd o fyw sydd wedi hen ddiflannu – wel, yn ôl y sôn, ond pwy a ŵyr? Calla dawo, a dim ond dymuno pob lwc i'r awdur a'i gyfrol newydd!

EINION THOMAS

Rhamant y Potsiar

Mae'n anodd meddwl am greadur mwy unig na'r potsiar gan fod natur ei waith yn llawn dirgelwch a phreifatrwydd. Un o blant y nos, yn llythrennol felly, oedd y potsiar. Treuliai ef a'i filgi'r dydd yn dadebru ac yn atgyfnerthu ar ôl neithiwr ac yn breuddwydio a chynllunio ar gyfer heno. Mynnai gadw hyd braich oddi wrth y cyhoedd ac ni chlywid hwn fyth yn ymffrostio yn ei grefft a'i gampau, oni bai wrth ei frawdoliaeth o botsiars. Bu i'r bardd a'r adarwr craff R. S. Thomas dynnu llun perffaith o'r potsiar yn ei gerdd 'The Poacher', a'r portread yn un nodweddiadol gynnil gyflawn. Yn nhyb R. S. dyma'r cymeriad mwyaf anhysbys ar y ddaear – 'y bod nad yw'n bod'! Nid oes modd ei gyfarfod – fe dry o'r neilltu, er bod y llwynog a'r fronwen fach swil a chwareus yn ei adnabod yn iawn a hwythau yn 'adar o'r unlliw' sydd allan ar yr un oriau ac ar yr un perwyl. Yn ôl y bardd, nid yw'r potsiar yn dadlennu ei gartref yn y coed; erys y simdde'n oer rhag dangos mewn ysgrifen las yn yr awyr glir mai yno y mae ei annedd. Yn wir daw'r nos a'r wawr i'w amddiffyn, meddai'r bardd ar ddiwedd y gerdd, gan awgrymu fod Natur ei hun o'i du.

Dyma'r gerdd gan R. S. Thomas sy'n rhoi portread mor ffafriol o'r potsiar:

The Poacher [1]

Turning aside, never meeting
In the still lanes, fly infested,
Our frank greeting with quick smile,
You are the wind that set the bramble
Aimlessly clawing the void air.
The fox knows you, the sly weasel
Feels always the steel comb

Of eyes parting like sharp rain
Among the grasses its smooth fur.
No smoke haunting the cold chimney
Over your hearth betrays your dwelling
In blue writing above the trees.
The robed night, your dark familiar,
Covers your movements; the slick sun,
A dawn accomplice, removes your tracks
One by one from the bright dew.

Er mor gyfrinachol ac anhysbys oedd bywyd y potsiar fe erys llawer iawn o'i hanes ar gof gwlad o hyd. Yn wir, nid yw'r potsiar wedi marw'n llwyr o'r tir ac erbyn hyn fe deimla ambell un ei bod hi'n ddiogel dweud ei stori a'i helyntion. Trysorwyd llawer iawn o'i hanes yng nghofnodion llysoedd yr ynadon, clercod yr ynadon a chwnstabliaid y sir a, gwaetha'r modd, ceir toreth o'i hanes yn llyfrau'r carchardai. Ond ni rwydwyd ei hanes i gyd o bell ffordd – mae gan bob ardal ym Môn botsiar na chafodd erioed ei ddal! Gwnaeth Susan Ellis gymwynas werthfawr wrth edrych ar fywyd Ynys Môn trwy adroddiadau'r Llysoedd Chwarter o 1860 i 1869, ac yn ôl ei hymchwil cofnodwyd cant a hanner o achosion o botsio ar Ynys Môn yn y cyfnod dan sylw, mwy nag o achosion o ladrad.[2] Mae'n ddiddorol sylwi y bu cryn gynnydd yn yr achosion o botsio oddi ar ddod â Deddf Herwhela (1831) i rym. Cadarnheir hyn gan heliwr o'r enw James Hawker a hawliai fod y tirfeddianwyr wedi dwyn tiroedd oddi ar y tlawd. Cyn diwedd ei hunangofiant fe ddywed beth fel hyn: 'Fe'm sbardunwyd i botsio gan ddialedd yn fwy o lawer na chan dlodi.'[3] Ac fel y bytheiria Dic Potsiar yntau yn y ddrama *Nora Plas y Foel*:

> 'Mi rydw i wedi dŵad i weld rŵan na ddaru y Bod Mawr ddim creu y samons a'r ffesants a'r petha yma i gyd er mwyn rhyw "gents" mawreddog gael "sport" i drio dal nhw.'[4]

Rhaid cychwyn adnabod y potsiar yn y ffaith fod pob dyn yn heliwr ac fe gytunwn ag Eifion Wyn yn 'Cwm Pennant':

Ni feddaf led troed ohono,
Na chymaint â dafad na chi,
Ond byddaf yn teimlo fin nos wrth fy nhân
Mai arglwydd y cwm ydwyf fi.[5]

O gofio bod greddf yr heliwr mor gryf mewn dyn, yr oedd yn anodd iawn ei ddiddyfnu o'r arfer a'i gadw rhag crwydro lle y mynnai. Yn ôl rhai nid yw ein chwaraeon heddiw yn ddim amgen nag addasiad o'r heliwr ynom. Mae diffiniad hen eiriaduron o'r gair *sport* yn ddiddorol iawn: 'difyrrwch lle y byddo'r ymdrechwr yn dal neu'n lladd anifail gwyllt'. Byddai'r hen Rufeiniaid yn rhoi'r anifail yn yr arena gan roi'r heliwr yno i'w ymlid ac, yn y diwedd, yn ei ladd gan roi boddhad i'r dorf. Y Groegiaid ddaeth â mabolgampau a olygai redeg, ymlid, neidio a thaflu math o erfyn. A chawsom gan yr Eifftwyr chwaraeon fel bowlio a hoci. Daeth taro'r nod, ennill a sgorio i gymryd lle yr hela, y dal a'r lladd. Mae hyn, yn ôl awduron fel Desmond Morris, yn brawf mor ddwfn yw ysfa'r heliwr mewn dyn.[6]

Gellid ystyried potsio felly fel estyniad o hen draddodiad o ffordd o fyw annibynnol lle yr oedd grym arferiad ar waith. Mynnai'r potsiar ac amryw eraill fod pob anifail gwyllt, aderyn a physgodyn yn rhodd Duw, ac nad oedd gan un dosbarth yr hawl i'w meddiannu iddynt eu hunain. Rhaid cofio y bu tir comin a chytir yn lle gwych am goed tân a thir hela am fwyd. Ond fe gollwyd hyn i gyd o'r bron gyda Deddf Cau Tir Comin ym 1853 a theimlai'r bobl dlawd yn rhwystredig iawn. Bu'n ergyd drom i drigolion pentrefi cefn gwlad gan y ceid cymaint â chan erw o dir comin o gylch ambell bentref lle yr arferai'r pentrefwyr gasglu tanwydd a ffrwythau gwyllt, a hela cwningod ac ysgyfarnogod. Bu'r hawl hwn gan bentrefwyr Aberffraw hyd at ddechrau'r ugeinfed ganrif. Yr oedd y Tywyn yn lle delfrydol am gwningod, a chan ei fod yn braidd gyffwrdd â choed yr ystâd – Stad Bodorgan – daliwyd sawl ffesant yno hefyd. Ond mynnodd Syr George Meyrick yn negawd cyntaf yr ugeinfed ganrif fynd i gyfraith er mwyn hawlio gêm a chwningod y Tywyn. Ond fe safodd John Owen Jim a Lewis Jones yn erbyn Sgweiar y Plas. Sicrhaodd y ddau heliwr wasanaeth Syr

Ellis Jones Griffiths i ymladd eu hachos. Bu cryn gynnwrf yn y Berffro o ganlyniad i'r achos hwn. Yr oedd John Owen Jim a Lewis Jones yn gryn arwyr a phawb o'r pentref y tu ôl iddynt ac eithrio'r pentrefwyr a weithiai yn y Plas. Yn wir, cymaint oedd yr anghydfod nes i ymladdfa bastynau dorri allan rhwng y ddwy ochr – gweithwyr y stad yn erbyn y lleill. Nid oes sicrwydd pwy enillodd yr ymgyrch bastynau, ond Syr George Meyrick enillodd hawl dros gêm y Tywyn. Deil rhai o hyd fod Syr George wedi rhoi cildwrn sylweddol i Syr Ellis Jones Griffiths ac mai dyna pam y collwyd yr achos. Fe gostiodd yn ddrud i'r ddau ymladdwr: gorfu iddynt werthu holl ddodrefn eu tai i dalu'r costau.

Eto nid oedd dim a laddai ysbryd a sêl y potsiar. Fe'i dirwyid yn drwm yn y llysoedd gan y mynnai'r llysoedd bod potsio yn drosedd ddrwg iawn, fel y dywedodd un o brif botsiars Môn: 'Hanner coron am hanner lladd y wraig, pum punt am saethu ceiliog ffesant!'[7] Yn wir fe allasai Charles Peace (a drafodir yn y bennod 'Adar Amryliw') fod wedi ychwanegu y carcharwyd llaweroedd o botsiars Môn am saethu ffesant am na allent dalu'r ddirwy. Ond roedd person yn gymaint potsiwr yn dod allan ar ôl deufis yn y carchar ag oedd yn mynd yno. Nid oedd neb yn unman a gâi fwy o bleser o'i waith. Mae gan G. Wynne Griffith ddisgrifiad gwych o'r ysfa hon mewn potsiar yn ei nofel *Helynt Coed y Gell*:

> Yr oedd potsio fel pe byddai yn ei waed, ni allai adael llonydd i ysgyfarnogod a ffesaint a phetris, ac nid oedd terfyn ar ei ddyfeisiadau i'w dal.[8]

Yr oedd y gŵr parchedig wedi adnabod sawl potsiar yn ardal Llandyfrydog a Dulas.

Ond nid yr ysfa hon, er mor angerddol y gallai fod, oedd yr unig gymhelliad i'r potsiar fentro allan drwy bob tywydd. Cyfeiriwyd eisoes at dlodi'r werin, a chan fod digon o stadau cefnog ym Môn, byddai helfa dda o fewn cyrraedd pob pentref. Roedd potsio yn ffordd amgen na sawl un i ennill tamaid. Nid oedd pawb yn cydnabod fod potsio yn lladrad, ac roedd potsio yn llawer mwy anrhydeddus na chardota. Wedi'r cwbl, roedd y Beibl yn eithaf llawdrwm ar gardotwyr:

'A chardota sydd gywilyddus gennyf'. Roedd achosion o gardota ac o grwydreiaeth yn fwy cyffredin yn llysoedd Môn yng nghanol y bedwaredd ganrif ar bymtheg na photsio.

Mae T. D. Roberts wedi crynhoi'r cyfnod mewn cymal bachog, byr: 'Pan oedd tlodi'n rhemp a photsio'n grefft.'[9] Parhaodd y tlodi hwnnw o'r bedwaredd ganrif ar bymtheg ymhell i'r ugeinfed ganrif a bu helfa'r potsiar yn fodd i gynnal sawl teulu o dyad o blant rhag newynu. Gwyddys hefyd y gallai'r potsiar fod yn hynod o garedig lle y gwyddai fod angen. Fe gurodd ar sawl drws ac estyn ei ffon o'r nos gyda chwningen ffres neu ddarn o salmon yn crogi ar ei blaen. Mae'n amlwg bod hyn yn arferiad cyffredin gan y potsiars, nid yn unig mewn tlodi ond fel arwydd o groeso i deulu. Pan symudodd Goronwy Morgan Jones, swyddog Tolldy, i Walchmai i fyw, wynebwyd yntau pan agorodd y drws â physgodyn braf yn cael ei estyn o'r nos ar flaen ffon gyda'r cyfarchiad, 'Gobeithio y byddwch chi'n hapus yma'.

Mewn cyfnodau o ddirwasgiad a diweithdra byddai'r gweithwyr yn troi at botsio hyd yn oed yn yr ardaloedd trefol. Bryd hynny byddai'r glöwr a'r chwarelwr yn troi at y milgi, a dengys ffigurau troseddu y cynnydd amlwg mewn achosion o botsio mewn cyfnodau felly. Yn ôl un o bapurau wythnosol siroedd Dinbych a Fflint, sef *The County Herald* (15 Mawrth 1912), cafodd y ciperiaid amser digon pryderus ac anodd mewn sawl ardal yn ystod streic Chwefror 1912, yn arbennig yn yr ardaloedd glofaol. Yr oedd y cynnydd mewn potsio yn amlycach fyth yng nghefn gwlad mewn adegau o ddiweithdra, yn enwedig yn y cyfnodau anodd a gwael pryd y diswyddid gweision amaethyddol. Yr oedd blynyddoedd canol y bedwaredd ganrif ar bymtheg yn ddrwg iawn i amaethyddiaeth, ac ychydig iawn o waith a geid. Ond yr oedd gan bawb bron ei filgi, ac ni lwgodd neb tra bo ganddo filgi da. Yr oedd Llannerch-y-medd, Bodedern a Gwalchmai yn enwog am eu milgwn – y cŵn caredicaf mewn bod! Yn wir mewn amserau fel hyn, nid oedd gan ddyn ddewis ond troi at botsio. Yr oedd yr angen a'r demtasiwn mor gryf. Dyma'r cyfnod yr oedd y potsiar yn hela'r nos a'i wraig yn gwerthu cwningod o ddrws i ddrws drannoeth.

Nid rhyfedd fod pobl yn ymrannu yn eu hymateb i'r

potsiar – o blaid ac yn erbyn. Fe'i ganwyd allan o dlodi a gelyniaeth yn erbyn awdurdod a chyfraith. Roedd peth o'r hen ryfel dosbarth yn hanes y potsiar ac yr oedd yn arwr yng ngolwg rhai, ond doedd wiw dangos cefnogaeth gyhoeddus. Wedi'r cwbl, yr oedd bywyd pawb bron mor ddibynnol ar sgweiar y plas. Ond os oedd dewis rhwng cefnogi'r cipar neu'r potsiar, nid oedd amheuaeth ym meddwl y mwyafrif mai'r olaf a haeddai eu cefnogaeth. Roedd yr agwedd yma'n amlwg ddigon tuag at y potsiar a thuedda'r rhamantwyr a'r sosialwyr i'w roi yn yr un dosbarth â'r sipsi neu'r llechgi – rhyw fath o Robin Hood Cymreig. Ac fel y dywedodd Dick Humphreys yn 'Rhwng Gŵyl a Gwaith':

> Doedd y gair 'potsiar' ddim yn atgas yn y dyddiau pell hynny oherwydd, yng ngolwg y wreng, roedd hogiau'r wlad a feiddiai fynd i herwhela ar dir y plas yn 'rebels' cynnar yn erbyn yr ysweiniaid Seisnig, ac yn cael eu hedmygu fel rhyw fath o wroniaid gan lawer. Mae amryw ohonynt wedi gadael lliw ar eu hôl ar batrwm cymhleth hanes datblygiad cefn gwlad Cymru.[10]

Deuai cefnogaeth o leoedd digon annisgwyl weithiau. Roedd amryw o denantiaid ffermydd y stad yn eithaf cefnogol iddynt, er na ellid dangos hynny. Yr oedd y Parch. E. B. Jones, gweinidog yr Annibynwyr yng Ngwalchmai, yn llawn cydymdeimlad â'r potsiar ac yn wir byddai sawl un ohonynt yn ei gynulleidfa ym Moreia. Yr oedd E. B. yn dipyn o frenin yng Ngwalchmai ac ato ef, nid at y Methodistiaid yng Ngwalchmai Uchaf yr âi'r pyblicanod a'r pechaduriaid! Yn ddiddorol iawn, 'Capel Ni' y gelwid Moreia gan bob aelod ac fe ddeil rhai o hyd i'w alw felly – prawf bod yno gymdeithas glòs. Ar ei ffordd i'r oedfa ar nos Sul byddai E. B. yn galw heibio i'r 'seiat' dan y cloc (potsiars gan mwyaf) ac fe aent hwythau i'r oedfa i'w ganlyn. Merch y Grugor Fawr, Annie Jones, oedd y gyntaf i briodi ym Moreia ar y dydd olaf o'r flwyddyn 1930. Priododd Annie gyda John Hughes, mab Ty'n Lôn, Soar. Fel y deuent allan o'r capel wedi'r briodas yr oedd dau botsiar o boptu'r drws yn tanio dwy ergyd fel arwydd o ddymuniadau da i'r briodas. Lle bo milwyr neu awyrenwyr yn saethu ar y fath achlysur ym mhobman arall, y potsiar a gâi'r anrhydedd yng Ngwalchmai.

Ymhen amser fe symudodd John Hughes o Soar i ffermio ym Mryntirion, Bryn-teg, tua chanol y sir. Yn fuan ar ôl ei ddyfodiad fe gafwyd cynhaeaf gwlyb a cholledus, a gallai cynhaeaf felly siglo'r cwch yn go arw. Yn ôl y sôn codwyd calon John Hughes o ddeall beth oedd gan wraig un o botsiars yr ardal i'w ddweud:

> Mae'r Brenin Mawr yn gwybod yn iawn wrth bwy i fod yn ffeind, wrth John Hughes, Bryntirion a William Edwards, y Storws Wen am eu bod nhw ill dau yn ffeind wrth botsiars, ond wfft i'r diawliaid eraill.

Yn wir roedd ambell ffermwr yn ddigon caredig tuag at y potsiar ac yn credu y byddai'n fuddiol cadw yn ei lyfrau. Byddai'r potsiar yn gymorth o ran helpu'r defaid i wyna, neu fuwch i fwrw'i llo. Dro arall byddai'r gwartheg wedi torri dros y terfyn i'r ffordd fawr, trosedd ddigon cyffredin, ond fe sicrhâi'r potsiar eu troi yn ôl i'w cynefin. Yn y ffermydd hynny fe gymerai'r potsiar bob gofal na fyddai'n difrodi'r gwrychoedd na'r ffensys. O ganlyniad i'r gefnogaeth hon roedd yn anodd iawn cael neb a fyddai'n barod i dystio yn ei erbyn yn y Llys. Yn wir, y mae ambell achos pryd y talodd y ffermwr y ddirwy! Mewn rhai achosion byddai'r Ustus Heddwch yn gwneud ei orau i'w amddiffyn, cymaint fel y bu raid i'r Ysgrifennydd Cartref geryddu. Mae hanes am botsiars cylchoedd Marian-glas a Moelfre yn mynd at y Cyrnol Lawrence Williams, y Parciau, yn llawn edifeirwch wedi eu dal ar dir y Parciau yn potsio. Câi'r potsiar ei alw i'r tŷ a sefyll gerbron y bwrdd mawr a'r Cyrnol yn ei wynebu gan orchymyn iddo ymdynghedu na fyddai fyth wedyn yn rhoi ei draed ar dir y stad. Pa ddewis oedd gan y truan ond cytuno! Yna fe orchmynnai'r Cyrnol, *'Give a pound for the Lifeboat!'* Yn yr un modd aeth sawl potsiar o gylch Llanfechell a Llanddeusant i fegio pardwn Syr William Hughes-Hunter yn y Brynddu. Yr oedd y ddau ysgweiar yn gadeiryddion y Fainc, y naill yn Llangefni a'r llall yn Amlwch.

Ond faint bynnag o ffrindiau ac o gefnogwyr oedd gan y potsiar fe allasai yntau ddweud, 'mwy o lawer yw'r rhai sydd yn fy erbyn.' Yn ôl pob cipar a cheidwad carchar o'r bedwaredd ganrif ar bymtheg, y potsiar oedd y gwas ffarm ar ei waethaf, yn ddiog ac yn feddw ac yn esgeulus o'i wraig a'i blant. Yr oedd y potsiar yn gocyn hitio i rai carfanau o'r gymdeithas, yn enwedig i'r tirfeddianwyr a'r sgweiriaid a'i giperiaid a phobl barchus y gymuned. Fe'i cyfrifid yn wrthryfelwr cymdeithasol. Cawn brawf o hyn yn y llythyr a anfonodd yr Arglwydd Mostyn at William Ellis, prif gwnstabl Sir Gaernarfon, yn Ionawr 1860.[11] Cwynai'r Arglwydd fod giangiau o botsiars yn anrheithio terfynau ei stad a thynnu'r ffensys yn gyrbibion. Ond gwaeth na hynny oedd eu bod yn ymddwyn yn fygythiol a pheryglus pan âi gweision Mostyn i geisio'u rhwystro. Ond eithriadau prin oedd y rheini. Yn amlach na pheidio, ar eu pen eu hunain y gweithiai postiars Môn, ac os byddai raid wrth help fe alwent ar aelod o'r teulu.

Ond heb os, y cipar oedd prif elyn y potsiar, fel roedd y potsiar yntau yn brif elyn i'r cipar. Gorchestai'r naill yn eu cyfrwystra dros y llall. Wrth gwrs, gwas i'r sgweiar oedd y cipar, er y byddai ambell gipar yn llawer ffyrnicach tuag at y potsiar na'i feistr. Fu erioed was mwy teyrngar i'w feistr na'r cipar, fel y gwelir yn y man yn y bennod 'Gorau Cipar, Hen Botsiar'.

Methai potsiars Gwalchmai guddio'u hatgasedd, a phan âi'r Cadfridog Hughes o Lynnon Hall, Llanddeusant, yn ei gerbyd a phâr o geffylau trwy'r pentref, disgynnai cawod o dywyrch yn ddychryn i'r wedd a'r Cadfridog. Wrth gwrs, Cadfridog Hughes oedd Cadeirydd Mainc yr Ynadon yn y Fali, felly nid yn ddiachos y deuai'r gawod dywyrch. Pan ddeuai rhywun o Walchmai gerbron y Fainc yn y Fali, prin y codai'r Cadfridog ei ben a chyn gwrando ar yr achos yn llawn fe ddeuai'r ddedfryd – *'three months in custody'*.

Yn ddiddorol iawn, ac yn wahanol i bob troseddwr arall, bu perthynas eithaf ffafriol rhwng y potsiar a'r heddlu am gyfnod. Byddai prif gwnstabliaid cefn gwlad yn rhybuddio'r heddlu i gadw ar yr ochr iawn i'r potsiar gan fod hynny yn hynod o bwysig os am fyw yng nghefn gwlad. Yr oedd yn bwysig iawn i'r heddlu beidio, nac ymddangos i fod, yn weision personol i'r tirfeddianwyr mawr. Ond gyda chyflwyno deddfau newydd, yn arbennig y ddeddf honno ym 1862 a roes hawl i'r heddlu archwilio'r sawl a ddaliwyd, fe dynnwyd yr heddlu i mewn i'r gwrthryfel potsio. Bu hyn yn achos protestio ffyrnig gan y potsiars a chawsant gefnogaeth gref. Torrwyd y berthynas a chollodd y potsiar ei ymddiriedaeth yn yr heddlu. Erbyn dechrau'r ugeinfed ganrif yr oedd cynnydd sylweddol yn nifer yr heddlu yng nghefn gwlad, ac o dipyn i beth fe lwyddodd y tirfeddianwyr i gael eu tenantiaid hefyd i ymuno yn erbyn y potsiar.

Y mae un peth yn amlwg ddigon am botsiars, sef fod dau ddosbarth ohonynt – y potsiar achlysurol a'r potsiar proffesiynol. Yr oedd llawer iawn o bobl cefn gwlad yn potsio'n achlysurol. Byddai rhai yn troi at botsio fel ymarfer yn yr awyr agored; eraill, gweision ffermydd gan amlaf, yn gosod trap neu fagl ar eu ffordd adref o'u gwaith. Ambell benteulu yn methu cael dau ben llinyn ynghyd ar gyflog bach ar y fferm ac wedi sylwi lle y clwydai'r ffesant, a dyna ginio Sul gwerth eistedd wrtho. A byddai cwpwl o gwningod ifanc yn flasusfwyd o'r math gorau. Ond i'r rhan fwyaf o'r dosbarth yma byddai potsio yn fwy o blesera nag o anghenraid. Mae'n debyg mai dyma'r potsiar yr adnabu I. D. Hooson yng nghylch Rhosllannerchrugog – y meinar yn plesera efo'i filgi a'i ffured – ac a fu'n destun ei gerdd am Wil yng ngharchar Rhuthun.

Ond potsio oedd bywoliaeth y potsiar proffesiynol. Yr oedd hwn wedi ei drwytho yn y gamp a'r grefft; hwn oedd y gwir herwheliwr. Credai hwn fod ganddo hawl i botsio, mynnai nad oedd potsio yn ddim amgen nag estyniad o hen draddodiad a ffordd gyntefig o fyw lle roedd grym arferiad yn gweithredu. Fel y cawn weld, nid oedd yr un gyfraith na deddf a lwyddodd i'w rwystro. Mae ei grefft yn hen, cyn hyned â ffiwdaliaeth. Ond bellach fe ddiflannodd y rhamant ac eithrio yn atgofion y rhai sy'n cofio cynffon y cyfnod hwnnw.

---

[1] ©Thomas, R. S., *Song at the Year's Turning,* Rupert Hart Davis, London, 1955.

[2] Ellis, Susan, *Trafodion Cymdeithas Hynafiaethwyr a Naturiaethwyr Môn*, 1986, t. 117-146.

[3] dyfynnir yn D. V. Jones, *Crime, Protest, Communities and Police in Nineteenth Century Britain*, Routledge & Keegan Paul, 1982, t. 62.

[4] Jones, J. R., *Nora Plas y Foel*, Conwy, 1924, t. 19.

[5] Eifion Wyn, *Caniadau'r Allt*, Llundain, 1927, t. 28.

[6] Morris, Desmond, *Man Watching* (A field guide to human behaviour), London, 1977.

[7] Roberts, T. D., *Bara Llaeth i Frecwast*, Gwasg Gwynedd, 1983.

[8] Griffith, G. Wynne, *Helynt Coed y Gell*, Gwasg y Brython, 1928.

[9] Roberts, T. D., *op.cit.*

[10] Humphreys, Dick, 'Rhwng Gŵyl a Gwaith', *Yr Hen Botsiar*, 1983.

[11] *Caernarvon & Denbigh Herald*, Ionawr 1860.

Camp a Chrefft y Potsiar

Myn rhai fod potsio yn un o'r crefftau cain, crefft a hawliai bob greddf a synnwyr a berthyn i ddyn. Yr oedd y potsiar proffesiynol yn ddyn hynod o ddeallus, yn gyfrwys, yn ddewr ac yn fentrus. Meddai ar gof fel llyfr a gwyddai bob symudiad o eiddo'r cipar, y ffermwr a'r plismon. Fu neb erioed mor sylwgar â'r potsiar. Cofnodai gyda'i feddwl chwim bob symudiad a digwyddiad o fewn ei diriogaeth. Yr oedd ganddo grap pur dda o'r gyfraith hefyd, yn enwedig pob cyfraith a oedd yn ymwneud â thresbasu a'r gêm. Trysorai stôr o esgusodion ac alibïau – yn wir, byddai ganddo esgus parod i bob gofyn.

Bwriodd brentisiaeth faith a thrylwyr o'i blentyndod. Yn wir, fe'i magwyd yn swyn y grefft arbennig hon – y grefft o ddal, rhwydo a saethu anifeiliaid ac adar gwyllt. Meddai Ceiriog yn ei gerdd 'Alun Mabon':

> Os hoffech wybod sut mae dyn fel fi yn byw,
> Mi ddysgais gan fy nhad grefft gyntaf dynol-ryw.[1]

Yn yr un modd fe honnai'r potsiar yntau mai gan ei dad y dysgodd yntau ei grefft, a thybed na fyddai'n dadlau mai ei grefft ef oedd 'crefft gyntaf dynol-ryw'? Onid heliwr, yn hytrach nag amaethwr, oedd y dyn cyntefig? Ac fe erys y reddf honno yn ei waed o hyd.

Mae'n debyg nad oedd yr un grefft mewn bod a apeliai fwy at blentyn na hela a herwhela. Yr oedd angenrheidiau a chelfi'r grefft yn rhai mor ddiddorol – milgi a gwn, ffured a rhwyd – cyfuniad o ryfeddodau ac o ddirgelwch a apeliai at ddychymyg plentyn. Doedd yr un anifail anwes yn anwylach gan y plant na'r ffured a'r ffwlbart. Wedi'r cwbl, mae'r ffured fach wen yn hynod o chwareus ac nid oes ball ar ei thriciau. Clywais fab i sgweiar o Fôn yn dweud mai'r potsiar mwyaf ar y stad oedd y cwmni gorau ganddo pan oedd yn blentyn; yn wir fe roddai unrhyw beth am gael newid byd hefo'r potsiar hwnnw.

Byddai plant y potsiar yn plesera mewn llygota ac adara er yn ifanc iawn. Clywais am deuluoedd tlawd yn dal gwialchod ar yr eira mewn llwyni drain, eu pluo a'u rhostio'n goch a chael pryd blasus. Y plant a'r fam fyddai'n hela'r adar. Roedd y plant yn fychan ac yn ystwyth i gyrraedd yr adar cysglyd rhwng y brigau pigog. Câi ambell blentyn drap twrch i'w ddifyrru'i hun. Byddai tyrchwr neu ddau ym mhob ardal erstalwm ac fe ddywedir y ceid gwell pris am un croen twrch yn ystod blynyddoedd y Rhyfel Mawr nag am gwpwl o gwningod. Yr oedd hi'n gryn gamp dal twrch ac felly yr oedd yn ymarfer da i ddysgu'r plentyn ddod yn heliwr. Yn Llys Llannerch-y-medd ym mis Mawrth 1920 fe gyhuddwyd plentyn ifanc am ddwyn twrch daear o drap Hugh Jones y tyrchwr. Tosturiodd Cadeirydd y Fainc, Syr William Hughes-Hunter, y Brynddu, gan rybuddio'r plentyn yn daer i beidio dilyn llwybrau herwhela.

Cofia Dickie Jones o Walchmai fel yr âi adref i ginio ganol dydd o'r ysgol a'i dad yn dweud nad oedd raid iddo fynd i'r ysgol y prynhawn hwnnw: 'Mi gei ddŵad i ffureta hefo mi'. Deil Dickie i gofio'r gorfoledd! Nid yn unig cael colli'r ysgol am brynhawn cyfan ond cael mynd i ffureta hefyd. Byddai'r plentyn yn help i daflu llwch i lygaid y cyhoedd a'r cipar, gan mai gweithred ddigon diniwed oedd mynd â'r hogyn i'w ganlyn i ffureta. Ond roedd yr hogyn eisoes yn egin cryf o botsiar.

Yn yr hen fyd byddai'r ffermwyr yn cyflogi plant i gadw'r brain o'r caeau a fyddai newydd eu hau neu pan fyddai'r ŷd yn aeddfed. Rhyw actio bwganod brain byw fyddai'r orchwyl a chaent swllt o gyflog, yn ôl y sôn. Buan iawn y deuai'r plant yn ddigon cyfrifol i gael trapiau a chroglathau iddynt eu hunain. Ar dywydd rhewllyd a chaled deuai'r sneipen a'r cyffylog i'r corstir i chwilio am fwyd a châi'r plant gyfle i'w dal â'u trapiau. Yn eu harddegau cynnar byddai'r plant wedi'u cymhwyso i gael hen wn hwyaid i saethu hwyaid gwylltion yn y gors ac yn y llyn malu. Yn wir, nid oedd teclyn tebyg i'r gwn! Disgwyliai'r glaslanciau yn eiddgar i'r colomennod coed ddod i glwydo wrth y tŷ gyda'r nos. Yn wir, roedd y llanc yn gwella hefo pob ergyd. Ni fyddai dim yn rhoi mwy o bleser i'r prentis bach na cherdded y gweundir i saethu cornchwiglod neu'r tîl.

Fel hyn y trwythid y plentyn yng nghyfrinachedd a dirgelwch y grefft. Fe'i rhybuddid o'i blentyndod nad oedd i ddatgelu yr un gyfrinach mewn sgwrs nac ymffrost am botsio. Dysgent hefyd fod pob cipar, plismon a thirfeddiannwr i'w hosgoi a'u bod yn elynion anghymodlon. Cyn pen dim yr oedd y plentyn yn gystal potsiar â'i dad, ac eto heb yr un dystysgrif cymhwyster na'r un dystysgrif o'r ysgol chwaith.

Ond, er adnabod y grefft a'r gamp yma, rhaid sylwi a rhyfeddu at yr angenrheidiau a'r celfi at y gwaith. Yn ddiddorol iawn mae'r celfi hyn wedi aros o oes i oes heb newid fawr ddim, prawf o ddyfeisgarwch perffaith yr hen botsiar.

Mae'n debyg mai'r milgi fyddai un o'r prif hanfodion. Ni welid fyth mo'r potsiar heb ei filgi na'r milgi heb ei feistr chwaith. Fu erioed berthynas berffeithiach. Mae'r naill fel pe'n gwybod holl gyfrinachau'r llall. Adnabu I. D. Hooson y berthynas yma i'r dim, ac yn ei gerdd yn sôn am Wil yng ngharchar Rhuthun nododd nad oedd ei wraig na'i blant yn malio dim, ond nid felly 'Fflach' y milgi:

> Mae hwn fel hen bererin
> Hiraethus a di-hedd,
> Ei dduw ymhell, ac yntau
> Yn methu gweld ei wedd.[2]

Does yr un anifail all hiraethu fel milgi – udnada'n ddistaw, yn feichus o gwynfanllyd a'i gefn fel bwa yn ddigon i yrru gwraig y potsiar o'i cho', a gresyn na fuasai hwn hefyd yn cael ei garcharu hefo'i feistr. Ond roedd Fflach wedi colli'r un, yr unig un, y dibynnai'n gyfan gwbl arno, ac rwy'n siŵr fod gan Wil, yn y carchar, fwy o hiraeth am Fflach nag am ei wraig!

Mae gan D. J. Williams bortread gwych o'r berthynas neilltuol hon wrth sôn am Ben Ty'n Grug a'i filgi yn ei lyfr *Hen Wynebau*.[3] Credai D. J. i enaid y ddau gwrdd rywdro yn yr un mowld. Mae'n ein hatgoffa o'r hen chwedl honno pan gododd dwy 'sgwarnog ac i'r milgi hollti'n ddau a dal y ddwy! Gwelai D. J. ryw debygrwydd yng ngwedd y potsiar a'i filgi: os crogai diferyn rhynllyd wrth drwyn Ben ar fore oer a rhewllyd, byddai diferyn dwys o gydymdeimlad yn hongian wrth ffroen Llwyd y milgi, ac yn yr un modd ar ddiwrnod poeth o haf cydluddedent a'u cegau'n lled-agored. Gwyddai Ben, drwy reddf, gyfrinach pob twmpath, ffos a bôn clawdd a deallai'r milgi dric a thro pob cynffon wen. A dyna hi, y bartneriaeth berffaith.

Gan bwysiced y milgi i'r potsiar mae'n naturiol iddynt fynd ati i fridio ac i groesi'r brid er mwyn cael milgi mawr a chryf. Tuedda'r milgi pur i fod yn dendar ac yn rhynllyd ac i hario cyn diwedd y noson. O'r herwydd fe aed ati i'w groesi â bridiau eraill, garwach a thrymach. Un croesiad fyddai ci carw ac yna fe gaed y cynllwyngi *(lurcher)* a fyddai'n llawer garwach ei flewyn a mwy o faint. Yr oedd rhinwedd arbennig iawn yn y cynllwyngi: wnâi hwn fyth gyfarth waeth beth fyddai'r amgylchiadau. Cyfrifid milgi a gyfarthai dan straen neu mewn ofn yn wendid anfaddeuol mewn ci potsiar. Y *Labrador* fyddai'r dewis arall a chaent gi hynod o gryf o'r croesiad hwnnw. Ond y ci defaid fyddai'r dewis ym Môn i'w groesi â'r milgi. Yr oedd hwn yn groesiad buddiol iawn; caent gyflymdra'r milgi a thrwyn a deallusrwydd y ci defaid, a hwn oedd yr un hawsaf i'w ddysgu.

Yr oedd gan botsiars a chwningwyr Môn fantais unigryw iawn i gael croesiad gwahanol, sef milgwn Iwerddon. Byddai milgwn ddigon yn croesi'n ôl a blaen i Iwerddon trwy borthladd Caergybi. Yr oedd y rhain yn filgwn neilltuol ac yn llawer mwy o faint na'r rhai cyffredin. Milgwn rasio oeddynt, ac yn gŵn drudfawr ryfeddol. Ond fe fyddai'r potsiar o Fôn, trwy gil-dwrn a sawl ffordd arall, yn cael caniatâd i'r milgi Gwyddelig gyfebru'r filiast. Gwelwyd sawl potsiar a'i filiast ddu yn ymlwybro'n llechwraidd i iard y gwartheg at y milgwn dieithr. Roedd hi'n ben set ar un hen botsiar yn cyrraedd yr iard ar un achlysur. Cafodd ganiatâd i fynd at y milgwn ar yr amod ei fod i roi tro sydyn gan fod y llong yn gadael ar ben yr awr. Roedd miliast y potsiar a'r milgi rasio yn bur chwareus hefo'i gilydd, heb fawr o siâp cyfebru. Pryderai'r potsiar fod yr amser yn mynd a'r cŵn mor ddidaro ac yntau wedi talu'r ffi answyddogol. Ymresymodd yn ddoeth, ddeallus â'r cŵn. 'Ylwch, does gynnoch chi ddim llawar o amsar, gafal ynddi, was,' meddai wrth y milgi. 'Mae gen i geiliog iâr adra, mi fasa hwnnw wedi gorffan ers meitin ac mi fasa'n chwilio am iâr arall bellach.' Daeth amser y milgwn i ben ac erbyn hyn roedd y milgi mawr brych yn dindin hefo'r filiast fach ddu. Mae yna rhai pethau na fedr hyd yn oed hen botsiar eu brysio!

Prif gamp y milgi ar ôl dal y gwningen – ac yr oedd hynny'n dipyn o gamp – oedd ei chario i'w feistr heb arni ôl dant! Pan ddôi'r cipar ar bac y potsiar fe wyddai, gan amlaf, na allai fyth ei ddal, ond fe lwyddai droeon i ddal y milgi, ac roedd hynny bron yn gyfystyr â dal y potsiar. Mae hanes am Seth Jones, y Kennels: pan ddeuai'r cipar rhoddai'r potsiar orchymyn pendant i'r milgi – 'Adra', ac ar y gair diflannai ac fe âi Seth i guddio!

Gan y byddai cymaint o ofyn am filgwn gan y potsiars a'r cwningwyr fe dyfodd cryn drâd. Ar un amser byddai milgi fel ornament wrth ddrws pob tŷ ym mhentrefi Môn – hwn oedd eu ffon fara yn llythrennol. Yr oedd Seth Jones, y Kennels yn un o brif farchnatwyr milgwn ym Môn ac, fel y gwelwn yn y bennod nesaf, byddai ganddo gymaint â deg ar hugain o filgwn weithiau.

Mae hanesyn am hen botsiar o Lanfair-yng-Nghornwy a aeth i Walchmai i brynu milgi. Potsiar o Walchmai yn gwerthu milgi – dyna rybudd clir i gadw draw! Ni fyddai hen botsiars Gwalchmai byth yn gwerthu milgi i neb oni bai ei fod ar ddarfod amdano. Fodd bynnag, i Walchmai yr aeth y potsiar hwnnw o Lanfair-yng-Nghornwy i geisio milgi. Cyfarfu'r prynwr a'r gwerthwr. Rhoes y gwerthwr y milgi, un mawr brych, i sefyll fel ceffyl mewn sioe. Wedi gogrwn a throi ac ambell reg, fe safodd y milgi'n berffaith, fel y dylai milgi sefyll. Rhag unrhyw amhariad rhoes y potsiar o Walchmai ei fys hir yn gynhaliaeth tan ên hirfain y milgi, a chyda bys a bawd cododd ychydig ar ei gynffon gan ei ddal yn ei unfan – gafaeliad celfydd fel merch yn gosod het newydd ar ei phen gyda chymorth rhyw dri bys. Bagiodd y prynwr dan lygadu'r milgi'n ofalus. Stopiodd – craffodd yn boenus. Torrwyd ar y mudandod hir gan gwestiwn y gŵr o

Lanfair: 'Ydi o'n medru symud?' Wel, dyna'r cwestiwn hollbwysig wrth brynu milgi – pa ddefnydd cael milgi a hwnnw'n methu symud! Heb ollwng y gynffon na'r ên, a heb dynnu'i lygaid oddi ar y ci, daeth ateb byr y gwerthwr: 'Fel teligram!' Dyna'r peth cyflymaf y gwyddai pobl Gwalchmai amdano, teligram prisiau moch yn dod o Fanceinion i'r Post yng Ngwalchmai ar fore Llun.

Fu erioed anifail bach mor hanfodol i grefft a gwaith y potsiar na'r milgi. Gallai droi ei drwyn main at unrhyw alw mewn hela. Medrai milgi Dic, Teilia Bach ddal ffesant cystal ag unrhyw rwyd, ac roedd ambell filgi dienw o'r un cyffiniau a fedrai ddal petris fel cath. Ond y gwningen oedd bryd y milgi ac ambell 'sgwarnog, er bod y gnawes honno yn gofyn am orau glas unrhyw filgi. Bu'r cwningod yn bur niferus ar Ynys Môn ac yn hawdd iawn cael marchnad iddynt ac yr oedd pob potsiar yn gynefin iawn â'u harferion. Rhwng deg o'r gloch y nos a dau y bore y bwydent, felly dyna'r amser gorau i rwydo neu hela. Ar noson stormus tueddent i aros yn weddol agos at y cloddiau er mwyn cael cysgod. Eu gelyn pennaf yw gwynt y dwyrain; yn wir nid oes fawr ddiben hela na rhwydo ar noson o wynt dwyrain. Nefoedd y gwningen yw noson leuad sych; crwydra'n bell i'r cae ar noson felly gan y gall weld y gelyn yn dod o bell.

Mae'r 'sgwarnog o anian digon tebyg i'r gwningen er nad yw'n daearu ac mae ganddi ddant melysach. Ei hoff borfa yw'r egin ifanc ar yr ŷd, yn enwedig egin gwenith. Mae'n anifail llawer mwy chwareus na'r gwningen ac yn hynod o sensitif i arogl ci neu ddyn. Yn wir gall hon adnabod ôl troed a byddai'n ddigon i'w throi'n ôl o'i llwybr. Cred yr hen botsiar nad oes ailgynnig i ddal 'sgwarnog; os methir unwaith ni cheir cyfle wedyn gan ei bod hi mor gynddeiriog o ofalus. Y 'sgwarnog fyddai'r maen prawf i'r potsiar.

Fu erioed gymar mwy buddiol na'r milgi, yn gwmni tan gamp i'r ffuretwr yntau. Gwyliai a gwrandawai yn ddeallus ar yr ymladdfa rhwng y ffured a'r gwningen ym mherfeddion y clawdd pridd. Gan deneued ei glust, bron na chlywai'r gwningen yn symud at ei drws, a hynny yn ei slipars. Byddai eraill yn dysgu'r milgi i rwydo, sef cynnull y cwningod o'r cae i'r rhwyd wrth y clawdd. Yr oedd yn gryn gamp – disgyblu'r milgi i droi'n ôl cyn dal y gwningen, dim ond ei gyrru am y rhwyd. Wrth gwrs, ci unswydd fyddai hwn, neu 'gi rhwyd' fel y'i gelwid.

Arferiad arall digon cyffredin i'r milgi fyddai hela yng ngolau'r lleuad, gyda'i feistr yn cerdded y ffordd fawr. Ar ôl dal deuai'r milgi yn llechwraidd trosodd at ei feistr, ac yna fe âi'n ôl am fwy. Byddai ambell filgi yn ddigon deallus i wybod nad oedd wiw mynd â'r helfa at ei feistr os clywai lais dieithr. Arhosai bryd hynny i gael arwydd trwy chwibaniad isel i ddweud ei bod yn ddiogel iddo ddod trosodd.

Mae hanes difyr am hen wraig o Gemais a âi fel hyn gyda'i milgi i hela. Fyddai dim modd cael sgwrs â hi pan fyddai ar y teithiau hyn. Gwisgai'r hen wraig gôt fawr laes gyda phocedi enfawr o'r tu mewn i gario'r cwningod. Fe âi weithiau yn gynnar yn y prynhawn i weld rhai o'i theulu yn ardal Llanfair-yng-Nghornwy a llethrau mynydd y Garn. Yn ffodus iawn i'r hen wraig yr oedd yr ardal hon yn nodedig am ei chwningod. Wedi swper ym Mhenmynydd dyna droi am adref, y hi a'r milgi. Cyn i deulu Penmynydd glirio'r llestri swper yr oedd y milgi wrth ei waith. Byddai'n berfeddion nos ar y ddau'n cyrraedd yn ôl i Gemais a'r hen wraig yn lluddedig dan ei baich. Câi'r milgi swper nodedig y noson honno – fyddai wiw ei fwydo cyn helfa. Os am gael y gorau o'r milgi rhaid iddo fod yn llwglyd! Byddai'r dull hwn o herwhela yn boblogaidd gan y potsiars parchus ac nid rhyfedd i'r milgwn fod yn destun cryn ymffrost a chystadleuaeth i'w meistri. Tyfodd sawl chwedl amdanynt dros y blynyddoedd, megis yr ymffrostiai Robert Jones, hen botsiar o Langefni, nad oedd dim ond ei gysgod a allai ganlyn Sam ei filgi. Ac yn y Bull ar nos Sadwrn, yn ôl Ifan Gruffydd, byddai 'Morus yr Helfa' yntau yn ymffrostio nad oedd yr un milgi ar yr ynys i gyd yn debyg i Rigo am ddal y 'pry mawr', sef 'sgwarnog. Pan blygai'r bwa ar ei gefn, melltennai Rigo nes dal y pry.[4]

Mae'n debyg fod y gwahanol rwydi yn reit angenrheidiol i waith y potsiar. Defnyddid y rhwyd i bob hela o'r bron. Yn ei nofel *Helynt Coed y Gell* fe ddywed Griffith Wynne Griffith y byddai Twm Morgan y potsiar yn gwau ei rwydi ei hun, ac mae'n wir bod yr hen botsiars yn hynod grefftus â'u dwylo.

Yr oedd hyn yn fantais fawr iddynt gan fod cymaint o amrywiaeth ym maint y gwahanol rwydi. Cyweirio'r rhwydi fyddai un o'u dyletswyddau yn ystod misoedd yr haf pryd nad oedd llawer o helfa i'w chael. Byddai'r potsiar yn mynd i weithio'r cynhaeaf yn ffermydd y fro ar amser slac o'r fath pan fyddai'r adar yn gori a'r anifeiliaid allan o gêm, a defnyddiai'r tymor hwnnw i'w bwrpas. Byddai'n astudio'r caeau a'r gwrychoedd ac yn cofio lle'r oedd bwlch hwylus neu dwll yn y clawdd drain. Gwnâi arolwg o bob peth a dyfai ym mhob cae. Wedi'r cwbl, ni wnâi'r tro ceisio gosod rhwyd mewn cae o rwdins.

Y bwysicaf o'r rhwydi hyn oedd y rhwyd ganllath ar gyfer cwningod. Yr oedd yn hon rwyllau modfedd a hanner o linyn main cryf, a chortyn ffyrf ar hyd pen uchaf ac isaf y rhwyd a elwid yn 'dant'. Fe geid cryn ladd (llacrwydd) yn y rhwyd a byddai'n bolio allan rhwng dau beg. Y 'lladd' yma oedd rhan o'r gyfrinach; pe bai'n stiff fel rhwyd bennog, byddai'r cwningod yn dychryn a throi'n ôl yn lle gyrru ymlaen i ddryswch y rhwyd lac. Hon oedd y rhwyd fwyaf defnyddiol i'r potsiar gan ei bod yn dal tua chan cwpwl o gwningod ar ryw chwe gosodiad. Byddai raid wrth ddau i'w thrafod a'r rheini'n deall ei gilydd i'r dim gan y byddai'n dywyllwch ac nid oedd wiw cael golau. Byddai un yn cario'r rhwyd mewn sach a'i hochr ar agor â'i cheg wedi'i phwytho. Yr oedd cortyn o ddwy gornel y sach yn ddolen am wddw'r cariwr. Y cariwr fyddai'n dirwyn y rhwyd o'r sach a'i bartner yn ei derbyn ac yn ei phegio'n gadarn i'r ddaear ryw chwe llath o'r clawdd. Yr oedd yn bwysig mai wrth y clawdd a wynebai'r gwynt y gosodid y rhwyd. Ar ôl ei gosod fe âi'r ddau rwydwr allan i'r cae – weithiau cerddent led y cae yn tynnu llinyn ar hyd ei wyneb, ffordd effeithiol iawn i ddychryn y cwningod am eu tyllau. Byddai gan eraill 'gi rhwyd', milgi neu gorgi i fugeilio'r cwningod at y rhwyd. Yna byddai raid i'r ddau botsiar fodiacha yn y tywyllwch am y cwningod byw i'w lladd a'u bagio. Yna codi'r rhwyd heb siw na miw a symud am glawdd arall. Mae'n debyg nad oes yr un dull mwy effeithiol i ddal cwningod na'r rhwyd hon.

Ceid rhwyd wahanol i ddal 'sgwarnog – rhwyd adwy fyddai honno. Mae'r 'sgwarnog yn anifail hynod wyliadwrus. Fe anela am yr adwy gan y gall weld i'r cae arall drwyddi. Yn wahanol i'r gwningen, fe grea'r 'sgwarnog gryn stŵr pan gaiff ei dal; weithiau fe ddolefa'n gwynfanus neu wichian dros y wlad, ac nid oedd peth felly wrth fodd y potsiar.

Yr oedd gan y potsiar hefyd ddwy rwyd a amrywiai yn eu hyd – rhwyd betris a rhwyd ffesant – ac mae'n debyg y byddai ambell botsiar go fedrus yn gwau'r rhwydi hyn ei hun hefyd. Yr oedd rhwyd betris yn gorchuddio cryn arwynebedd – digon i gael yr haid i gyd. Yn naturiol yr oedd y rhwyd ffesant yn debyg i rwyd sydd gan blant i ddal pysgod bach, rhyw boced o rwyd ar goes go gryf. Yr oedd gweithio'r rhwyd hon yn grefft nodedig iawn ac roedd y gyfrinach yng nghyflymdra'r weithred.

Rhwydi ffureta oedd y rhai eraill, poced o rwyd i orchuddio twll y gwningen. Yr oedd gan y potsiar ffured ac yr oedd hon hefyd yn un o hanfodion y grefft. Tardd y ffured o dylwyth y fronwen a ddaeth yn wreiddiol o'r trofannau; dyna paham y mae'n anifail bach mor rhynllyd yn nhymheredd Cymru. Y mae'n anifail sy'n bridio er ei bod yn albino, gyda'i llygaid pinc a'i ffwr gwyn. Gan ei bod mor fychan a gwan bu i'r potsiar ei chroesi â ffwlbart i gael ffured fwy a ffyrnicach o liw brown. Nid yw hon mor ffeind â'r ffured fach wen. O holl weithgareddau'r potsiar mae'n debyg mai ffureta oedd y difyrraf. Gwrandawai'r ffuretwr a'i filgi yn astud wrth dwll y gwningen, saethai honno allan o afael ei gelyn drewllyd i ddryswch y rhwyd fach neu i geg y milgi. Er mai gweithred yng ngolau dydd yw ffureta, fe wyddai'r potsiar am y llecynnau hynny nas canfyddai llygaid barcud. Yr oedd yr hen botsiar yn adnabod ei diriogaeth yn ddigon da i wybod am ryw bant neu du ôl i dwmpath neu fryncyn. Gwyddai hefyd am ddaearau da ar gwr y goedwig neu yn y coed, o olwg pawb, lle y gallai aros drwy'r prynhawn.

Yn ddiweddarach daeth 'lampio' yn un o ddulliau pwysicaf y potsiar. Roedd y milgi yn gwbl allweddol i'r dull hwn. Daliai'r potsiar y gwningen yng ngolau cryf ei lamp gan ei dallu'n hollol a chyn pen dim byddai'r milgi wedi ei chipio a'i chario i law ei feistr. Byddai'r potsiar proffesiynol wedi bagio cryn faich o gwningod cyn i'r cipar a'r cwningwr wneud eu ffordd amdano. Honnai Harri Hughes (Harri

Game) mai ef a ddaeth â lampio i Sir Fôn. Harri, mae'n debyg, oedd y potsiar proffesiynol olaf ar yr Ynys.

Ond er mor werthfawr oedd y gwningen i'r potsiar gan mai hi oedd prif ffynhonnell ei incwm, nid oedd hi yn gêm, ac roedd mwy o sialens mewn dal gêm. I botsiars Môn y betrisen a'r ffesant oedd yr adar pwysicaf. Yr oedd y petris yn helwriaeth bwysig iawn. Maent yn adar bach bywiog a phrysur, yn rhedeg yn fân ac yn fuan bob amser. Yr unig amser yr ehedant yw wrth symud o gae i gae ond, er mor bell y crwydrant yn ystod y dydd, byddant yn siŵr o gynnull at ei gilydd at y nos. Mae ganddynt fath arbennig o glochdar i alw'i gilydd amser clwydo ac yr oedd y potsiar yn adnabod yr alwad hon – deuai'r galw a'r ateb yn nes at ei gilydd. Wrth wrando a gwylio fe wyddai'r union fan y cysgai'r petris y noson honno. Byddai'r potsiar yn cofnodi cuddfan gymaint â thair haid o betris yr un noson a medrai ambell hen botsiar dawnus ddynwared galwad y petris a llwyddo i'w cael i ateb ei alwad ef!

O adnabod arferion a greddfau'r petris byddai'n haws i'r potsiar ddyfalu dull i'w dal. Gan y gwyddai i'r dim y fan y clwydent ar y ddaear, yn heidiau hefo'i gilydd mewn sofl neu borfa dociog, neu weithiau yn y rhesi rwdins, yr oedd yn weddol hawdd iddo eu rhwydo. Byddai raid cael dau i drafod rhwyd betris, un ym mhob pen iddi, a byddai ambell rwyd yn gorchuddio tua hanner cae. Rhwydent yr haid i gyd, rhywle o hanner dwsin i wyth mewn nifer. Gan y tueddai'r petris i fynd i'r un wâl bob nos byddai'r potsiar a'r cipar yn adnabod y fan. Er mwyn rhwystro'r potsiar byddai'r cipar yn taenu brigau mân o ddrain o gylch gwalau'r petris er mwyn drysu'r rhwyd.

Cyfle arall y potsiar fyddai yn ystod y bore cynnar pan fwydai'r petris. Un dull fyddai rhoi rhes o rawn ar y cae. Disgynnai'r petris yn rhes daclus i frecwasta'n brysur. Taniai'r potsiar ergyd ar hyd y rhes a'u cael bron i gyd. Cipio'r adar ar amrantiad a diflannu, gan y byddai'r ergyd wedi galw cipar. Dull arall fyddai meddwi'r petris yn afreolus hollol. Gwnaed hyn drwy socian y grawn, haidd gan amlaf, mewn dŵr nes y byddai'n chwyddedig, yna ei fwydo yn y gwirod cryfaf a'i daenu ar lwybr y petris. Câi'r gwirod effaith mewn dim o dro ar yr adar gan eu troi'n gwerylgar ac ymladdgar â'i gilydd. Byddai'n helfa ddi-lol iawn i'r potsiar.

Ond heb os, brenin y gêm yw'r ffesant. Y mae'n aderyn crwydrol iawn er ei fod yn cael ei fwyd wedi ei baratoi iddo gan y cipar ar lawnt y plas, fel y trafodir ymhellach yn y bennod 'Gorau Cipar, Hen Botsiar'. Fe ŵyr y ffesant ei fod yn hollol ddiogel o fewn cylch y plas a thŷ'r cipar, ac o ganlyniad fe gerdda'n hamddenol heb un gofal yn y byd. Yn wir, mae'n ymddwyn fel pe'n gwybod fod y gyfraith yn ei warchod a'i gadw. Bu ei 'drem drahaus ar dir y lord', ys dywed R. Williams Parry yn ei gerdd 'Y Ceiliog Ffesant', yn ormod i'r gwas hwnnw o Blas Tresgawen, meddai Ifan Gruffydd, a roes iddo un ergyd sydyn farwol ar ochr ei ben.[5] Daeth tymor y gwas hwnnw i ben yr un mor ddisymwth yng ngwasanaeth Pritchard Rayner.

Gwelai'r bardd R. Williams Parry yn yr aderyn ymgnaw-doliad o lordyn arall a theimlai yntau fel y gwas hwnnw hefyd:

Oherwydd clochdar balch dy big,
A'th drem drahaus ar dir y lord,
Mi fynnwn heno gael dy gig
Yn rhost amheuthum ar fy mord;
A byw yn fras am hynny o dro
Ar un a besgodd braster bro.[6]

Ond er cael eu bwyd ar y bwrdd bob bore, eto pan geid cnau ffawydd a mes yn y goedwig, gadawent y bwrdd i fwydo ar gynnyrch y coed. Fe ddilyn y ffesant batrwm set i'w ddiwrnod. Bwydant yn y bore cynnar, yna crwydrant i chwilio am bridd sych i gael ymolchfa go dda cyn dechrau ar eu diwrnod. Yn ystod y prynhawn crwydrant yn barau, gyda'r ceiliog yn fawr ei ofal o'r iâr. Yn wahanol i'r adar eraill, nid yw'r ffesant yn llwglyd nac yn prysur chwilio am fwyd yn barhaus.

Ni wyddom yr union ddyddiad pryd y daeth y ffesant i wledydd Prydain. Mae'r cofnod cyntaf yn mynd yn ôl mor bell â'r unfed ganrif ar ddeg.[7] Asia, mae'n debyg, yw eu cynefin ac oddi yno y daeth y ffoaduriaid cyntaf i Brydain. Fel y gallesid disgwyl, nid yw hinsawdd ein gwlad ni yn addas iawn iddynt, gan ei fod yn aderyn tyner iawn a'i gywion yn hynod o dripedig. Dyna pam y rhoir y fath ofal i'r ffesant, ac yn arbennig i'r cywion, ac oni bai am y gofal hwn go brin y byddai yna ffesant yn y wlad o gwbl.

Yr oedd yn broses i ddiddyfnu'r ffesantod ifanc o glydwch a gwres eu magwrfa i'r byd mawr didostur. Golygai hyn gryn ofal gan y cipar i gadw llygad parhaus arnynt a sonnir mwy am hyn yn y bennod olaf. Dyma un rheswm paham fod saethu ffesantod yn fwy o drosedd na saethu'r adar a'r anifeiliaid gwylltion eraill, ac i ryw raddau fe allesid dadlau fod y ffesant yn hanner dof.

Ond beth bynnag oedd gofal a chonsýrn y cipar, prif ddiddordeb y potsiar yn y ffesant fyddai gwybod ble y byddai'n clwydo'r nos. Aderyn sy'n clwydo ar goed yw'r ffesant a chan y byddai'r coed hynny, gan amlaf, o fewn clyw'r cipar nid oedd yn bosibl defnyddio'r gwn a rhaid oedd defnyddio cryn ddyfeisgarwch i'w ddal mor ddi-stŵr ag oedd modd. Ar noson sych ac oer clwyda'r ffesant yn y coed pinwydd oherwydd y câi gysgod da yno. Os byddai modd, dewisa glwydo uwchben afon. Cred rhai bod sŵn yr afon yn ei suo i gysgu ond mae'n haws credu mai synhwyro ei fod yn ddiogelach yno y mae, gan mai oddi tano y deuai'r perygl ato. Gan y byddai cangen y pinwydd rhyw chwe troedfedd o uchder, rhoddai'r potsiar groglath ystwyth ar flaen ffon i gyrraedd ato ar ei glwyd. Byddai raid wrth olau i'r dull hwn gan dywylled y coed. Gan fod y ffesant, fel sawl aderyn arall, yn cysgu â'i ben yn ei blu, byddai'n rhaid ei ddeffro er mwyn iddo godi ei ben, ac yna rhoi'r groglath am ei wddf a'i dynnu i lawr.

Mae disgrifiad manwl o rwydo'r ffesant ar y glwyd yn y nofel *Helynt Coed y Gell.*[8] Rhwyd fechan debyg i'r un a ddefnyddia plant i ddal pysgod bach oedd gan Twm Morgan yng nghoed Llys Dulas, ond yn anffodus, wedi rhwydo hen geiliog mawr, fe gododd y coblyn stŵr a'i glochdar yn atsain drwy'r coed. Clywodd y cipar, galwodd ar weision y plas a daliwyd Twm Morgan. Dyna brawf nad oedd pob dyfeisgarwch yn llwyddo bob tro.

Ar noson wlyb, wlawog dewisa'r ffesant goeden lân i glwydo – coeden heb ddail, derwen gan amlaf. Y mae'r ffesant yn hynod o barticlar na fydd diferion yn bargodi arno yn ei wely. Felly ar gangen glir fe all roi sgytfa dda iddo'i hun i gael gwared o'r diferion. Mentrai ambell botsiar ar noson olau lleuad hefo'r gwn distaw a rhoi ergyd i bâr o ffesantod, a chan fod y ffesant ar goed clir a'r lleuad yn ddisglair nid oedd angen goleuni arall. Ond gan y byddai wedi tanio ergyd byddai raid i botsiar ei gwadnu hi am adref y ffordd gyntaf. Byddai ambell botsiar yn ddigon beiddgar i oleuo brwmstan ar lawr yn union oddi tan y ffesant ar ei glwyd, a phan godai'r tarth myglyd gan orchuddio'r aderyn fe ddisgynnent yn gwbl ddiymadferth i ddwylo'r potsiar. Cythruddai'r dulliau hyn y ciperiaid a'r ysgweiriaid gan eu bod yn lladd pob syniad o sbort o'r hela.

Yr oedd gan y potsiar amryw ffyrdd i ddal y ffesant yn ystod y dydd hefyd. Un o'r rhain fyddai rhoi twll main drwy heidden, yna rhoi blewyn garw o wrychyn mochyn drwy'r twll, ac yna torri'r ddau ben a gadael rhyw chwarter modfedd o'r blewyn garw yn pigo allan oddeutu'r heidden. Taenent yr haidd pigog ym mwydfan y ffesant, a chan fod haidd yn flasfwyd ganddynt, fe ddiflannai'r haidd yn ddiymdroi. Cyn pen dim byddai cynnwrf gwyllt ymysg yr adar – ymdrochent ar y llawr a'u plu'n cordeddu yn y llwch. Yr oedd yr haidd wedi glynu yn eu gyddfau a'r pigau garw yn llidio'u llwnc. Fe geid peth amrywiad o'r dull hwn mewn rhannau eraill o'r Ynys. Yng nghylch Pentraeth defnyddid pysen yn lle'r heidden, a rhawn ceffyl yn lle blewyn o war y mochyn. Ond yr un oedd yr egwyddor, sef tagu'r ffesant. Rhoddai eraill bwt o linyn cryf trwy dwll mewn ffeuen galed a'r pen arall yn ddiogel wrth beg. Yn yr un modd eto, byddai'r ffeuen yn glynu yng nghorn gwddf y ffesant.

Ond fe geid hefyd ddulliau yn gofyn am fwy o gamp a chelfyddyd na'r rhai hyn. Ceid ambell botsiar a oedd yn bencampwr am ddal ffesant ar ei redfa, ac yr oedd un o'r rheini ym Mhentraeth. Tynnai un gainc fain o geinciau'r groglath arferol. Yr oedd y gainc yn fain fel blewyn, ac fe'i ffurfid yn ddolen gyda chwlwm rhedeg arni. Gwyddai'r potsiar hwn i'r dim ym mhle i'w chrogi ar lwybr y ffesant. Synhwyrai i'r dim hefyd pa mor uchel y byddai pen y ffesant. Yr oedd yn bwysig ei fod yn anelu'i ben drwy'r ddolen. Gan y gwyddai'r heliwr y byddai'r aderyn yn siŵr o redeg yn y llecyn arbennig hwnnw, byddai'n siŵr o grogi ar unwaith. Byddai eraill yn gwneud croglath (*hang*) o rawn cynffon ceffyl ac yn ei chrogi wrth frigyn cryf uwchben rhedfa'r ffesant. Bu'r dulliau hyn yn hynod lwyddiannus. Yr oeddynt yn ddulliau distaw a byddai'n anodd iawn i'r cipar ddarganfod y croglethi gan eu bod wedi eu cuddliwio.

Yn nyddiau'r ymladd ceiliogod byddai rhai o'r potsiars yn benthyca un o'r ceiliogod hynny gyda sbardun dur ganddo. Rhoddid y ceiliog ar ei ben ei hun mewn llecyn agored yn y goedwig. Ni fyddai'r ffesantod cwerylgar yn hir cyn synhwyro fod dieithryn yn eu plith. Yn unol â'u greddf byddai rhaid gyrru'r dieithryn o'u tiriogaeth, ond nid ar chwarae bach y gallent droi'r ceiliog hwn, a chyn hir byddai'r sbardynau dur yn dolurio'r ffesantod. Yn y sŵn a'r dryswch câi'r potsiar helfa yn ddigon diymdrech.

Roedd un hen frawd ar stad Bodorgan o'r enw Robert Hughes yn byw y drws agosaf i'r cipar a byddai'n 'dal yn ddistaw'. Torrai bedwar twll yn yr ardd ac yna rolio papur llwyd ar ffurf twmffat bychan neu fag melysion hen ffasiwn. Rhoddai'r bagiau yn y tyllau gyda swm da o rawn ynddynt. Wedyn fe daenai 'lud adar' yn gylch am geg y bagiau – glud a wnaed o ferwi olew linsid yn hir gan ffurfio glud effeithiol eithriadol. Pan elai'r ffesant i ardd y cymydog am damaid, byddai'r bag papur llwyd yn fwgwd am ei lygaid. I Robert Hughes dyna oedd ystyr 'dal yn ddistaw'.

Yr oedd gan y potsiar ddawn arbennig arall i'w helpu yn ei waith – y ddawn i broffwydo'r tywydd. Fu erioed natur-iaethwr craffach na'r potsiar. Yr oedd ganddo fantais arbennig iawn gan ei fod yn byw mor agos at elfennau natur a dysgodd ddarllen yr arwyddion gan mor hanfodol oedd hynny i'w waith. Yr oedd mor sylwgar fel y gallai ddehongli lleoliad y gwynt, arwyddion yr awyr a darllen y coed a'r caeau.[9]

Pan fo cŵn yn gysglyd a diog, dyma arwydd pendant o law ac yn yr un modd pan fo cathod yn llyfu eu hunain yn farus, dyna arwydd arall fod y glaw yn agos; maent yn llyfnhau eu gwisg er mwyn i'r glaw lifo yn hytrach na threiddio i'r croen. Arwydd arall o law yw'r gwyddau'n clegar yn uwch nag arfer, a hefyd aiff yr adar i glwydo'n gynt. Ond y falwen yw'r baromedr gorau o ddigon, dônt i gyd allan cyn y glaw. Fydd y malwod fyth yn yfed ond fe anadlant leithder, felly mae'n hollbwysig iddynt wybod pryd y daw'r glaw. Proffwyd arall reit sicr yw'r pryf copyn. Pan fo hwn yn byrhau cortynau ei we mae'n arwydd pendant o ddrycin. Fe sylwa ac fe ŵyr y potsiar fod y pryf copyn yn cywiro ei we bob pedair awr ar hugain ac, os mai gyda'r nos cyn y machlud y gwna'r cyfnewidiadau, dyna arwydd o noson glir braf.

Yn naturiol, byddai'r adar hwythau yn siŵr o dynnu sylw'r potsiar ac maent yn broffwydi tywydd diogel iawn. Pan fo tylwyth y wennol yn hedfan gyda'r ddaear mae'r awyr yn drwm ac mae'n siŵr o fwrw. Pan fo'r brain yn hedfan yn uchel ac yn ymddwyn yn annaturiol, ceisio dweud ei bod am storm y maent. Bu inni ddysgu'r cwpled honno er yn blant:

> Seagull, seagull, sit on the sand,
> It's never good weather while you're on the land.

[1] Hughes, John Ceiriog, 'Alun Mabon' yn *Caniadau Cymru*, t. 290.
[2] Hooson, I. D., *Cerddi a Baledi*, t. 19.
[3] Williams, D. J., *Hen Wynebau*, 1934, t. 55-57.
[4] Gruffydd, Ifan, *Tân yn y Siambar*, Gwasg Gee, 1966.
[5] *ibid*, t. 60.
[6] Parry, R. Williams, *Yr Haf a Cherddi Eraill*.
[7] Jones, Edgar, *Byd y Cipar*, Gwasg Gee, 1973.
[8] Griffith, Wynne G., *Helynt Coed y Gell*, Gwasg y Brython, 1928, t. 60-69.
[9] Watson, John, *Poachers and Poaching*, Chapman & Hall, 1891. (Ail arg. E.P. 1974.)

Adar Amryliw

Pwy oedd yr hen botsiars hyn a fu'n chwarae rhan mor amlwg ym mywyd cefn gwlad? Ai diffiniad rhyw ffuglen ramantaidd neu ddrama boblogaidd a'i portreada'n loffars diog, rhyw 'adar unlliw' gyda'u cefndir a'u hamgylchiadau yn hynod debyg? Pe bai hynny'n wir byddai'r gyfraith wedi llwyddo'n rhwydd i gael gwared â phob potsiar o'r tir. Yn siŵr, nid adar o'r unlliw oedd y rhain; yr oedd ymhlith y brain sawl gwylan wen os nad ambell golomen!

Y Potsiars Ymysg yr Uchelwyr

Mae'n wir fod y reddf i hela a herwela yn gryfach o lawer yn rhai ac fe roes rhai lawer iawn mwy o le ac o ryddid i'r reddf hon. Yn naturiol mae ysfa o'r fath yn apelio'n fawr at ysbryd anturus pob dyn o'r bron yn ei lencyndod. Mae tystiolaeth nad y werin dlawd fyddai'r potsiars cyffredin ar stadau mawr Lloegr yn y ddeunawfed ganrif ond, yn hytrach, meibion boneddwyr parchus. Cofnodwyd sawl achos o'r potsiars hyn yn hela ac yn dwyn ceirw o barciau stadau mawr. Byddai, yn ôl y sôn, giangiau eithaf rhyfelgar yn herwhela'r ceirw ac yn barod i ymladd er mynnu eu helfa. Byddai'r ciperiaid ar y stadau hynny yn drwgdybio pob boneddwr a'u meibion oedd yn byw ar gwr y stad.

Yn ôl un stori bu William Shakespeare, o bawb, yn ei lencyndod yn herwhela carw ym mharc Syr Thomas Lucy yn Charlecote. Yn ôl Nicholas Rowe, golygydd cynnar ar hanes Shakespeare, bu i'r bachgen William ddilyn cwmni drwg a arferai herwhela.[1] Fe'i daliwyd ac fe'i herlynwyd. Er syndod i'r llanc yr oedd perchennog y parc a'r carw yn eistedd ar y fainc i'w farnu. Bu Syr Thomas Lucy yn ddidostur wrth gosbi'r potsiar ifanc, neu o leiaf felly y teimlai Shakespeare.

Er mwyn talu'r pwyth yn ôl i'w farnwr cyfansoddodd y bardd faled i'w gollfarnu ac, o ganlyniad, fe ddyblwyd yr erledigaeth yn ei erbyn. Bu raid i'r potsiar ifanc adael ei gartref a'i fusnes a ffoi i Lundain o afael ei erlidwyr, ond yr oedd ffawd o'i du gan iddo gael gwaith wrth fodd ei galon mewn theatr yn Llundain.

Gan fod hela – ac yn enwedig herwhela – yn gofyn am ddeallusrwydd a sgiliau arbennig, a'r elfen o ryfyg mor gryf, nid rhyfedd fod gweithgaredd o'r math yn apelio at groesdoriad o bobl bur wahanol. Ychydig iawn o ymarfer corff a gâi dyn proffesiynol yn Oes Fictoria ac felly roedd yn ymarferiad i'r corff yn ogystal â bod yn her ac yn dipyn o wrthryfela. Beth bynnag fyddo'r cymhelliad a oedd yn gyrru pobl mor wahanol i botsio, y mae'n brawf nad adar o'r unlliw yw'r potsiars. Yn wir fe ddarllenwn mewn cofnodion Llysoedd Ynadon Môn tua diwedd y bedwaredd ganrif ar bymtheg am glerigwyr, melinwyr, bwtseriaid a ffermwyr wedi eu cyhuddo o botsio.

Mae'n debyg mai enw'r clerigwr yw'r mwyaf annisgwyl yn y rhestr, o gofio bod Cyfraith Eglwys Rhufain yn gwahardd i'w clerigwyr hela na heboga am fod yr arfau'n rhy filwriaethus. Ond mae'n bur debyg na chafodd y gyfraith hon rhyw lawer o sylw, ac wedi'r cyfan yr oedd llawer o'r esgobaethau a'r mynachdai wedi eu hamgylchynu â pharciau ceirw mawr.[2] Yn wir yr oedd cymaint â dwsin o'r parciau hyn gan un esgobaeth. Cyn hir diddymwyd y gyfraith yn llwyr gan bwysleisio fod cyfraith gwlad yn caniatáu iddynt hela a heboga a chredid y byddai'n ymarfer corff da i'r clerigwyr ac y byddai'n eu cymhwyso i'w gwaith bugeiliol. Gydag amser aeth y parciau hyn yn eiddo i'r goron ac ambell berson trachwantus. Ond er i'r eglwys golli'r parciau i hela ni chollwyd yr helwyr na'r hebogwyr o'r weinidogaeth. Ac os nad oedd tir cyfreithlon i'r clerigwyr hela, bu sawl un yn ddigon beiddgar i droi'n botsiar dros dro.

Mae cofnodion ar gael yn dangos i sawl clerigwr hela ar y naill ochr i'r gyfraith. Mae cofnod am un person plwyf o'r enw Josias Calton yn ymuno â ffermwyr a'u gweision yn cwrsio ceirw, a chyda'i filgwn ei hun.[3] Yr oedd person plwyf arall o'r enw Jeffrey Wybarre yn arweinydd pur enwog ar giang o botsiars, ac ni fyddai'r ciperiaid yn barod iawn i wynebu'r giang arbennig yma gyda'r nos! Cofnodwyd beirniadaeth finiog un cipar ar reithor plwyf Hatch Beauchamp yng Ngwlad yr Haf:

> Mae'r rheithor hwn yn cael llawer iawn mwy o flas yn bwydo'i hun â helfa'r potsio nag yn bwydo'r praidd a ymddiriedwyd i'w ofal.[4]

Ond heb os, cyflwyno'r Ddeddf Helwriaeth ym 1831 ac yna Deddf Potsio 1844 a greodd fwyaf o anniddigrwydd ymhlith pobl gyffredin cefn gwlad. Yn naturiol, croesawai'r byddigion a'r tirfeddianwyr mawr y cyfreithiau hyn gyda breichiau agored. Ond nid felly'r werin gan y methent hwy weld ei bod yn drosedd o gwbl i saethu cwningod neu rwydo 'sgyfarnogod. Mae'n amlwg y rhoes y deddfau newydd hyn lawer iawn gormod o rym i'r cipar a'r heddlu yn eu hymdriniaeth â'r potsiar.

Rhoes Crwner Conwy, er enghraifft, bregeth ddeifiol yn condemnio pob potsiar yng nghwest un o botsiars yr ardal a saethwyd.[5] Dyma gyfraith a oedd yn troi'r heddlu, a gyflogid gan drethdalwyr, i fod yn giperiaid i warchod eiddo tirfeddianwyr cefnog. Yr oedd y gyfraith yn fanteisiol tu hwnt ac yn cyfoethogi'r cyfoethog ond yn tlodi'r tlawd.

Heb os, bu saethu'r potsiar yng Nghonwy, a'r sôn a'r siarad am driniaethau ciaidd a dderbyniodd sawl potsiar gan giperiaid oedd wedi'u harfogi, yn gyfryw i godi gwrychyn y bobl gyffredin a oedd â chryn gydymdeimlad â'r potsiar. Ond, nid y bobl gyffredin yn unig a gydymdeimlai, yr oedd pobl o'r dosbarth canol fel pe baent yn ymuno yn y frwydr. Erbyn hanner olaf y bedwaredd ganrif ar bymtheg yr oedd yr hen ryfel dosbarth fel pe bai'n ffyrnigo unwaith eto. Cymaint oedd yr anniddigrwydd yng nghefn gwlad fel y teimlid bod y Cyfreithiau Helwriaeth yn creu troseddwyr yn hytrach na'u lleihau, a chadarnheir hyn gan ffigurau trosedd canol y bedwaredd ganrif ar bymtheg. Yr oedd achosion o ymosodiadau troseddol yn llawer uwch, a rhaid cofio bod llawer o'r troseddau hynny yn ymwneud â herwhela.[6]

Rhaid ystyried y cefndir hwn wrth edrych ar droseddau potsio'r **Parchedig Ddr Henry Harris Davies** (1818-1888), offeiriad ac awdur. Fe'i cyhuddwyd o bum trosedd, naill ai tresbasu yn chwilio am gêm neu yn dal a lladd gêm. Y mae'n droseddwr anghyffredin ryfeddol. Fel pob offeiriad yn y cyfnod hwn yr oedd yn eithaf cyfforddus ei fyw, wedi cael ei addysg yn Ysgol Ramadeg y Bontfaen ac yng Ngholeg Llanbedr, wedi graddio â MA ac wedi derbyn gradd Doethuriaeth gan Athrofa Giessen yn yr Almaen. Symudodd i'r gogledd ym 1851 a phenodwyd ef yn Beriglor Llangoed, Llaniestyn a Llanfihangel Dinsylwy. Noddwr y fywoliaeth oedd R. J. Hughes, Plas yn Llangoed. Yr oeddynt fel teulu – ef a'i briod Elizabeth, y mab Henry a'r forwyn, Elin Hughes o Landdeusant – yn byw yn Crofton Place yn nhref Biwmares. Cyhoeddodd ddwy gyfrol o bregethau: *Pregethau Cymraeg* a'r *Pregethwr Teuluaidd* ynghyd â *Phump ar hugain o lythyrau ar Heresi a Sism*, a thraethawd ar 'Effaith Gwres, Goleuni, Awyr a Dwfr ar Lysieuaeth'.[7]

Fe'i hadwaenid fel bardd yng nghylch yr Eisteddfod dan yr enw 'Pererin'. Mae'n amlwg ei fod yn bregethwr selog a heb os fe ragorai ar ei gyd-glerigwyr fel pregethwr. Y mae tân a thinc argyhoeddiad yn ei bregethau a anfonai yn gyson i'r *Haul*, cylchgrawn yr Eglwys Esgobol, cyn eu cyhoeddi yn y ddwy gyfrol uchod. Mae'n anodd, a dichon yn annheg, barnu dyn wrth ei bregethau, ac eto fe gasglwn fod yr offeiriad hwn yn ddyn o argyhoeddiadau arbennig ac mae yn ei bregethu osgo ryddfrydol, yn wahanol i bregethau'r anglicaniaid yn y cyfnod hwn. Ond pam fod clerigwr o'i safle ef yn troi'n droseddwr potsio yn y plwyfi yr oedd yn gweinidogaethu ynddynt? Ac fel pe bai hyn i gyd ddim yn ddigon o syndod inni, yr oedd y Dr Henry Harris Davies hefyd yn Gaplan y carchar ym Miwmares! Fe gyfrifid rhai o'i droseddau yn rhai pur ddifrifol ac yn fwy o lawer oherwydd ei safle mewn cymdeithas.

Aeth o flaen ei well yn Llangefni ar 20 Chwefror 1860 wedi'i gyhuddo o gyflawni tair trosedd. Yn ôl y cyhuddiadau bu'n brysur ar y chweched o Chwefror yn tresbasu ar diroedd heb ganiatâd y perchenogion a heb drwydded hela. Mewn dau achos (sef am fod ar dir ym meddiant Margaret Davies ac ar dir perthynol i John Watkin Jones ym mhlwyf Llanfaes) fe'i dirwywyd ddwy bunt am bob cyhuddiad, yn ogystal â

Be it remembered, That on the _twentieth_ day of _February_ in the year of our Lord One Thousand Eight Hundred and _Sixty_ at _Llangefni_ in the _County_ of _Anglesey. The Reverend Henry Harris Davies Clerk_ is convicted before the undersigned, _two_ of Her Majesty's Justices of the Peace for the said _County_ ——— for that he the said _Henry Harris Davies_ ——— on the _sixth_ day of _February instant_ that, at the Parish of _Llanieston_ Llanfihangel _in the said Tinsylwyon did (a) trespass in the County aforesaid between the first day of February instant and the first day of September 1860 did unlawfully kill five Partridges there contrary to the form of the Statute in such case made and Provided_

And We adjudge the said _Henry Harris Davies_ for his said Offence to forfeit and pay the Sum of (b) _one pound for each of the above mentioned Partridges —_

to be paid and applied according to Law, and also to pay to ~~the said~~ _Mr Hugh Hughes (the Informer)_ the Sum of _two pounds and ten shillings_ for his Costs in this behalf; and if the said several Sums be not paid (c) _forthwith_

We adjudge the said _Henry Harris Davies_ to be imprisoned in the (d) _House of Correction_ at _Beaumaris_ in the said (e) _County_ for the space of _two calendar months_ unless the said several Sums and the Costs and Charges of conveying the said _Henry Harris Davies_ to the said _House of Correction_ shall be sooner paid.

Given under _our_ Hand and Seal _s_ the day and year first above mentioned, at _Llangefni_ in the _County_ aforesaid.

Dedfryd Mainc Ynadon Llangefni ar Y Parchedig Ddr Henry Harris Davies ar 20 Chwefror 1860. Trwy ganiatâd Archifdy Llangefni.

46

Y Parchedig Ddr Henry Harris Davies, Llangoed 1818-1888. Y Potsiar Bregethwr. Trwy ganiatâd Llyfrgell Genedlaethol Cymru.

thalu un swllt ar ddeg o gostau i William Williams, yr achwynwr. Os na fyddai'r diffynnydd yn talu'r ddirwy a'r costau ar gyfer y ddau achos ar unwaith fe'i gorchmynnid i garchar Biwmares am ddau fis llawn. Digon tebyg oedd y trydydd cyhuddiad yn ei erbyn, sef o gael ei ddal ar dir ym mhlwyfi Llaniestyn, Llanfihangel Dinsilwy a Llanfaes yn saethu pum petrisen a hwythau allan o'u tymor (yn ôl Cyfraith 1831 ni ddylid lladd petrisen rhwng Chwefror 1 a Medi 1). Fe'i dedfrydwyd i dalu dirwy o bunt am bob petrisen a laddodd a hawliodd yr achwynwr, Hugh Hughes, gostau o ddeg swllt ar hugain. Unwaith eto oni byddai'r clerigwr yn talu'r ddirwy yn ddiymdroi câi ei garcharu am ddau fis.

Fis ynghynt, ar y pedwerydd ar bymtheg o fis Rhagfyr 1859, yn Llys Llangefni fe gyhuddwyd y ficer o ddau drosedd arall o fewn diwrnod i'w gilydd. Ar y trydydd ar ddeg o Ragfyr 1859, a thrannoeth ar y pedwerydd ar ddeg, yr oedd ar dir Robert Williams o blwyf Llaniestyn heb drwydded na chaniatâd perchen y tir yn hela gêm. Cafodd ddirwy o ddwy bunt am bob cyhuddiad gyda thri swllt ar ddeg a chwe cheiniog o gostau i'r achwynwr John Sygs a chostau o dri swllt ar ddeg i Ffransis Robinson. Fe'i gorchmynnwyd i dalu'n ddiymdroi neu wynebu mis o garchar.

O sylwi ar yr achosion hyn rhaid gofyn pam troseddu deirgwaith yn yr un plwyf ond ar dir gwahanol ar yr un diwrnod, a pham ar yr un tir dau ddiwrnod yn ddilynol? Yr unig gasgliad y down iddo yw ei fod yn herio'r gyfraith. Ffaith arall sy'n ein rhyfeddu yw iddo droseddu yn ei blwyf ei hun, ymhlith ei bobl a'i gydnabod. Yn naturiol yr oedd yn wyneb cyfarwydd ac felly ni wnaeth unrhyw ymdrech i guddio'r ffaith fod ficer y plwyf yn botsiar. Hefyd ni allwn lai na sylwi ar faint y dirwyon a dderbyniodd. Dirwy o bunt am bob petrisen a'i phris yn chwe cheiniog mae'n debyg! O'i gymharu ag achosion eraill cafodd Henry Harris driniaeth gwbl afresymol. Yn yr un flwyddyn dirwywyd Evan Williams i swllt am botsio ar dir Syr Richard Williams Buckley. Câi yntau garchar am bythefnos os na thalai rhag blaen. Chweugain o ddirwy gafodd Hugh Williams, saer coed o Lanidan, am saethu petris a châi yntau fis o garchar oni thalai. Ac ar ddydd Ffŵl Ebrill 1861 carcharwyd Hugh Edwards yn Llys Porthaethwy am bum munud ac yna ei ryddhau ar fechnïaeth o ddeg punt. Ond yn achos y Parchedig Ddoctor, dwy bunt oedd y ddirwy isaf a gafodd. Tybed ai am ei fod yn ddyn cefnog y dirwywyd ef mor drwm, ynteu a oedd y fainc am ddysgu gwers i'r gŵr parchedig? Cofier bod Richard Bulkley o'r Baron Hill yn eistedd yn un o'r gwrandawiadau hyn; tybed nad ar ei dir ef, ac yn siŵr ei gêm ef, y bu'r offeiriad yn eu herwhela? Ond beth mewn gwirionedd a'i gyrrodd i herwhela? Nid tlodi yn siŵr. Mae'r ffaith na chafodd ei garcharu yn brawf ei fod wedi talu'r dirwyon hyn cyn gadael y Llys. Rhaid felly geisio ateb o gyfeiriad arall. Tybed ai safiad oedd y troseddau hyn ganddo dros y werin honno yr oedd y deddfau gêm a photsio yn gwasgu'n drwm arnynt? Teimlai, dichon, mai dyma'r unig ffordd y medrai ddangos ei wrthwynebiad i'r fath anfadwaith a'r fath ddeddf a helpai'r cyfoethog ond a orthrymai'r tlawd. Wedi ei fagu yn Llandeilo yn chwarter cyntaf y bedwaredd ganrif ar bymtheg, fe wyddai yn siŵr beth oedd gorthrwm tlodi. Onid oedd ef yn un ar hugain oed pan fu'r ymosodiad cyntaf o helyntion Beca yn yr Efailwen ger y ffin rhwng Sir Benfro a Sir Gâr ym mis Mai 1839?

Clerigwr yw'r troseddwr nesaf hefyd, os troseddwr hefyd. Rhaid bod yn ofalus – ymddangosodd y **Parchedig John Owen, Llaneilian** (1792-1870) erioed, hyd y gwn, ger bron unrhyw fainc ac ni chondemniwyd ef gan gyfraith gwlad na chyfraith Eglwysig.[8] Ond, beth bynnag am hynny, yr oedd John Owen MA, fel y'i gelwid, yn heliwr heb ei fath ac, yn ôl pob sôn, fe dorrai dros derfynau ei libart weithiau. A beth yw hynny ond herwhela? Yr oedd John Owen o dras dipyn yn wahanol i beriglor Llangoed. Yr oedd gwaed uchelwr yn John Owen gan mai ei daid oedd Thomas Owen, y Rhiwlas, Pentraeth, a ddaeth yn denant i'r Caera yn Llanfair-yng-Nghornwy. Yr oedd i Thomas ddau fab, yr hynaf oedd Thomas (a fu'n gymrawd o Goleg Brenhinol Rhydychen ac a aeth yn rheithor i Upton yn ne Lloegr) a'r ail oedd Owen Owen (a aeth yn denant i'r Caera ar ddechrau'r bedwaredd ganrif ar bymtheg). Yr oedd gan Owen Owen dri mab, ac un o'r tri oedd John Owen. Bu John yn ysgol Ramadeg

Biwmares ac yna yng Ngholeg yr Iesu, Rhydychen. Ordeiniwyd ef yn offeiriad a threuliodd weddill ei oes yn Llaneilian. Fel uchelwr yr oedd hela a marchogaeth yng ngwaed John Owen. Yr oedd yr eglwysi cyfoethocaf dan nawdd y tirfeddianwyr ac, o ganlyniad, cymerai meibion yr uchelwyr, nad oeddynt aerion, eu hordeinio a'u sefydlu yn yr eglwysi hyn. Yr oeddynt yn byw mewn plastai mawr gyda thiroedd a pharciau yn eu hamgylchynu. Ni fyddai'n fawr o newid i rai o'r rhain symud o'u hystadau a'u plastai i'r plwyfi hyn. Byddai rhai ohonynt yn dal i fyw yn arferion a difyrion y plastai lle'u magwyd. Fel y gwelsom eisoes, byddai amryw ohonynt yn cadw pac o gŵn hela a meirch hardd. Un o'r uchelwyr hynny oedd John Owen a dreuliai'i ddyddiau yn hela hyd yr ardal. Marchogai ei farch gwyllt trwy'r fro o gae i gae a thros y gwrychoedd. Dilynid ef gan Hugh Evans ei was a lasenwyd yn 'Huw Cŵn', ac yn ôl y sôn golygfa smala oedd hon. Yr oedd Huw Cŵn yn eithriadol o goesfyr, brasgamai yn helbulus ar ôl ei feistr yn cyhwfan pastwn hir a seinio'i ffliwt yn rhybudd i'r fro. Mae trigolion hynaf Amlwch a'r cylch yn dal i gofio'r sôn am berson od Llaneilian yn ddychryn i'r ardal am ei gyrchoedd hela. Yn ôl y diweddar Athro Bedwyr Lewis Jones yr oedd gan John Owen bac o gŵn hela, gryn ddwsin o rai amryliw, a âi, ddwywaith neu dair yr wythnos, fel corwynt drwy ardal Llaneilian a Huw Cŵn mewn côt goch anhwylus o laes ar ei ôl.[9]

Ond blino pobl yr ardal a wnâi John Owen hefo'i firi hela diddiwedd. Yr oedd ystad Llys Dulas ar y terfyn ac mae'n amlwg i'r person fwy na blino awdurdodau'r stad honno. Ceir y cyfeiriad brathog hwn yn un o'r llythyrau yng nghasgliad papurau Caera, 'Y mae'r person yn defnyddio'i wn yn rhy aml o lawer'. Cwynai gŵr Llys Dulas hefyd fod John Owen yn saethu ar ei dir – 'Yn saethu pob ffesant ac ysgyfarnog a phob peth a welai.'

Cymaint oedd awydd a thrachwant John Owen am dir hela fel nad oedd neb na dim allai sefyll yn ei ffordd. Yr oedd rhyw Winllan Naboth ar ei ffordd yntau fel Ahab gynt. Er bod gan y ficer, fel uchelwr cyfoethog, hawl i hela dros bob fferm a thyddyn yn y plwyf eang, nid oedd yr hawl hwnnw yn cynnwys Glanrafon, tyddyn bach ym mhlwyf Llaneilian.

'Huw Cŵn' – gwas John Owen, Rheithor Llaneilian.
Gwaith yr Arlunydd William Roos.

Rhieni'r Parchedig Griffith Wynne Griffith oedd tenantiaid y tyddyn hwn.[10] Pan fu farw perchen Glanrafon fe'i rhoed ar ocsiwn i'w werthu. Yr oedd y tenant, trwy chwys ei wyneb, wedi hel celc digon del a roes hyder iddo fentro ceisio prynu ei gartref. Ond, er iddo gynnig llawer yn uwch na'i enillion, yr oedd person Llaneilian ar y blaen ac, o ganlyniad, fe drechwyd y tyddynnwr. Er crefu am denantiaeth y lle doedd dim tosturi o gyfeiriad yr offeiriad a chafodd hwnnw dragwyddol faes i hela.

Ie, aderyn brith oedd John Owen MA. Fel y dywedwyd, er ei holl ryfyg, fe lwyddodd i'w gadw'i hun o rwyd y gyfraith. Mae'n debyg mai Hester Roos, ei wraig ddylanwadol, a fu'n fodd i'w gadw. Yr oedd hi'n ddisgynnydd o deulu Jonathan Roos a ddaeth yn rheolwr ar waith mwyn Mynydd Parys. Yr oedd William Roos (1808-78) yn arlunydd da a daeth ei

51

bortreadau o enwogion fel Christmas Evans, John Cox a Thomas Charles yn enwog. Mae ganddo bortread hefyd o Huw Cŵn yn ei gôt hardd, a'i bastwn hir yn ei law. Cofféir Huw ymhellach ar gamfa, gyda'i feistr yr herwheliwr offeiriadol, mewn ffenestr liw yn hen Eglwys Llaneilian.

Ond gwell fyddai gadael yr Eglwys Wladol a throi at y pennaf o bregethwyr y bedwaredd ganrif ar bymtheg, sef **Dr John Williams, Brynsiencyn**. Ond, feiddiwn ni mo'i alw yntau yn botsiar chwaith – wel o leiaf ddaliwyd mohono erioed. Ganwyd ei dad, John Williams, ar lethrau Mynydd y Garn yn yr Ardal Wyllt. Felly mae'n rhaid fod yna waed heliwr yn ei fab, y John Williams arall. Fe anwyd John y mab wrth odre Mynydd Parys ym mhlwyf Llandyfrydog mewn tyddyn o'r enw Caergors ym 1853. Fe'i ganwyd i fro enwog am botsiars ac mewn oes pryd yr oedd potsio yn ffon fara i lawer. Symudodd y teulu i Fiwmares pan oedd John Williams yn ddeg oed, a chafodd well manteision addysg yno. Wedi cwrs addysg bellach yng Ngholeg y Bala, sefydlwyd ef yn weinidog yn un o eglwysi mwyaf poblog ei gyfundeb – Princes Road, Lerpwl ym 1895. Yr oedd bywyd dinas brysur fel Lerpwl yn ei lethu'n lân a byddai'n dianc yn gyson i Fôn i ymlacio yn nhawelwch Llanfair-yng-Nghornwy, bro mebyd ei dad. Yr oedd iddo ganiatâd saethu ym mhob cae o'r cwmwd. Ni fyddai John Williams fyth yn dod i Fôn heb ei wn. Pan glywai gwragedd yr ardal sŵn saethu, gwyddent mai'r seraff o Lerpwl oedd wedi cyrraedd. Paratoai pawb grempog rhag ofn iddo droi i mewn. Ond, gan amlaf, yn y siop y galwai'r saethwr a'i faich 'sgyfarnogod ac ambell gwningen. Dyna'r helfa a fyddai yn y golwg – credai Sadrach Hughes y byddai yna gorffyn arall yn y sach. Câi'r siopwr orchymyn i bacio'r helfa fesul cwpwl i'w hanfon hefo'r post y pnawn hwnnw i'w aelodau dethol yn y ddinas fawr. Ar un o'r troeon hynny galwodd gwraig y siop ar i Sadrach ddod am ei de a'i grempog. Yn ufudd gadawodd yr heliwr a'r paciwr am eu te, yn ymgolli mewn sgwrs felys. Troes y pregethwr i'w daith ac aeth y siopwr i gywain y 'sgyfarnogod. Yr oedd cath fawr drilliw yn llyfu'i cheg yn fodlon uwchben 'sgwarnog braf. Yr oedd y gath wedi glanhau'r anifail yn lân o'r tu fewn, fel y bydd hen ferch ddarbodus yn glanhau wy wedi'i ferwi'n galed. Rhuthrodd Sadrach i fyny'r pentref a rhyw olwg wyllt arno. Anelodd at ddrws tŷ potsiwr gorau'r fro a'i orchymyn i saethu dwy 'sgwarnog ac y câi ei dalu'n ddau-ddyblyg am ei drafferth. Doedd gorchest felly'n fawr o drafferth i un o'r Ardal Wyllt.

Byddai ergydion y prynhawn yn argoeli oedfa bregethu yn Salem yr hwyr. Thomas Williams, Tŷ Wian, blaenor yn Salem a chefnder i'r pregethwr, a wnâi'r paratoadau dirybudd ond yn gwbl ddirwgnach. Câi gweision yr ardal noswyl gynnar y noson honno. Ni fyddai raid rhybuddio yr un ohonynt i fod yn yr oedfa; roedd pawb yn siŵr o ddod. Galwai Thomas Williams yn y Tŷ Capal i rybuddio'r wraig i dynnu'r lliain dros y ffesant ar y llaw chwith i'r pregethwr – 'neu,' meddai, 'os y gwêl yr hen Siôn 'sgwarnog neu glogyn chawn ni ddim pregath, mi fydd wedi crwydro ar ei hola nhw.' Yr oedd hela yng ngwaed eilun y pulpud Cymraeg ond fod rhaid iddo yntau gael ffrwyn-dywyll yng nghefn gwlad.

Y Potsiars Ymysg y Werin

Beth a rydd anfarwoldeb i gymeriad? Pam fod enw ambell un fel pe bai'n byw byth a'r llall yn syrthio'n angof? Y mae cymeriadau o bob cylch o fywyd wedi'u hanfarwoli ar gyfrif rhyw briodoleddau neilltuol – yn ddoniau neu ffraethineb arbennig, eraill dichon oherwydd eu gorchestion, gwrhydri a galluoedd yn eu gwahanol gylchoedd. Y bobl hynny a adawsant enwau ar eu hôl. Byddai'r potsiars mwyaf adnabyddus yn gwneud cryn enw iddynt eu hunain yn lleol, os nad yn genedlaethol. Y mae cofiannau Saesneg i giperiaid yn cyfeirio at sawl potsiar enwog, rhai ohonynt dan lasenwau diddorol ac awgrymog fel – 'The Lurcher', 'Major Lowe', 'The Spout' a 'Daddy Richards'. Roedd i'r enwau hyn arwyddocâd ac ystyron arbennig yn eu dydd a'u cylchoedd. Beth bynnag oedd yr ystyron hynny, mae'r enwau wedi aros o genhedlaeth i genhedlaeth ar gyfrif eu personoliaethau a'u sgiliau neilltuol. Yr oedd rhai teuluoedd a oedd yn adnabyddus fel 'teuluoedd potsiars' ac ymffrostiai'r plant yn eu sgiliau a'u doniau hela. Byddai'r gwragedd hefyd yn llawn eu cefnogaeth a'u swcr i'w gwŷr ac yn arbennig o awyddus i'r plant ddilyn crefft eu tadau a'u teidiau. Hawliai'r teuluoedd hyn eu tiriogaethau potsio eu hunain a gwarchodent hi fel ciperiaid! Mae'n naturiol y câi teuluoedd o'r fath enwau sy'n aros o hyd mewn ambell ardal ym Môn. Fe'u henwid wrth enw'r pen teulu o'r gorffennol gan gydio enw'r fam neu'r nain wrtho. Clywir o hyd yn ambell fan ymadrodd fel 'teulu Wil Nan Jane'. Y mae'r enwau hyn yn hynod o ddiddorol, a gresyn na fyddent wedi eu cadw a'u trysori.

Er na cheir cofiannau i giperiaid nac i botsiars yng Nghymru, mwyaf gresyn, ac er i'r diwygiadau wneud pob potsiar yn bechadur a photsio yn bechod mawr, bu i sawl potsiar adael enw ar ei ôl, enwau sy'n llawn rhamant a rhialtwch. Bu'r enwau hyn fyw ar lafar ac ar gof gwerin cefn gwlad o genhedlaeth i genhedlaeth. Diolch i ambell hanesydd lleol craff fel T. D. Roberts o Langefni, sy'n naturiaethwr ac yn llenor da, a gadwodd i ni sawl cymeriad gwreiddiol gan gynnwys un potsiar yn eu plith.[11]

Ond gan fod cymaint o ddirgelwch a chyfrinachedd ynglŷn â bywyd a gwaith y potsiar, ac yntau'n mynnu cadw tu fewn i gylch ei frawdoliaeth, yr oedd hyn yn anfantais i'w henwau fyw. Ond er hyn i gyd mynnodd sawl potsiar aros yn fyw iawn yn atgofion bro ac ardal. Maen nhw wedi aros i ddweud y stori, ac os rhoddwyd pwt ym mhen ambell stori, a chamleoli neu gamddyfynnu rhai hanesion, bid a fo am hynny gan mai dyna sut mae'r stori wedi byw a hanes wedi'i ddiogelu. Mae'r enwau a'r cymeriadau hyn sy'n dal yn fyw ym Môn yn llawer rhy niferus i'w henwi bob yn un ac un. Cyfeiriwn at ryw dri neu bedwar yn unig, a hwythau'n cynrychioli gwahanol gefndir oedd â gwahanol deip o botsiar.

Charles Peace

Ar yr olwg gyntaf gall glasenw fod yn hynod o gamarweiniol, ac mae hynny'n wir iawn am yr enw hwn. All Charles Peace fod yn neb na dim ond Sais uniaith, ac yn siŵr fyddai neb â'r fath enw yn 'botsiar'. Ond, yn ôl T. D. Roberts, dyma 'brif botsiar yr ardal'.[12] Bydd raid inni ddadfytholegu yr hen botsiar a'i wisgo yn ei wisg fedydd ei hun. O wneud hynny cawn mai John Jones, nymbar wan Lôn y Felin, Llangefni, oedd y potsiar a lasenwyd yn 'Charles Peace'. Wrth ei waith yr oedd John Jones yn gariwr o'r stesion i siopau'r dref efo'i drol a'i ferlen a'r milgi llwyd wastad wrth din y drol. Yr oedd y triawd ohonynt yn olygfa gyfarwydd yn nhref Llangefni bob dydd. Ni fedrai fod yn fwy o Gymro nac yn fwy gwerinol chwaith. Yn ôl ei dystiolaeth ei hun, a Nan ei wraig yn ei gefnogi, bu yn y carchar am botsio ddwy ar hugain o weithiau. Tybed ai hwn oedd prif botsiar yr ardal? Ymffrostiai Seth Jones o'r Kennels, potsiar arall, na ddaliwyd mohono ef gan na chipar na phlismon erioed. Ond am John Jones fe'i daliwyd o bron bob tro yr aeth allan am helfa! Y llinyn mesur ar gamp y potsiar, wedi'r cwbl, oedd 'a gafodd ei ddal ai peidio'; 'dal potsiar', cofier, fyddai pennaf ymffrost pob cipar hefyd.

Yn ôl T. D. eto, 'ni cheisiodd John Jones fod yn neb na dim ond fo'i hun,' ond fe'i glasenwyd yn Charles Peace a hynny oherwydd mai nodwedd orchestol y ddau ŵr fyddai ffugio eu hymddangosiad. Yr oedd dawn anhygoel gan y Charles Peace gwreiddiol fel ffugiwr fel yr enillodd iddo'i hun yr enw 'arch ffugiwr', enw oedd yn wybyddus yn Llangefni yn y bedwaredd ganrif ar bymtheg. Rhaid fod John Jones o Lôn y Felin yn meddu'r ddawn yma iddo etifeddu'r enw 'Charles Peace'.

Ond pwy oedd y gwir Charles Peace? Yr oedd yn fab i wneuthurwr ffeiliau a chafodd fagwraeth ddigon cyffredin ym maestrefi Lambeth a Peckham. Er yn ifanc, ymffrostiai yn ei ddawn unigryw i weddnewid ei ymddangosiad yn gyfan gwbl trwy saethu ei ên isaf ymlaen gryn fesur. O ganlyniad, edrychai fel person cwbl wahanol. Fel lleidr peryglus byddai'r ddawn hon yn eithriadol o ddefnyddiol iddo gan mai teitl arall a gafodd oedd *a famous Victorian criminal* gan ei fod yn greadur cwbl ddidostur wrth ei waith. Ar adegau fe grwydrai'r strydoedd fel cardotyn un fraich, yn destun tosturi i bawb, gan ddefnyddio un llaw i geisio gwneud popeth. Gallai guddio ei fraich dan ei ddillad fel nad oedd cymaint ag ôl ohoni. Yn wir, haerai'r heddlu y gallai newid ei ymddangosiad tu hwnt i adnabyddiaeth heb ddefnyddio unrhyw fath o golur i wneud hynny. Dyfais hwylus o'i eiddo oedd ysgol-blyg – wyth troedfedd o uchder ond a blygai i bymtheng modfedd – y chweched rhan o'i mesur. Cuddiai hi dan ei gesail yn y fath fodd fel na chredai neb ei fod yn cario unrhyw beth. Bu am gyfnod yn ganwr stryd gan ddenu'r bobl i fiwsig ei ffidil. Ac er mor anhwylus ac anhylaw fyddai'r ffidlau hyn i'w cario, fe lwyddai i'w dwyn a'u cuddio mor ddiymdrech â dwyn afalau.[13]

Ond er ei gampau a'i glyfrwch, mae'r gorau yn methu weithiau, a methodd Charles Peace â chuddio ei drosedd bennaf, sef llofruddio'i gariad. Tra roedd yn y carchar yn disgwyl ei ddienyddiad ac yn synhwyro'r diwedd, cyfaddefodd drosedd arall o'i eiddo ddwy flynedd ynghynt – sef llofruddio'r cwnstabl Cock ym Manceinion ym 1873. Yn wir, yr oedd dau frawd wedi eu cyhuddo o'r llofruddiaeth, sef John a William Hebron, ond, oherwydd peth amheuaeth, nis crogwyd hwy. Arweiniwyd Charles Peace i'w grogbren ar ddau gyhuddiad o lofruddiaeth ac fe'i crogwyd yn Sheffield ym 1875. Yr oedd yn droseddwr mor hynod fel y gwerthwyd ei holl greiriau, yn fân a mwy, gan mor awyddus oedd y bobl i gadw'r atgofion amdano. Mae ei gogls glas yn yr Amgueddfa Ddu o eiddo'r heddlu. Dyma'r sbectol a wisgai i ffugio ei hoff gymeriad, sef yr athronydd ecsentrig.

Ond beth sy'n gyffredin rhwng yr hen botsiar o Lôn y Felin a'r dihiryn Charles Peace y bu iddo etifeddu'i enw? Pam, mewn difrif, y rhoddwyd enw'r llofrudd ar yr hen botsiar diniwed? Mae'n wir fod yna ryw elfen anghymeradwyol yn perthyn i'r potsiar yn nyddiau John Jones, yn enwedig un a fu yn y carchar ddwy ar hugain o weithiau!

Cofia Hugh Williams, Fferam Parc, Bodorgan, neu Fferam Roncyn Mawr yn ôl yr hen enw, fel y câi fynd, yn hogyn pedair ar ddeg oed, i ffureta am bnawn efo Dafydd Roberts, Prys Iorwerth. Byddai cyflog y llanc wedi'i setlo cyn canol y pnawn – pictiwrs yn y dre yna pysgodyn a *chips*. Cyfrifa Hugh Williams y fath ddiwrnod yn un o foethau pennaf ei fywyd, yn enwedig Llangefni gyda'r nos. Wedi bwydo'n farus o'r swper seimllyd ar balmant y dref un tro sibrydodd Dafydd Roberts wrth y llanc, 'Mi awn ni i weld Charles Peace rŵan, ond paid ag yngan gair wrth neb am hynny.' Fe ychwanegodd y rhybudd yn fawr yng ngolwg y llanc at yr ymweliad i dŷ'r dyn diarth ac amheus. Curodd y cwningwr yn ysgafn ar ddrws isel tŷ'r potsiar. Lled-agorwyd y drws yn ddiymdroi, a heb na gwên na chyfarchiad dilynodd y ddau ymwelydd ŵr y tŷ i stafell fechan anniben. 'Pwy ydi hwn sydd efo chdi?' meddai Peace, gydag awgrym o gerydd yn ei lais. Doedd dim mynediad i bawb i dŷ potsiar. Amddiffynnodd Dafydd Roberts ei hun gyda'r geiriau – 'Mae o'n olreit, mae yna ddeunydd potsiar da yn hwn.' Daeth gwên fawr o gymerad-wyaeth i wyneb yr hen botsiar a gorchmynnodd i'r ddau eistedd i aroglau ffureti a chŵn. Archebu dwy rwyd oedd neges Dafydd Roberts, a bu'r ddau yn trafod y math oedd ei angen. Yr oedd Charles Peace yn wneuthurwr rhwydi ac fe werthai lawer i botsiars a chwningwyr y cylch. Gwerthai lawer o ffureti hefyd, ond y rhwyd oedd ei arbenigedd. Dywedir y medrai osod rhwyd ganllath mewn trigain eiliad, cryn orchest!

Casglwn oddi wrth yr hanesyn yma na ddylai cwningwr parchus alw yn nhŷ'r potsiar, ac yn siŵr nid oedd yn weddus i lanc pedair ar ddeg oed alw yno ar nos Sadwrn, a hithau wedi nosi. Mae hi'n amlwg nad oedd pawb am gael ei weld yn cyfeillachu â phrif botsiar yr ardal, yn enwedig un a etifeddodd enw lleidr mor ddichellddrwg â Charles Peace, ac un a alwyd yn 'droseddwr enwoca Oes Fictoria'. Wedi'r cwbl medrwn ddychmygu'r siarad a fyddai yn nhref John Elias o Fôn, fod John Nymbar Wan yn y jêl eto. Pwy, mewn difrif, oedd am gael ei weld yn ymweld â hwn?

Ond nid yn nhroseddau Charles Peace y gwelid y gymhariaeth â'r hen botsiar ond yn ei ddawn i'w ffugio'i hun, ac mae pob lle i gredu fod John Jones yn meddu'r ddawn hon. Pan ddychwelai'r potsiar o'r carchar byddai Nan Jones wedi gorfod gwerthu'r cyfan o'i geriach potsio i geisio byw, a dichon yn y gobaith na fyddai'n ailgydio yn yr arfer. Ond ni fyddai'r hen botsiar fawr o dro yn casglu gêr at ei gilydd a byddai unwaith eto yn ei afiaith yn hela. Ar adegau fel hyn byddai'n chwilio am bartner i botsio. Gan fod Hugh Thomas yn rhwydwr da, naturiol fyddai i John bartneru hefo fo. Ar un o'r achlysuron hynny pan oedd yn rhwydo efo Hugh Thomas, gwelodd John hen fwgan brain wedi'i daflu ar y clawdd a gwelodd ei gyfle i ennill rhwyd. Gosododd John

Jones y bwgan brain i sefyll yn syth wrth ben cychwyn y rhwyd a rhedodd at Hugh i'w rybuddio fod y cipar ar eu gwarthaf gan gredu'n siŵr y byddai ei gymar yn ei gwadnu hi am adref ac y câi yntau rwyd yn y fargen. Ond fe darodd ar ei fatsh y tro hwn gan y gwyddai hen botsiar craff fel Hugh Thomas y gwahaniaeth rhwng bwgan brain a chipar ac fe wyddai'n iawn am driciau'i bartner i ffugio.

Cawn enghraifft arall o'i ddawn i'w ffugio ei hun yn atgofion John Rowlands, mab Hendre Hywel, cyn i'r teulu symud i Trefnant Ddu, Llanddaniel. Yn ei ôl ef, llwyddai'r potsiar yn rhyfeddol i fegera gwair i'r ferlen yn ffermydd y fro. Yr oedd yn ymwelydd cyson â Hendre Hywel a rheswm da am hynny gan y byddai Richie Rowlands yn y dre pob pnawn dydd Iau. Yr oedd Mrs Rowlands yn fôr o garedigrwydd i'r neb a alwai am gardod, ac nid rhyfedd iddi roi caniatâd i Charles Peace fynd i'r ardd ŷd. Nid oedd yno ond cilcyn bychan o wair ar ôl, digon i'r lloi cyn eu troi allan. Rhoes y potsiar bob blewyn o'r gwair yn ei drol fach ac adref ag ef. Sylwodd Richie Rowlands cyn mynd i'r tŷ ar y golled a holodd yn frysiog beth ddaeth o'r gwair. 'Rhyw John Jones o Langefni ddaeth yma isio gwair i'r ferlan, ac mi dd'wedais wrtho am gymryd sypyn,' meddai Mrs Rowlands. Pan ddeallodd mai Charles Peace a'i twyllodd, tynghedodd na châi byth ddim eto yn Hendre Hywel.

Ymhen y rhawg, galwodd John Jones yn Hendre Hywel i 'mofyn cardod y tro hwn. Eglurodd Mrs Rowlands iddo fel y bu i ryw John Jones o Langefni alw i chwilio am wair, ac fel y bu i'r cena drwg fanteisio ar ei gyfle a mynd â'r cwbl. 'Rwy'n ei adnabod yn iawn,' meddai'r ffugiwr, 'Charles Peace ydi'i enw fo, cannwyll llygad y diafol.' Aeth yn ei flaen i ganmol y bregeth a glywodd ym Mhentraeth y noson cynt gan osod ei hun mewn golau ffafriol a derbyniol i wraig Hendre Hywel. Cafodd y cardotyn gydaid da o datws y tro hwn. Pan gyrhaeddodd Richie Rowlands o'r dre, wedi cwrdd â Charles Peace ar y ffordd, a'r baich tatws, holai'n gellweirus pam y cafodd y potsiar gardod eto yn Hendre Hywel – a dyna pryd y gwawriodd ar wraig y tŷ mai'r un dyn yn gywir oedd y lleidr gwair â'r cardotyn tatws! Does dim dwywaith nad oedd yn medru ffugio bod yn berson gwahanol fel y mynnai, yn union yr un arbenigedd â'r Charles Peace gwreiddiol.

Ond potsiar yn anad dim oedd y Charles Peace o Langefni, ac fel sawl potsiar arall doedd y 'cario o'r stesion' yn ddim ond modd i guddio'r potsiar ac i roi tipyn o barchusrwydd arno a ffafriaeth efo siopwyr y dref. Gan mai gwaith y nos fyddai potsio yr oedd y ddwy swydd yn cyd-fynd yn iawn efo'i gilydd. Byddai corstir Plas Gwyn, sy'n ffinio â phentref Talwrn, yn dynfa gyson i Charlie hefo'i rwyd. Mae hanes amdano ef a'i ddau gymar potsio, Dafydd yr Helfa a Mudan, yn mynd yno ar noson wyntog, sych i rwydo. Dywedir bod Mudan y cymar potsio gorau gaed, gan fod ei glyw yn gwneud iawn am bob nam arall oedd arno. Un o'r cyneddfau mwyaf gwerthfawr i botsiar fyddai clyw da er mwyn cael clywed y cipar cyn i'r cipar ei glywed ef. Felly Mudan hefyd, clywai'r sŵn distadlaf a rhybuddiai ei bartneriaid mewn modd arbennig. Ar y noson dan sylw canfu'r tri, er eu siom, fod cipar Plas Gwyn wedi taenu mân frigau drain ar lwybr y rhwyd. Ond bu i'r tri photsiar o Langefni gribo'r drain yn ofalus, cyn gosod y rhwyd. Fu'r fath helfa o ffesantod erioed, yn ôl dawn ymffrostgar Charles, 'Mi fu raid inni roi'r gorau iddi, gan na fedrem ni eu cario adra.' Tybed ai cipar Plas Gwyn oedd y Thomas Jones hwnnw a ddywedodd am Charles Peace, 'mi fedrai sleifio trwy sgrwff a drain mor ddistaw â malwen a diflannu fel llwynog'?

Mae'n ddiddorol sylwi fel y cysylltir gwahanol storïau â photsiars ac mae'n naturiol y byddai llawer stori yn cael ei chysylltu â chymeriad ffraeth fel Charles Peace. Cysylltir ag ef yr hanesyn pan oedd y cipar ar ei warthaf, a'r ddau ar ddiffygio, i'r cipar weiddi ar ei ôl, 'Stopia, mi rydw i wedi dy nabod.' Troes Charles i weld pa mor agos oedd ei erlidiwr, ac meddai dros ei ysgwydd, 'Stopia di, does yna neb ar dy ôl di.' Mae sawl tystiolaeth fod John Jones yn gymeriad ffraeth gydag ateb i bob sefyllfa a'r ddawn werthfawr honno i weld yr ochr ddoniol a digri i bopeth ganddo. Nid rhyfedd iddo naddu enw iddo'i hun, enw i ryw raddau sy'n dal yn fyw o hyd. Mewn ymateb i ddedfryd y llys fe ddywedodd mewn syndod nad oedd modd deall yr ynadon ar fainc Llangefni yn rhoi dirwy o hanner coron i ddyn am hanner lladd ei wraig, a dirwyo dyn arall i bum punt am saethu ceiliog ffesant! Pwy bynnag pia'r stori mae hi'n gwbl nodweddiadol o ffraethineb Charles Peace.

Ond fyddai stori'r potsiar hwn ddim yn gyflawn heb sôn am ddylanwad y diwygiad ar ddechrau'r ugeinfed ganrif ar ei fywyd. Gan fod potsio yn bechod mor amlwg, yr oedd yn naturiol i'r cenhadon dargedu'r potsiars, a chan fod John Jones yn byw o fewn cam neu ddau i gapel bach cenhadol Lôn y Felin, nid rhyfedd iddo gael ei rwydo'n gynnar yn y diwygiad. Yn wahanol i'r rhelyw o ddychweledigion y diwygiad fe achubwyd ei hiwmor a'i wreiddioldeb a, thrwy drugaredd, ni ddylanwadwyd dim ar y 'potsiar' a oedd ynddo. A diolch byth, yr oedd gweinidog y capel bach yn ddigon eangfrydig i groesawu'r potsiar i'r seiat. Yr oedd gan Charles gof anghyffredin a chofiai bregethau'r gweinidog air am air, yn ôl y sôn. Nid oedd gan y Parch. Prys Owen ryw lawer o ddawn i gyflwyno'i bregeth, er eu bod yn rhai caboledig a da, ond pan fyddai'r potsiar yn eu pregethu, chredai neb eu bod yr un pregethau gan felysed ei ddawn.

Deuai'r ddawn a'r gwreiddioldeb yn amlwg wrth orsedd gras yn Lôn y Felin. Fel y symudai'r perorasiwn yn ei blaen codai'r gweddïwr ei lais ac, yn iaith yr oes, 'yr oedd yr awyr yn denau iawn.' Yn ddigon tenau i filgwn y potsiar adnabod llais eu meistr a chydient yn ei weddi gan gyd-udo â'i gilydd. Erbyn i Charles Peace gyrraedd cresiendo gorfoleddus ei weddi byddai holl gŵn y dref yn uno ag oer udiadau cŵn nymbar wan Lôn y Felin. Caent gymaint o hwyl arni fel y parhaent i udo wedi i'r hen botsiar dewi. Fel y dywed T. D., a oedd yn yr oedfaon hynny, '...a ni'r plant wrth ein bodd yn gwrando cantata'r cŵn.'[14]

Y mae enw Charles Peace ym mhlith rhestrau'r llofruddion yn un o archifdai'r heddlu yn Swydd Gaerhirfryn ers tro byd.[15] Ond fe erys brith atgofion gan rai o hyd ym Môn am y gŵr a wisgodd ei enw fel potsiar.

Seth Jones, y Kennels

Yn wahanol i'w gymydog o botsiar o Langefni, ni roddwyd erioed lasenw crand i Seth Jones. Gwisgodd ef ei enw'i hun drwy'i oes – enw ac iddo naws nofelaidd neu Feiblaidd – a ffitia'n burion gymeriad o Iddew o'r Hen Destament neu un o gymeriadau nofelau Daniel Owen. Byddai'n gweddu'n iawn i fonedd neu dlawd ac mae'n enw mwy pwrpasol fyth o gofio fod yna rhyw ddeuoliaeth ddiddorol yn ei gymeriad. Yr oedd yn enghraifft dda o 'Wil a hanner' neu 'Huwcyn a Huw'. Y ddeuoliaeth hon a wnâi Seth Jones, y Kennels yn gymeriad mor unigryw a gwahanol i bawb. Mae'n debyg fod gan ei gefndir a'i amgylchiadau eu rhan yng ngwead y cymeriad hwn a'r bersonoliaeth nodedig hon.

Fe'i ganed ym 1895, yn fab i Richard a Mary Jones, Ty'n Garreg, Rhosmeirch, ar gwr coedlannau dwy ystad enwog Tresgawen a Thregaian. Yr oedd ganddo ddau frawd, Owen a William, ond roedd Seth mor wahanol â phe bai'n perthyn dim iddynt. Fe'i galwyd o ganol afiaith ei arddegau i wasanaethu yn y Rhyfel Byd Cyntaf ac mae'n debyg fod ynddo ddeunydd milwr da gan mor hoff ydoedd o'i wn a'i hela, ac yn arbennig o geffylau. Gan fod y rhyfel hwnnw mor ddibynnol ar geffylau mae'n naturiol mai i'r adran farchogaeth yr anfonwyd Seth. Cafodd ef a'i frodyr, fel llaweroedd eraill, eu clwyfo yn giaidd yn y rhyfel a dylanwadwyd yn niweidiol arno gan effeithiau nwy mwstard. Parhaodd yr effeithiau hyn ar ei ysgyfaint gydol ei oes.

I saethwr a heliwr da yr oedd coedlannau'r ddwy ystad lle'i maged yn waredigaeth – yn enwedig o gofio i flynyddoedd y rhyfel gael eu dilyn gan ddiweithdra a thlodi. Cartrefodd Seth Jones ym Mryn Chwilfriw gyda Jennie, merch olygus, hardd o'r ardal a ganwyd iddynt ddau fab, John ac Evan. Cafodd Seth nid yn unig waith ond fe gafodd waith wrth ei fodd, a hwnnw o fewn cyrraedd hwylus.

Sefydlwyd cwmni hela arbennig o'r enw 'Anglesey Harriers' (Helwyr Môn) yn Nhy'n Donnen ar y ffordd glai ychydig well na milltir o dref Llangefni. Ffurfiwyd y cwmni ar y cyd gan rai o fyddigions yr Ynys a oedd â diddordeb mewn hela. Un o'r rhai mwyaf blaenllaw ohonynt oedd y foneddiges Eva Meyrick o Fodorgan, yr Uwch-gapten Jaggar o Rydwyn a Mrs Vivian o Dreffos, Llansadwrn. Buan iawn y daeth Ty'n Donnen yn 'Kennels' am fod gan y cwmni oddeutu trigain o gŵn hela a ffurfiai ddau gnud, un cnud o gor-helgwn i hela ar droed, a chnud arall o helgwn i hela efo'r ceffylau, ac yr oedd yno lawer iawn o geffylau o safon neilltuol. I gartrefu'r holl anifeiliaid codwyd stablau heirdd a chytiau cŵn pwrpasol gyda rheiliau uchel yn ffurfio buarthau i'r cŵn gael tipyn o ryddid. Gan Seth Jones yr oedd y gofal am y ceffylau a'r cŵn, gwaith oedd wrth fodd ei galon. Heb os, gwasanaeth Seth fu'n gyfrifol am lwyddiant y cwmni. Yr oedd y profiad a enillodd gyda gweoedd y fyddin yn gaffaeliad iddo fel pen-heliwr a phrif chwipiwr pob helfa.

Trefnwyd dwy helfa bob wythnos, un ar ddydd Mawrth a'r llall ar ddydd Iau. Byddai caniatâd a chroeso i'r helfa ar unrhyw ffarm ym Môn gan eu bod yn difa'r 'sgyfarnogod a oedd yn difetha llawer iawn o'r cropiau. Byddai ras 'sgwarnog yn un o'r gorchestion pennaf ym myd hela, a dal 'sgwarnog oedd y gamp i unrhyw filgi neu gi hela. Seth Jones oedd yn gyfrifol am gadw'r cŵn efo'i gilydd fel chwipiwr, a marchogai bob amser wrth ochr y Foneddiges Eva gan fod ganddi feddwl uchel iawn ohono. Byddai'n olygfa hardd gweld yr helfa yn cychwyn: y ceffylau yn prin gyffwrdd eu traed tendar ar lawr, y foneddiges Eva Meyrick – a fyddai'n arwain yr helfa gan amlaf – yn marchogaeth yn hynod o osgeiddig, a Seth yn gwneud ffendar â'r chwip am y cŵn barus. Fu dim byd mwy trefnus erioed a neb yn codi llais, dim ond clec ysgafn y chwip yn cadw'r osgordd hefo'i gilydd. Daeth hyn yn rhan o'r patrwm ar ffyrdd Môn yn wythnosol ond, dro arall, byddai'r helwyr yn cerdded gyda'r cnud a'r cor-helgwn a byddai'r rhain eto dan reolaeth chwip Seth Jones.

Ond prif helfa'r flwyddyn gan yr 'Anglesey Harriers' fyddai bore Gŵyl San Steffan. Ymgasglent yn iard tafarn y Bull yn Llangefni, yna symud i sgwâr y cloc i fiwsig y pedolau gyda'r cŵn yn gwau drwy'i gilydd fel pe baent yn chwilio am 'sgwarnog. Hwn fyddai diwrnod mawr Seth Jones yr helsman, wrth iddo arwain yr orymdaith hardd a rhoi naws arbennig yr ŵyl i'r dref. Pwy fyddai fyth yn credu ei fod yn botsiar! Tyrrai plant a rhieni'r dref yno i fwynhau'r olygfa aflonydd.

Ar wahân i'r helfeydd ac ambell arddangosfa, yr oedd y gofal o fwydo a glanhau'r anifeiliaid hyn ar Seth hefyd.

Golygai gryn borthiant a dwysfwyd i'r ceffylau a llawer iawn o gig i'r holl gŵn. Byddai croeso a derbyniad i bob anifail marw yn y Kennels a byddai'r ffermwyr yn ddigon balch i gael gwared â hwy. Gwelid buchod cyfain yn hongian wrth eu traed ôl yn hwylus i'w torri'n dafellau i'r cŵn. Dywedir y byddai rhai o botsiars y cylch yn galw heibio yn chwilio am dipyn o groen coluddyn y fuwch i wneud 'treipan' i'r cŵn. Byddai Ifan Drip yn ofalus iawn o'r croeniach yma, yn eu golchi'n lân a'u hongian i sychu'n dda. Yn ôl yr hen botsiars nid oedd dim byd tebyg i'r dreipan i roi digon o anadl a stamina i filgwn. Dywed rhai mai hen rysáit Gwalchmai yw hi a gwyddai Seth Jones amdani yn siŵr. Mae hanes am ddau botsiar wedi galw yn y Kennels berfeddion nos i fodiachu am groen y coluddyn, ond gan mor dywyll oedd hi aethant â thafelli o groen bol yr hen fuwch! Cig berwi ar gyfer lobsgows, ac nid treipan!

Nid yn unig yr oedd Seth Jones yn gryn bencampwr yn ei waith fel certmon a heliwr, roedd ganddo'r ddawn hefyd i droi ymhlith y boneddwyr hyn. Yr oedd yn gwybod eu ffordd i'r dim fel pe bai wedi ei eni'n freiniol. Os nad oedd yn siarad yr un iaith â hwy yr oedd yn rhannu'r un diddordebau yn gywir. Yr oedd hela a marchogaeth yn anadl einioes y dosbarth yma, felly hefyd Seth. Gwyddai Eva Meyrick yn iawn ei fod yn medru trin a thrafod ceffylau cystal os nad gwell na'r un ohonynt, a'i fod yn adnabod eu cŵn fel pe baent yn blant iddo. Mae'n debyg i ddisgyblaeth ac ymarferiadau'r rhyfel ddysgu cwrteisi a moesgarwch iddo a gallai sefyll ysgwydd yn ysgwydd ag unrhyw un.

Pe bai mwdwl bywyd Seth Jones yn cau yn y fan yna fyddai dim yn anghyffredin na gwahanol ynddo, ond mae ochr arall iddo hefyd. O bethau'r byd, yr oedd Seth yn botsiar hefyd, a sut ar wyneb y ddaear y mae modd ieuo'r ddau? Fu erioed ddau fyd cyn belled oddi wrth ei gilydd na byd y pendefigion a byd y potsiar. Ond fe lwyddodd Seth, y Kennels i gadw'r ddau fyd ar wahân. Gwyddai'n iawn pe gwyddai ei feistri fod yna botsiar yn eu plith, mai buan iawn y byddai rhaid dewis rhwng y naill neu'r llall. Y mae'r ffaith hon yn brawf na chafodd Seth Jones erioed ei ddal yn potsio.

Cadwai ei filgwn gartref yn Bryn Chwilfriw, cymaint â deg

ar hugain ohonynt weithiau, a byddai wastad yn prynu neu yn gwerthu ci. Fe'i cyfrifid yn ddyn ci o'r radd flaenaf ac arferid dweud os byddai Seth Jones wedi methu â chael hwyl ar y ci, doedd dim pwrpas i neb arall drio. Fe olygai gryn gost i drwyddedu'r holl gŵn, yn enwedig gan y byddai'r cyfrif yn newid cymaint trwy werthu a byddai Seth mewn helbul parhaus efo'r gyfraith ynglŷn â'r trwyddedau. Roedd yn rhaid cael milfeddyg i benderfynu a fyddai ci yn ddigon hen (deuddeg mis) i orfod cael trwydded ai peidio. Fe wyddai pob milfeddyg fod Seth Jones wedi anghofio mwy am gŵn nag a ddysgodd yr un ohonynt hwy erioed, ond mae'n amlwg iddo fethu argyhoeddi'r milfeddygon pan ddygwyd ef o flaen y fainc yn Llangefni. Mynnai sgweiar Tresgawen ei ddirwyo i bymtheg swllt tra dadleuai Cyrnol Lloyd y byddai coron yn eitha digon am drosedd mor ddibwys. Pritchard Rayner a orfu, a thynghedodd Seth Jones mai ef fyddai raid talu'r ddirwy hefyd!

Fyddai Seth byth yn troi allan i unman heb ei gyweirio'i hun am helfa pe deuai'r cyfle. Gwisgai gôt fawr laes – côt potsiar ac iddi ddwy geubal o bocedi. Yng nghornel un o'r rhain cuddiai'r gwn *'four-ten'* wedi'i blygu'n fychan fel llyfr. Pan elai William Jones, Pencefn, ei gefnder, ac yntau i Langefni ar nos Sadwrn, teithient yn hamddenol yn y car a'r ferlen ar lôn Maen Eryr a thrwy goed yr Hendre. Gwyddai Seth i'r dim am glwydfan pob ffesant ar y canghennau dros y lôn. Ar y ffordd adref, agorai Seth y gwn gan orchymyn i'r ferlen aros, a saethu'n sydyn i'r nos gyda'r ffesant yn disgyn i'r car wrth draed y ddau. Roedd Seth yn adnabod y ffesant yn ddigon da i wybod na fydd o fyth yn newid ei wely.

Mae hanes am botsiars ar stadau yn Lloegr yn cuddwisgo eu hunain rhag cael eu dal, ac yn ffugio bod yn rhywun arall, gan eu bod mor adnabyddus i'r ciperiaid. Gwisgai rhai ohonynt fel boneddigion neu mewn gwisg offeiriadol, hyd yn oed, ac âi rhai mor bell â gwisgo fel merch! Pan gaent eu dal rhoent enw ffug i'r cipar neu ddadlau am weld y warant chwilio. Byddai eu gwybodaeth o'r gyfraith yn y llysoedd mor drylwyr fel yr enillent y ddadl yn erbyn y ciperiaid a'u gwrthwynebai a byddai ganddynt esgusodion credadwy ac alibïau dibynadwy.

Mae hanes am un ohonynt, Samuel Slack o Mansfield, a wawdiodd yr heddlu pan ddaliwyd ef am dresbasu, na chlywodd o erioed sôn am Ddeddf Helwriaeth – ac fe lwyddodd i argyhoeddi'r fainc. Ffraethineb fyddai cyfrwng ambell un arall i achub ei groen rhag y carchar, ac y mae toreth o achosion o'r natur yma yng nghofnodion Llysoedd Lloegr. Ond ni cheir odid yr un enghraifft debyg am botsiars o Gymru yn eu cuddwisgo'u hunain. Tybed ai Seth Jones yw'r unig un a wnâi rhywbeth digon tebyg?

Ar dywydd gwlyb fe wisgai Seth esgidiau merch mewn lleoedd amlwg ar ei daith botsio. Byddai'r ciperiaid yn chwilio am ôl troed o gylch y cyferau bob bore, a gallai ambell gipar go graff gysylltu'r ôl â'r potsiar. Mae hanes am ddau gipar Tresgawen yn methu'n lân â deall sut y daeth merch i le mor anghysbell wrth weld ôl troed Seth Jones mewn esgidiau merch. Yn ôl y sôn, daethant i'r casgliad fod y foneddiges Rayner yn siŵr o fod yn dechrau colli arni'i hun!

Mae'n amlwg ddigon y gwyddai Seth Jones am bob ystryw rhag cael ei ddal fel potsiar, er bu bron bron iddo gael ei ddal ar un achlysur ar stad Tresgawen. Mae'n amlwg i'r ciperiaid gael achlust un noson fod Seth allan tua'r coedlannau. Cornelwyd y potsiar gan dri chipar wrth un o'r cyferau, plygodd ei wn a rhoes orchymyn i'r filgast fynd adref ar unwaith; ufuddhaodd honno ar amrantiad tra dringodd yntau i ben uchaf un o'r coed tewfrig. Digwyddodd a darfu'r cwbl mor ddisymwth fel, pan gaeodd y ciperiaid y cylch, nad oedd yno neb na dim ond coed llonydd a Seth Jones ynghudd yn un ohonynt. Gwrandawodd y potsiar ar drafodaeth y ciperiaid ffwndrus wrth droed y goeden, yn llawn siomiant am iddynt fethu unwaith eto â'i ddal.

Bu Seth Jones yn hynod ofalus rhag cael ei hun yn rhwyd y cipar ac ni fyddai fyth yn gorddibynnu ar ei sgiliau a'i ddoniau neilltuol, ond fe droai pob amgylchiad yn gyfle i botsio. Ymunodd ar un achlysur â chôr o Rosmeirch a gerddai'r plwyf i ganu carolau cyn y 'Dolig ac, yn naturiol, yr oedd y ddau blasty yn dynfa naturiol i'r carolwyr. Rhoes Cyrnol Lloyd Tregaian bunt i'r côr am gael ei ddewis garol ac yr oedd asbri'r Nadolig i'w weld a'i deimlo yno. Aethant ymlaen wedyn drwy'r coed i Dresgawen, i'r un awyrgylch

Nadoligaidd eto. Yr oedd gwedd a lleferydd gŵr y tŷ yn brawf ei fod mewn hwyliau rhagorol a rhoes yn hael ryfeddol i goffrau'r côr, gan roi caniatâd iddynt alw yn nhai'r ciperiaid ar y stad. Yn ddistaw bach fe ddiolchodd Seth Jones am y nos! Pan agorwyd drws tŷ'r cipar gwelwyd fod ciperiaid y stad i gyd wedi cyfarfod yno yn nhŷ'r pen-cipar, Lekin, ac yr oeddynt oll mewn hwyliau da eithriadol. Synhwyrodd y potsiar nad oedd yr un ohonynt mewn cyflwr diogel i fynd allan y noson honno; gadawodd y côr ac aeth adre i nôl y filgast a'r gwn. Yn ôl disgrifiad Seth Jones yr oedd ffesantod fel sypiau grawnwin ar y coed. Dychwelodd i'w dŷ dan ei faich yn tystio na chafodd 'Ddolig tebyg i hwn erioed.

Gwyddai Cyrnol Lloyd, Tregaian yn well na neb am ddoniau a sgiliau neilltuol Seth Jones fel potsiar a chredai hefyd na fyddai'r un cipar ar Ynys Môn a fedrai ei ddal. Yn wyneb hyn rhoes y Cyrnol gytundeb i'r potsiar i'w ddiddyfnu oddi wrth y gêm. Cynigiodd gar a merlen a'r holl ffigiarins i Seth os cytunai, *'that you will never poach on my land again.'* Atebodd Seth Jones yn gwbl ddibetrus, *'Sorry Sir, I cannot promise that, because poaching is in my blood.'* Dyma oedd ei gyfrinach, wrth gwrs, yr oedd y potsiar yn ei waed. Fu erioed naturiaethwr craffach nag ef a gwyddai am holl arferion y gêm, yn adar ac yn anifeiliaid. Gwyddai i'r dim ym mhle y clwydai'r adar ac ni fyddai'r un afagddu yn ddigon i guddio'r un aderyn rhag aneliad ei wn.

Bu John Roberts, Bron Felen, Brynteg, neu 'Isfron' i roi iddo'i enw barddol, gyda Seth ar gyrch potsio droeon pan oedd yn llanc ifanc. Rhyfeddai at ei ddawn neilltuol i saethu a thrafod cŵn ac roedd yn ddyn hynod o fentrus ac yn gwbl ddi-ofn. Yn ôl John Roberts yr oedd yn agoriad llygaid ac yn addysg bod yn ei gwmni, pa un bynnag ai hela neu sgwrsio a fyddai. Yr oedd yn gwmnïwr diddan tu hwnt a cheid gonestrwydd a diffuantrwydd yn gymysg â'i ffraethineb iach. Yr oedd rhyw ddeuoliaeth eto yn ei natur ac, yn ôl John Roberts, gallai fod yn galed a ffyrnig a hefyd yn gymeriad tyner a hoffus. Fel bardd gwlad hynod o dderbyniol a phregethwr lleyg gyda'r Eglwys Wladol, tystia gŵr Bron Felen i'r gwersi a gafodd mewn herwhela gan Seth ei symbylu yn y ddau gyfeiriad. Yn ddiddorol iawn byddai

John Roberts yn pregethu'n gyson yn Eglwys Sant Morhaearn yn Nhre Walchmai a phwy yn well ar gyfer y fan honno nag un a fwriodd brentisiaeth mewn potsio wrth draed Gamaliel y byd hwnnw, Seth Jones.

Ar ddiwrnod cadoediad 1977 fe alwyd yr hen filwr adref – y potsiar a fu'n gydymaith i foneddigion ac yn gyfaill i bob potsiar. Fel hyn y canodd y bardd-bregethwr Isfron iddo:

Hela yng ngwaed yr heliwr – a difa
A difa fu'r saethwr.
Y rhwydau, y gynnau a'r gŵr
Ochelodd yr uchelwr.

Cnud o helgwn ar lawnt Tresgawen. Saif yr Uwch-gapten Jaggar yn eu canol gyda Seth Jones yn dalsyth i'r dde.

Dafydd Parc

Os oes graddfa o botsiars, yna mi hawliai Dafydd y Parc y radd uchaf. Er na chafodd rhyw lawer o foethau'r byd, ac ni pherthynai i deulu o fyddigions, eto nid tlotyn yn gorfod herwhela ei damaid mohono. Dyn gwn oedd Dafydd, ac nid oedd ganddo ddim i'w ddweud wrth filgwn na ffureti. Yr oedd yn gyfuniad o'r naturiaethwr a'r saethwr ac fe lwyddai i ieuo'r ddwy natur yn ddidrafferth. Rhyw dyddyn bach o fesur deng erw ar hugain oedd y Parc, yn llawer iawn rhy fychan fel heldir i'r tyddynnwr. Ni châi Dafydd anhawster yn y byd i ymestyn terfynau ei libart. Credai yntau fel llawer un arall nad oes gan neb hawl i osod ffiniau a therfynau ar heliwr. Y terfynau hyn yn ôl damcaniaeth Dafydd a wnâi herwheliwr o heliwr onest. Mwynhâi sôn am ei stad, ac fel y teimlai Eifion Wyn mai ef oedd 'arglwydd' Cwm Pennant, felly Dafydd hefyd. 'Paid â sôn am stad Meirics na stad y Byclis,' meddai, 'mae fy stad i yn cyrraedd o bont y gors i bont marcwis, o forfa Tai Hirion i forfa Llan Fawr.'[16]

Safai'r Parc ar godiad tir yn edrych i lawr ar banorama ei stad a Chors Ddyga. Nid oedd na deddf na chyfraith na chipar allai gadw David Owen, y Parc o'r stad hon a gyfrifai yn eiddo iddo'i hun, neu o leiaf fod ganddo hawl i ymarfer ac i berffeithio'i ddawn fel saethwr ar bob aderyn yno. Yr oedd stad Capten Evans, yr Henblas y tu ôl i'r Parc, yn wir yr oedd yn lapio am y tyddyn. Yno y mwynhâi Dafydd saethu a hela hefo bob pryd, ac o ganlyniad doedd o'n fawr o ffermwr. Mae'n anodd iawn cartrefu'r ffermwr a'r heliwr yn yr un tŷ.

Heb fod nepell o'r Parc ar gyrion yr Henblas y mae stad fechan Trefeilir a ddeuai ag atgofion dyddiau ei blentyndod yn ôl i Dafydd. Cofiwn yr hyn a fynnwn ei gofio o ddyddiau'n plentyndod, felly Dafydd hefyd. Ar Nadolig fe drefnid helfa yn Nhrefeilir a fyddai'n deffro ardal Llangristiolus a rhoi boddhad pur i'r plant. Cychwynnai'r helfa o lawnt Trefeilir lle'r oedd pobl fawr yr ardal wedi ymgasglu a phob un yn eu dillad crand. Wrth ddirwyn yr atgofion daliai Dafydd i deimlo rhyw fath o genfigen – pam fod y rhain yn bytheirio drwy'r fro gan ddiystyru pob tyddynnwr a ffermwr? Cofiai'r dillad crand a'r hetiau caled crwn, y ceffylau mawr yn hedeg dros y cloddiau. 'Ninnau'r plant,' meddai Dafydd, 'yn ddigon gwirion i redeg ar ôl y reidars o fore gwyn tan nos – drwy'r ffosydd a'r drain fel pe baen ni'n un o'r bytheiad, ac yn y bôn 'toedd hynny ond rhyw un wedd ar y cowtowio felltith 'na i'r mawrion bobol.'[17] Yn ddiddorol iawn, yn ôl Dafydd, hela ceirw oeddynt. Deil Dafydd i weld yr helfa yn fyw o flaen ei lygaid, fel y rhedai'r carw ar draws llain Rhisiart Ifans, Gwastad Geirchan, dyn a wyddai'n burion beth oedd diwrnod caled o waith. Wrth weld y fath syrcas a chlywed yr holl firi, meddai'r hen dyddynnwr, 'Tydi hi'n anodd ei dallt hi, dyma fi yn falch o gael yr hen ŵyl fel hyn i gael 'y ngwynt ataf, ond mae'r hen fyddigions 'ma a'u tina i fyny yn neidio dros fy nghloddia i ar 'u ceffyla, a finna newydd ffensio hefyd.' Mae'n ddiddorol iawn sylwi lle roedd cydymdeimlad Dafydd Owen, sef efo'r tyddynnwr Rhisiart Ifans yn hytrach nag efo'r carw. Yr oedd gormod o'r heliwr yn ei waed er yn blentyn i gydymdeimlo â'r carw.

Ac yntau wedi'i eni a'i fagu mewn llecyn mor fanteisiol, cafodd Dafydd y Parc bob cyfle i feithrin y ddawn a oedd ynddo yn gynhenid. Mae'n debyg mai blynyddoedd penllanw Dafydd fel potsiar oedd rhwng 1925 a 1945, blynyddoedd a welodd ddirwasgiad ciaidd a rhyfel difaol yn Ewrop. Yr oedd yn ddyn craff a sylwgar, fel pob heliwr da, a thrwy'i oes daeth i adnabod ei heldir fel cledr ei law. Gwyddai i'r dim am bob camlas a ffos ar yr hen forfa mawr – gallai groesi cors Ddyga yn y nos fel yn y dydd. Cerddai drwy'r brwyn a'i wn yn barod a'i ddau lygaid yn craffu uchder y gorwel, gan wybod i'r dim lle i sangu nesaf.

Fe'i bendithiwyd hefyd â chlyw neilltuol o dda. Nid yn unig fe glywai Dafydd drydar pell y ffesant yn chwilio clwyd, ond fe wyddai i'r dim y lleoliad. Medrai fynd yno'n syth fel pe bai rhyw fagned gwyrthiol rhyngddo a'r adar hyn. Fel naturiaethwr craff medrai ddehongli'r gwahanol drydar o eiddo'r ffesantod, ac fe'i gwnaeth yn rhan o'i fywyd i adnabod byd a bywyd yr adar a'r mân anifeiliaid ar ei stad ddiderfynau. Nid rhyfedd iddo gael ei gyfrif yn un o saethwyr gorau'r sir, camp a berchid gan bawb, gan iddo beunos wrth olau'r lloer berffeithio'r grefft o saethu ffesantod. Llwyddodd Dafydd hefyd i ddistewi cryn dipyn ar sŵn ergyd y gwn. Wedi'r cwbl, bydd ergydion gwn yn glywadwy i'r holl ardal, ac i'r ciperiaid yn anad neb. Rhoes Dafydd gryn sylw ac ymchwil i sŵn y gwn gan drafod y cetris a'r haels. I bwrpas saethu'n agos at yr aderyn, byddai Dafydd yn tynnu rhai o'r haels o flaen y gatrisen ac fe wnâi hynny'r ergyd yn ddistawach ac yn llai tebygol o ddinistrio'r gêm. Gwyddai i'r dim faint o haels fyddai'n ddigon i ladd ac o ba bellter.

Rhoddai gadach bychan claerwyn ar flaen baril y gwn wrth saethu hwyaid ar lyn yr Henblas. 'Fe alla'i weld yr hwyaid rhyngddo a'r awyr glir, ond gweld blaen y gwn oedd yn anodd,' meddai Dafydd. Yr oedd ganddo ddau wn, y gynnau gorau y gellid eu cael, ac mae'n debyg mai ychydig iawn o'u bath oedd ym Môn. Yr oeddynt yn werth rhai cannoedd yn nyddiau Dafydd y Parc, heb sôn am beth fyddai eu gwerth heddiw. Gynnau o wneuthuriad Purdy a Holland and Holland oedd y rhain; heb os, dyma'r *enwau* gorau yn yr oes honno, a heddiw hefyd o ran hynny. Dyma'r math o orchest a nodwedda saethwr mawr; rhaid iddo, fel pob crefftwr balch arall, gael yr arfau gorau costied a gostio, ac un o'r crefftwyr hynny oedd David Owen o Langristiolus.

Fel saethwr 'golau'r lloer' yr oedd Dafydd Parc mewn dosbarth arbennig iawn. Gofynnai'r grefft am sgiliau a dawn neilltuol iawn, a'r ddawn honno a wnaeth Dafydd mor enwog fel potsiar. Yn wahanol i bob potsiar arall o'r bron, byddai Dafydd wrth ei fodd yn adrodd hynt a helynt ei ymgyrchoedd potsio. Yr oedd ganddo ddawn ffraeth yr hen storïwyr. Galwai yn nhai yr ardal fel y byddai arfer y cyfnod, ac er mai'r un record a gaed yn aml, yr oedd dawn Dafydd i ddweud stori yn gwneud yr hen yn newydd. Galwai'n gyson heibio i'r gof, yn enwedig wedi swper ar nos Sul. Yr oedd hefyd yn ymwelydd cyson ar aelwyd teulu'r siop a bu i'w straeon gyfareddu cymaint ar Gerallt Lloyd Evans, mab y siop, fel yr ysgrifennodd draethawd i'r diweddar Athro Bedwyr Lewis Jones, un a werthfawrogai gymaint y math yma o gymeriad. Mae gennym felly yn ffodus iawn sawl stori o eiddo Dafydd Parc o'i enau ei hun, ac nid oes modd rhagori ar honno o gofio mai stori potsiar yw hi.

Aiff y stori â ni yn ôl i fis Ionawr oer yn y dauddegau, i Langristiolus ym Môn – gwlad Ifan Gruffydd o Baradwys a heldir Dafydd Parc. Yr oedd haen drwchus o eira dros yr ardal i gyd – yr oedd pob man yn glaerwyn ac yn oer iawn. Mi led-awgrymodd Wil Tŷ Capal mai'r peth gorau i'w wneud ar y fath noson fyddai swatio yn y tŷ, gan broffwydo na 'fyddan nhw ddim allan heno'. 'Be 'di dy feddwl di'r cythraul gwirion? Lle rwyt ti'n meddwl ma' nhw'n mynd ar eira?' gofynnodd Dafydd Parc. 'Wyt ti 'rioed yn meddwl fod pawb yr un fath â chdi yn cael hefrian yn y parlwr pregethwrs.' Mi roedd 'parlwr pregethwrs' yn stafell eithriadol o bwysig ym Môn yn oes Dafydd. Roedd y lle agosaf at y 'Cysegr Sancteiddiolaf' yn y byd hwn, rwy'n siŵr.

Beth bynnag am ryw ychydig o eiriau croes fel yna, ei

mentro hi wnaeth y criw. Mae'r pedwar yn werth i'w henwi, er eu bod nhw i gyd wedi mynd erbyn hyn, gwaetha'r modd. Dafydd Parc oedd y pwysicaf ohonynt, yna Wil Huws, Tai, Hiwi, Cae'r Erw a Wil, Tŷ Capal. Cerddodd y pedwar yn ddifyr drwy'r eira, ymlaen trwy bant Carrog ar hyd godrau'r bryn. Dyna gyrraedd y cyfars, sef y coed tal-syth sydd o bobty'r lôn dŵad. Roedd hi mor ofnadwy o dawel, creai'r lleuad lun perffaith o'r coed a'u breichiau ar led fel pe baent yn hau yr eira i bobman. Cododd hen sguthan gan luchio'r eira'n gawodydd i'r unfan. Gan fod popeth mor llonydd a distaw fe dreblodd sŵn y sguthan. Symudodd y pedwar ymlaen a dim ond sŵn parau o welingtons yn crensian yr eira glân, dibatrwm.

Gwelsant olau gwan lamp odro ym meudy Twll Clawdd – sbinwch Wil Ifans oedd ar hwyl dŵad â moch ers dyddiau. Mae'n syndod fel yr oedd pawb yn gwybod busnes y naill a'r llall: gwyddai'r pedwar potsiar fod sbinwch Twll Clawdd yn barod i gael moch bach! Yn union wedi croesi pompren Mari Powal sibrydodd Wil, Tŷ Capal – 'Cipar hogia, gwardiwch.' Ond fe adnabu Dafydd ei besychiad – cipar drama oedd hwn, sef Jac, Bryn Gors; roedd Bryn Gors yn un o ffermydd mawr yr ardal. Wedi sicrhau Jac mai mwynhau tro trwy'r eira yr oeddynt, manteisiodd y ffermwr ar y cyfle i gael sgwrs am y farchnad wael a fu yn Llangefni y diwrnod hwnnw. Dyma galedi'r dauddegau, Jac druan yn dweud iddo werthu dynewid yn Llangefni am hanner y pris a dalodd amdanynt bedwar mis ynghynt. Nid rhyfedd fod Jac am fanteisio ar y cyfle i gael sgwrs efo'r potsiars i geisio dadmer ychydig ar ei bryder.

Aeth Jac adre'n unig a'r pedwar heliwr ymlaen i'r oed i ddechrau ar eu gwaith, yn bell o bobman. Clwydai'r ceiliogod lliwgar ar frigau'r coed glân. Roedd Dafydd yn saethu'n ddifeth a'r cyrff trwm yn chwalu'r eira i bobman. Rhannwyd yr ysbail rhwng y cedyrn – cymaint â phum ceiliog ar hugain – a throesant tuag adref a'r ceiliogod cynnes yn cynhesu'r cefnau oer. Erbyn cyrraedd gwaelod gallt Bryn Hyfryd roedd y wawr yn torri tros fwlch Llanberis.

Daeth y gweinidog i'w cyfarfod yr awr honno o'r bore. Ar ei ffordd o Gae Ffynnon yr oedd y Parchedig Caradog

71

Rowlands gan i Ronnie'r mab farw'n gynharach yn y bore, o'r hen ddipthiria ac yntau'n ddim ond deg oed. Canmolai Dafydd y gweinidog am ei barodrwydd i ddod i mewn i fyd pawb gan gynnwys byd y potsiar. Gwybu Dafydd hefyd am ei garedigrwydd tuag at ei bobl a dyma enghraifft o hynny yma – wedi cerdded drwy'r eira i fod yn gefn i rieni Cae Ffynnon yn eu trallod erchyll.

Ar wahân i'r helfa dda o ffesantod a gafodd y pedwar ar eu hynt y noson honno, mae'n werth sylwi ar yr elfen gymdeithasol a oedd i'r hanesyn. Gwyddent am hynt a helynt yr ardal gyfan. Doedd neb, y ffermwr na'r gweinidog Methodist, am gondemnio'r potsiars. Yr oeddynt hwythau, ar y llaw arall, yn llawn eu cydymdeimlad â'r ffermwr druan yn ceisio byw mewn byd mor galed. Yn yr un modd roedd eu calon yn torri dros deulu bach Cae'r Ffynnon. Cawsom wybod beth oedd cyfrif yr helfa o ffesynt, ond dim gair am y gwerthiant! Fodd bynnag fe werthfawrogwn barodrwydd Dafydd i ddweud cymaint wrthym a rhoi inni stori potsio wir o enau'r potsiar.

Ym 1951 fe loriwyd teulu bach y Parc gan brofedigaeth fawr – lladdwyd Jonnie y mab ar y lein ym Mangor. Rhoed ar ei gyfaill a'i gymydog, gŵr y siop, i fynd i'r Parc i dorri'r newydd. Ni fu Dafydd fyth yr un fath ar ôl y pnawn hwnnw. Chwalwyd ei fyd yn deilchion, ildiodd y ddau wn i'w dadgomisiynu – doedd o byth am saethu eto. Ond daeth peth melyster i chwerwedd y profiad; cafodd rhyw nerth rhyfeddol i dderbyn ac i ddygymod â'r brofedigaeth. Yr oedd gan Dafydd y Parc stori newydd i'w dweud wrth bawb fel y melyswyd dyfroedd chwerw Mara yn ei hanes.

Pan barlyswyd ei aelodau â'r stroc yn ddiweddarach, yr oedd digon o hiwmor iach yn aros yn Dafydd yn ei gaethiwed nerfol. Cydnabu, 'mae gen i ofn fod y maglwr ei hun yn y fagl y tro yma.' Ym 1974 bu farw'r potsiar nodedig a'r cymeriad ffraeth, ac fe'i claddwyd yn naear ei filltir sgwâr, Llangristiolus, heb gofnod i nodi'r fan.

Wil Parry

Mae cerfio cerddi coffa ar gerrig yn hen, hen draddodiad yn Ewrop. Yng Ngroeg mae epigramau ar gael ar feini sy'n dyddio'n ôl ddwy fil a chwe chant o flynyddoedd, i'r seithfed ganrif cyn Crist. Dilynodd Rhufain yr arfer a'r dull. Gwnaeth ysgolheigion gasgliadau o'r epigramau Groeg a Lladin; fe'u hastudiwyd yn ofalus, fe'u canmolwyd gan feirniaid llên ac fe'u cyfieithwyd i lawer iaith.

Yr un math o draddodiad yn union yw ein henglynion beddargraff ni. Epigramau cerrig ydynt hwythau. Ni wn pa bryd y dechreuwyd eu cerfio ar feini yng Nghymru. Englyn ym mynwent Trefdraeth ym Môn ar fedd rhyw William Thomas a fu farw yn 1725 yw'r enghraifft gynharaf a welais i.[18]

Dyna sut yr agorodd y diweddar Bedwyr Lewis Jones ei feirniadaeth i'r casgliad o englynion coffa oddi ar gerrig beddau ar gyfer Eisteddfod Genedlaethol Wrecsam 1977. Yn ddiweddar y dechreuwyd yr arfer o roi lluniau ar gerrig beddau, lluniau o bersonau, cartrefi neu olygfeydd. Y mae hwn yn arfer digon cyffredin yn yr Unol Daleithiau; gan amlaf, rhoir ffotograffau o'r ymadawedig mewn cloer fechan yn y garreg. Ceir cryn ysblander yn rhai o fynwentydd Ffrainc, yn arbennig felly yn y Dordogne. Yno mae'r beddau wedi'u haddurno gyda rhyw fath o dŷ gwydr dros y garreg fedd i gysgodi'r lluniau. Yn Awstria ceir ffotograffau o bersonau a thai wedi'u gweithio'n gywrain i mewn i'r garreg fedd.

Wrth rodio ymhlith y beddau ym mynwent gyhoeddus Amlwch yn ddiweddar, er fy syndod gwelais ddau gynllwyngi ar garreg fedd fel pe baent yn gwylio pob cam a roddwn. Yr oedd y ddau mor naturiol – yno fel pe baent yn disgwyl cymhelliad eu meistr i symud. Ond pam dau gi potsiar ymhlith y croesau a'r angylion nefolaidd? Dyma fedd William Parry o Amlwch a fu farw ym 1985. Ond pam y cŵn? Fu neb erioed â mwy o feddwl o'i gŵn na Wil Parry, a fu erioed yn unman gŵn mwy hoff o'u meistr na chŵn Wil Parry. Syniad gwreiddiol ei ddau fab, William a Steven, i goffáu eu tad oedd torri llun dau gynllwyngi ar garreg ei fedd. Yn wir, gwaith Steven yw'r llun gwreiddiol, ac nid yn unig y mae Steven yn arlunydd medrus iawn, ond mae ynddo yntau, fel ei dad, hoffter eithriadol o gŵn hela. Bu am dymor yn bwrw prentisiaeth fel cipar ar stad Plas Gwyn ym Mhentraeth a byddai wrth ei fodd yn tynnu lluniau'r adar a'r cŵn – cyfuniad o'r artist a'r heliwr. Pwy yn well i roi teyrnged i'w dad, a pha deyrnged well na llun o'i hoff gŵn ar garreg ei fedd?

Haedda Wil Parry ei goffáu fel hyn gan ei fod yn un o'r to olaf o'r math yma o botsiar. Dyma botsiar y llofft stabal, a heb os Wil Parry oedd yr olaf ohonynt ym Môn. Dan bwysau economaidd a chymdeithasol byddai'n rhaid i amryw yng nghefn gwlad droi at botsio.

Yma ym Môn, y gwas fferm yn ei lofft stabal oedd yr enghraifft o'r potsiar achlysurol, o'i gymharu â'r potsiar proffesiynol. Fu neb erioed mor annibynnol â thenant y llofft stabal, wyddai neb ei gerddediad ar ôl iddo gadw noswyl. Roedd yn adnabod ei heldir fel cefn ei law, boed nos neu ddydd; gwyddai am bob clawdd, bwlch, ffos a thomen ac roedd hefyd yn adnabod symudiadau'r teulu i'r dim. Ar nos Sul byddai pawb yn yr oedfa mewn capel neu eglwys, a dyna gyfle gwych. Yn wir bu awr yr oedfa yn un fendithiol iawn i sawl potsiar llofft stabal a heb os bu'r llofft stabal yn gartref delfrydol i sawl gwas fferm o botsiar.

Perthyn i'r traddodiad a'r cefndir yma yr oedd William Parry, er mai cynffon yr oes honno a welodd ef. Ac er i'r byd a chymdeithas newid ar garlam dros hanner olaf yr ugeinfed ganrif, eto fe ddaliodd Wil Parry ei afael mewn rhai pethau o ddyddiau ei ieuenctid. Daliodd i fridio ac i ymarfer ei gynllwyngwn – cŵn y potsiar. Manteisiodd ar bob cyfle i fynd allan yn y nos efo'i gŵn a chael modd i fyw yn eu cwmni.

Fe'i ganwyd ar ddechrau dauddegau'r ganrif, a'i fagu ar aelwyd ei nain a'i fodryb Alice yn Nhŷ'r Gwŷdd, Llynfaes. Gadawodd ysgol Llandrygarn yn bedair ar ddeg a mynd, fel y rhelyw o fechgyn yr ysgol honno bryd hynny, i 'weini ffarmwrs'. Fe'i cyflogwyd i weini tymor ym Modwina am bedwar swllt a chwe cheiniog yr wythnos – ychydig iawn o newid ers oes Fictoria. Symudodd wedyn i Cefncaerfor, fferm yng Ngwalchmai. Yr oedd y traddodiad potsio yn dal yn fyw yno er ei bod yn tynnu tuag at ddiwedd y tridegau. Cafodd Wil Parry brentisiaeth dda gan fod cryn lawer o weision ar ffermydd y fro o hyd ac yn siŵr fe gafodd Wil ysgol dda wrth draed rhai ohonynt. Yna fe symudodd i'r Deri Fawr ym mhlwyf Llandyfrydog, hen ardal arall nodedig am ei photsiars a'i phregethwyr. Cafodd amser difyr yn y Deri a manteisiodd ar bob cyfle i berffeithio'i ddawn fel heliwr. Yn ystod ei dymor ar fferm ym Mangor, daeth i gyswllt â theulu'r Hogans – teulu nodedig iawn. Ymddiddorai Wil Parry mewn paffio a chodi pwysau a sawl sbort arall efo'r teulu yma. Byddai'r Hogans yn delio mewn milgwn a chynllwyngwn hefyd a debyg mai dyna oedd yr atyniad i William Parry.

Bu ei symudiad i Fetws yn Rhos yn drobwynt yn hanes ei fywyd ond daliai ei ddiddordeb mewn hela a saethu yn ei ardal newydd. Arferai sôn fel y daliai foch daear mewn trapiau a'u saethu wedyn. Un bore yr oedd llwynog yn y trap; syllodd i fyw llygaid yr heliwr fel pe bai'n erfyn am drugaredd a bu'n rhaid i Wil gyfaddef: 'Fedrwn i ddim saethu'r llwynog, mi roedd o'n rhy debyg i gi.' Dyna brawf o hoffter Wil Parry o gŵn. Yna yn Betws y daeth William i gysylltiad â Rachel, merch o Ddolwyddelan, ac fe'i rhwydwyd yntau. Ar ôl eu priodas symudasant i Fôn a setlo yn Amlwch gan fagu tyad o ddeg o blant a bu'n dad rhyfeddol o dda. Byddent yn mwynhau tro allan yn y fan, rhoi bwrdd y gegin a'i draed i fyny ar y to a chwilio am lecyn braf i gael picnic hefo'i gilydd – gwyn eu byd!

Dysgodd grefft adeiladydd dur a sicrhaodd iddo'i hun gyflog da, ac er gorfod crwydro'r wlad i gael gwaith, dychwelai Wil o bob rhyw grwydr yn ôl at y cŵn yn Amlwch. Treuliodd oriau difyr yn ei afiaith efo'r rhain. Gresyn na chafodd fyw yn hŷn na chwe deg pedwar i fwynhau ei bennaf hobi mewn bywyd.

Diolch i'w ddau fab, William a Steven, am anrhydeddu coffadwriaeth eu tad mewn modd mor weladwy. Mae'r ddau wedi etifeddu llawer o ddawn a phleser eu tad ac maent yn magu ac yn dal i fridio'r cynllwyngi ac yn eu defnyddio, ynghyd â dau ddaeargi, i hela cwningod, gan fod cymdeithas bur ffyniannus ohonynt ym Môn. Erbyn hyn, gan fod y gwningen wedi newid ei greddf beth, gwâl yn y drain a'r eithin sydd ganddi bellach ac nid daearau, ac mae'n rhaid wrth y daeargwn i'w chodi.

Wrth graffu eto ar y ddau gynllwyngi ar y garreg oer, gyda Mynydd Parys ar y gorwel a chaeau Llechog Ganol yn

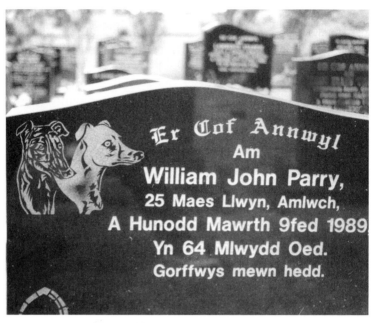

Y ddau gynllwyngi yn gwylio bedd Wil Parry.
Atgynhyrchwyd y llun trwy ganiatâd Mrs Parry.

amgylchynu'r fynwent, dychmygwn glywed llais yr heliwr yn cymell ei gŵn i'r brwyn.

[1] Rowe, Nicholas, *Some Account of the Life of William Shakespeare*, 1709. (Ail arg. 1948.)
[2] Manning, Roger B., *Hunters and Poachers 1485-1640*, 1993.
[3] ibid, t. 177.
[4] ibid, t. 178.
[5] *Caernarvon & Denbigh Herald*, 1860.
[6] Archifdy Llangefni, Rholiau Llysoedd Chwarter WQS/1860 36, 37, 118, 120, 121.
[7] Davies, Henry Harris, *Pregethau Cymraeg* (1854); *Y Pregethwr Teithiol* (1862); *Llythyrau ar Heresi a Sism* (1859); LL.G.C. Llawysgrifau: 12353D.
[8] *Trafodion Cymdeithas Hanes Môn*, 1930, 1935, 1946.
[9] Jones, Bedwyr Lewis, 'John Owen MA' (darlith anghyhoeddedig).
[10] Griffith, G. Wynne, *Cofio'r Blynyddoedd Gynt.* Argraffwyr M.C., 1967.
[11] Roberts, T. D., *Bara Llaeth i Frecwast*, Gwasg Gwynedd, 1983.
[12] Roberts, T. D., *ibid*.

[13] Ackroyd, Peter, *London, the Biography*, Chatt and Windus, 2000.

[14] Roberts, T. D., *op cit.*

[15] Dobson, Robert, *Policing in Lancashire 1839-1989*, London, 1989.

[16] Evans, Gerallt Lloyd, 'Curo'r Drws' (Traethawd anghyhoedd-edig), 1970.

[17] *ibid.*

[18] Jones, Bedwyr Lewis, beirniadaeth cystadleuaeth casgliad o englynion coffa oddi ar gerrig beddau, *Cyfansoddiadau a Beirniadaethau*, Eisteddfod Genedlaethol Wrecsam a'r Cylch, 1977.

Deddfau Helwriaeth a Byd y Cwningwyr

Bu i'r llywodraeth basio nifer o ddeddfau yn ystod y bedwaredd ganrif ar bymtheg a oedd yn penderfynu eiddo mewn adar a gêm a'r rheolau ynglŷn â lladd a gwerthu. Y deddfau pwysicaf o'r rhain oedd: Deddfau Helwriaeth (1831); Deddfau Potsio Nos (1828 a 1844); Deddf Atal Potsio (1862) a Deddfau Helfilod Daear (1880).

Yr oedd y deddfau hyn yn achos ac yn symbol o'r gwahaniaethau rhwng y ddau ddosbarth, y tlawd a'r cyfoethog yng nghefn gwlad Cymru yn y bedwaredd ganrif ar bymtheg. Trysorodd Hugh Evans awyrgylch y gwrthdaro yn *Cwm Eithin*:

> Adwaenem y byddigions hyn wrth eu golwg – dynion yn gwisgo clôs pen-glin a sanau tewion rhesog, wedi troi eu topiau i lawr; dau neu dri o gŵn hyllion yn dilyn yn glòs wrth eu sodlau; genwair neu wn o dan eu ceseiliau; yn sefyllian yn nrws y dafarn ar y Sul; byth yn mynd i gapel nac eglwys, wynebau cochion a golwg sarrug arnynt, a bron yr un ffurf ag wyneb ci pen tarw. Nid oedd gan y rhain lawer o edmygwyr – dim ond ychydig a arferai hongian o gwmpas y tafarnau.[1]

Creodd y Deddfau Gêm, ac yn arbennig Deddf Cau Tir 1853, chwerwedd blin yng nghefn gwlad gan y credai'r bobl fod corsydd, llynnoedd, llwybrau a ffosydd yn eiddo i'r cyhoedd. Mae'n gwbl naturiol, pan gollodd y werin fynedfa i'r lleoedd arbennig hyn eu bod yn teimlo iddynt golli'r cyfan gan gynnwys hen draddodiad o ffordd o fyw. Mynnai'r potsiar wrthwynebu'r deddfau hyn a chan ei fod yn llais i amryw eraill a'i cefnogai'n ddistaw, yr oedd rhyw ias o arbenigrwydd a chyffro ynglŷn â'r drosedd. Nid oedd yn rhyfeddod yn y byd fod dynion o bwys yn y gymdeithas yn barod i roi eu cefnogaeth i'r potsiar a gwrthwynebu Deddfau Helwriaeth. Edrychid ar y potsiar fel yr un a oedd am fynnu amddiffyn hawliau'r bobl i hela ble y mynnent heb neb i'w rhwystro a mynd yn erbyn y gyfraith fel y cyfryw. Cadarnheir hyn mewn ysgrif yn y *Seren* (papur lleol y Bala):

> Yr oedd potsio yr adeg yma yn rhywbeth gwahanol iawn i herwhela cyffredin. Nid ryw hela gan weithwyr tlawd am ambell 'sgwarnog ydoedd, eithr câd gan feibion ffermwyr cyfrifol a gwŷr ieuanc parchusa'r fro. Protest ydoedd yn erbyn y giwad o giperiaid Seisnig diegwyddor oedd wedi eu dwyn i'r wlad i dreisio'r trigolion.[2]

Eto yr oedd tirfeddianwyr, y llysoedd a'r heddlu yn eu condemnio'n ffyrnig ac ymunodd sawl gweinidog ymneilltuol â hwy. Ond, ar waetha'r gwrthwynebu a oedd ar y potsiar, cryfhaodd y gred fod potsio yn drosedd a grëwyd gan gyfraith a oedd yn llaw'r tirfeddianwyr. Ar sail y gred hon cafodd y potsiar gefnogaeth o leoedd digon annisgwyl a rhoed alibi iddo heb iddo ofyn na disgwyl amdani droeon.[3]

Nid yn unig yr oedd gwrthwynebiad i'r deddfau hyn ond hefyd i'r rhai oedd yn eu gweinyddu, sef y ciperiaid ar ran y tirfeddianwyr a'r sgweiriaid. Fe gadwodd yr heddlu, ar y llaw arall, berthynas dda â'r potsiars hyd at basio Deddf Atal Potsio 1862 a roes hawl i'r heddlu ddal a chwilio y neb a amheuent, ac yna fe chwalwyd y berthynas dda a fodolai rhwng heddwas a photsiar.[4]

Gwrandewid ar y rhan fwyaf o'r achosion yn erbyn y potsiar yn y Llys Ynadon ac nid yn y Llys Chwarterol. Yr oedd gan yr ynadon ddiddordeb arbennig dros amddiffyn Deddfau Gêm a bu cryn ddadlau dros gael ynadon cyflogedig neu reithgor i wrando ar yr holl achosion hyn. Yn sgil eu diddordeb personol yn y ddeddf hon bu i'r ynadon fod yn rhy barod i dderbyn tystiolaeth y ciperiaid a'r achwynwyr cyflogedig. Penderfynwyd sawl achos ar sail hynod o simsan a bu hyn yn achos cryn gynnwrf yn y llysoedd pan fytheiriai'r potsiar wrth glywed camdystiolaeth yn ei erbyn. Rhwng popeth fe grëwyd sefyllfa sensitif iawn a allasai ddatblygu'n bur beryglus. Cyfeiria gohebydd y *Times* (1843) fod yna gasineb cyffredinol at y cyfreithiau hyn yng Nghymru, ac mae'n amlwg iddo synhwyro y gallai'r sefyllfa droi'n argyfyngus oherwydd y colli parch at y gyfraith.

Ond erbyn canol y ganrif (1850au), cyn i bethau waethygu, dechreuodd yr Ysgrifennydd Cartref wyrdroi penderfyniadau'r Ynadon yn y llysoedd a oedd yn ymwneud â Deddfau Gêm. Cyhoeddwyd sawl penderfyniad yn anghyfreithiol ac fe newidiwyd dedfrydau eraill a barodd elyniaeth ffyrnig tuag at yr Awdurdodau, er y bu'r cyfan yn fath o fuddugoliaeth i'r potsiars. Enillodd y potsiar fwy o gydymdeimlad gan y sylweddolai pobl ddylanwadol a pharchus y gymdeithas mai'r deddfau hyn a greodd fwyaf o chwerwedd a chythrwfl yng nghefn gwlad.

Bu i amryw ddangos eu gwrthwynebiad mewn ffyrdd ymarferol a rhai yn gyhoeddus. Byddai Cyrnol Lawrence Williams, y Parciau a Syr William Hughes-Hunter, y Brynddu, dau Ynad Heddwch, y naill yn Llangefni a'r llall yn Llannerch-y-medd, yn barod iawn i faddau i'r potsiar edifeiriol cyn mynd i'r Llys. Yn yr un modd ni fyddai pob ffermwr am eu herlyn chwaith gan y ceisient gadw ar delerau da â hwy, ond heb ddangos hynny. Soniwyd eisoes am y Parchedig Ddr Henry Harris Davies, periglor Llangoed, yn mentro allan gefn dydd golau i un o'i blwyfi i saethu gêm heb ganiatâd perchennog y maes. Mae'n werth nodi i'r gŵr parchedig aros yn y plwyfi hyn hyd derfyn ei oes, sydd yn brawf pellach iddo sefyll dros ei atgasedd at ddeddfau a oedd yn gorthrymu'r tlawd ac yn cefnogi'r tirfeddianwyr a'r ysgyweiriaid cefnog trwy roi'r hawl i hela iddynt hwy.

Erys ambell stori o hyd ar gof gwlad am yr helynt a grëwyd gan y deddfau hyn. Arferai Elizabeth Davies, a symudodd o Sir Aberteifi i Flaenau Ffestiniog, sôn am ei thaid a oedd yn byw tua chanol y bedwaredd ganrif ar bymtheg. Yr oedd yr hen ŵr yn gymeriad digon parchus yn ei gymdeithas, yn flaenor neu'n ddiacon. Ond er mor barchus ydoedd ni allai oddef y gyfraith a'i gwaharddai rhag mynd allan i bysgota pryd y mynnai ac i'r afon a fynnai. Yr oedd ganddo achos da dros ei wrthwynebiad gan y credai mai cwpwrdd Duw oedd yr afon ar gyfer y dyn tlawd.

Tyddynnwr tawel a digon parchus oedd Simon Lewis

Jones yntau o Lanuwchllyn. Ni fyddai Simon Jones fyth yn codi ei lais yn uchel o blaid nac yn erbyn dim ond fe gredai yntau fel y brawd o Sir Aberteifi fod y pysgod yn eiddo i bawb ac na ddylai'r un gyfraith eu gwneud yn eiddo i un dosbarth. Fel arwydd o'i brotest fe âi'r tyddynnwr tawel i bysgota yn y Fawddach un diwrnod bob blwyddyn heb drwydded na hawl. Ond er cryn siomiant iddo ni chafodd o erioed ei ddal!

Yr oedd Rhyddfrydwyr a'u protest yn perthyn i'r cyfnod hwn a buont yn ddylanwad ar wrthwynebwyr y Deddfau Herwhelwyr. Mae tri enw yn cynrychioli'r mudiad yma: Samuel Roberts, Llanbrynmair (S. R.); T. J. Hughes (Adfyrfer) ac, yn ddiweddarach, T. E. Ellis. Cyhoeddodd S. R. bamffledyn yn Ionawr 1850 lle y dywed: *'No class of men in our country are more deeply wronged than industrious tenant-farmers. They are sorely and systematically oppressed.'*[5] Nid rhyfedd i R. J. Derfel, y sosialydd brwd, hefyd ganu ei wrthwynebiad yn y cyfnod dan sylw:

Morwynion a gweision ein gwlad,
Amaethwyr a gweithwyr pob sir,
Ymunwch â'ch gilydd bob un
Yn erbyn ysbeilwyr y tir;
Mae'r ddaear yn perthyn i chwi,
Eich llafur roes werth ar bob dôl –
Tynghedwch pob gradd a phob oed
Y mynnwch y ddaear yn ôl.

Mae'r ddaear yn perthyn i bawb
A'i golud yn rhan i bob un;
Fel awyr, goleuni a dŵr,
Anghenraid bodolaeth pob dyn;
Dangoswch Frythoniaid i'r byd
Nad ydych yn llwfr nac yn ffôl –
Ymunwch i gyd fel un gŵr,
A mynnwch y ddaear yn ôl.[6]

Ond er mwyn ffurfio barn gytbwys rhaid edrych ar y deddfau hyn sy'n ymwneud â herwhela yn fanylach o lawer. Perthyn y Deddfau Herwhela hyn i ail hanner y bedwaredd ganrif ar bymtheg. Dros y blynyddoedd bu cryn ddiwygio arnynt, fel a ddigwydd yn hanes pob cyfraith.

A. Y Gêm

Dosberthir yr adar a'r anifeiliaid yn y deddfau gan nodi'r rhai sydd yn 'gêm':

Deddf Helwriaeth 1831
Sgyfarnog; Ffesant; Petrisen; Iâr y Mynydd; Grugiar; Gwerniar.

Deddf Herwhela'r Nos 1828
Sgyfarnog; Ffesant; Petrisen; Iâr y Mynydd; Grugiar; Cwningen; Sneipen; Cyffylog.

Deddf i Amddiffyn Wyau
Ffesant; Grugiar; Hwyaden Wyllt; Petrisen; Gwerniar; Corhwyaden; Iâr y Mynydd; Alarch; Chwiwell.

B. Y Tymor Caeëdig

Hyd yn oed os oedd gan berson drwydded bwrpasol i hela a chanddo ganiatâd i hela gan berchennog neu ddeiliad y tir, eto ni châi ladd na hela ar adegau o'r flwyddyn. Dyma'r amserau anghyfreithlon:

(i) Ar ddydd Sul ac ar ddydd Nadolig, bydd y gêm a gymerir yn anghyfreithlon a bydd y ddirwy yn £5. Ni chaniateir defnyddio ci, gwn, rhwyd nag unrhyw ddull arall o ddal a lladd gêm.

(ii) Gwaharddiadau ar adegau arbennig o'r flwyddyn a elwir yn 'dymor caeedig':

Y Gêm	Gwaharddiad
Grugieir	Rhagfyr 10 – Awst 20
Gwernieir	Mawrth 1 – Medi 2
Ceirw	Dim amser gwaharddedig
Ieir Mynydd	Rhagfyr 10 – Awst 12
Sgwarnogod	Mawrth 1 – Gorffennaf 31
Rhegen yr ŷd	Mawrth 1 – Awst 1
Petris	Chwefror 1 – Awst 31

| Ffesantod | Chwefror 1 – Medi 30 |
| Soflieir | Mawrth 1 – Awst 1 |

Rhai nad ydynt yn Gêm

Cwningod
Sneips
Corhwyaid   Mawrth 1 – Awst 1
Hwyaid Gwylltion
Chwiwaid
Cyffylog

Fe wyddai'r cipar a'r potsiar yr amserau hyn fel y gŵyr person ei bader. Byddai'r cipar yn fwy gwyliadwrus yn ystod y tymor deori i'r adar, a'r tymor paru i'r anifeiliaid. Ond ychydig iawn o sylw a pharch a roddai'r potsiar i'r gwaharddiadau hyn a châi gwsmer parod i'w helfa anghyfreithlon. Y mae Rhan 4 o Ddeddf Gêm 1831 yn darparu ar gyfer y drosedd hon mewn prynu neu werthu gêm a laddwyd allan o dymor. Hyd yn oed os oedd gan y prynwr drwydded i ddelio mewn gêm, eto os byddai yn ei feddiant, yn ei dŷ, siop neu stondin, gêm a laddwyd yn y tymor caeedig, o'i gael yn euog byddai raid iddo dalu punt am bob un o'r gêm yn ei feddiant, uchafbris o bunt a chostau'r llys. Os methai dalu'r ddirwy fe'i hanfonid i garchar yn unol â rhan 5 yn Neddf Llys Diannod 1879. Ac o'i gael yn euog byddai raid iddo fforffedu'i drwydded delio.

C. Deddf Perchnogaeth a Hawl

Yr oedd y ddeddf hon yn bur gymhleth a cheir enghreifftiau o ddadleuon brwd yn ei chylch. Ymddengys bod hawl i berchnogaeth gêm a chreaduriaid gwyllt eraill yn seiliedig ar berchnogaeth, neu'n hytrach, ddeiliaid y tir. Ni allai neb nad oedd yn berchen neu'n dal y tir, neu heb ganiatâd y personau hyn, hela'n gyfreithiol ar y tir hwnnw.

Byddai'r potsiar yn gwneud defnydd helaeth o'r ffordd fawr i bwrpas potsio. Tra byddai ef yn loetran yn ôl a blaen ar y ffordd byddai'r milgi yn hela ar y terfyn gan ddwyn yr helfa i'w feistr ar y ffordd. Pan ddaeth y ddeddf berchnogaeth i rym, unig bwrpas y ffordd oedd teithio, boed y ffordd honno dan reolaeth y Cyngor Plwyf, y Cyngor Dosbarth neu'r Cyngor Sir. Os byddai unrhyw un yn defnyddio'r ffordd i bwrpas amgen na theithio yna yr oedd yn tresbasu. Cododd sawl achos diddorol ynglŷn â saethu oddi ar y ffordd fawr, fel y trafodir ymhellach yn y man, ond fe fernid yn ddieithriad yn erbyn y neb a saethai ar y ffordd fawr, gan y byddai'n defnyddio ffordd i ddiben gwahanol i deithio. Yn y rhan fwyaf o achosion y mae daear y ffordd yn perthyn i berchennog y tir cysylltiol a'r unig hawl a fedd y cyhoedd yw i dramwyo ar hyd-ddi.

CH. Trwyddedau

(i) Trwydded i ddelio mewn gêm

Yr oedd yn angenrheidiol cael dwy drwydded i ddelio mewn gêm ac i'w werthu, un gan y Cyngor Sir neu'r Cyngor Dosbarth a'r drwydded arall gan Swyddfa'r Tollau. Gallai'r deliwr wedyn brynu gêm mewn unrhyw fan a chan unrhyw berson a ddaliodd ei helfa'n gyfreithlon, ac yna'i werthu mewn tŷ, siop neu mewn stondin ar y stryd neu neuadd y dref.

Gan y byddai helfa'r potsiar i gyd yn anghyfreithlon fyddai wiw iddo werthu ei helfa'n gyhoeddus. Ond ceid digon o brynwyr i'w helfa a'i gêm, a cheir hanesion digon diddorol ym Môn am sawl delar amheus, fel y trafodir yn niwedd y bennod hon. Roedd gan un delar yn Llangefni, cymeriad o'r enw Jo, ryw fath o fusnes arall er mwyn cuddio'r delio mewn gêm. Pan welai'r heddlu Seth Jones yn cludo'i faich o ffesantod i siop Jo, prysurent yno er mwyn dal y gwerthwr a'r prynwr anghyfreithlon. Ond er mawr siomiant ni fyddai cymaint â phluen yn y siop, dim ond Jo a Seth yn sgwrsio'n hamddenol braf. Gwyddai Joseff yn iawn y dilynid Seth gan y gyfraith ac o'r herwydd byddai'n gollwng cwdyn pluog Seth drwy ffenestr cefn y siop i ganol drain a mieri, a adawyd yno'n fwriadol i'r pwrpas. Go brin fod gan Jo drwydded i brynu'r helfa, ond pwy allai brofi hynny? Wedi'r cwbl, nid â phensiwn mae dal hen adar!

(ii) Trwydded Herwhela

Rhaid oedd i bob heliwr wrth y drwydded hon – sef trwydded ecseis. Er y byddai gan yr heliwr ganiatâd y perchennog neu'r deiliad, neu yn wir hyd yn oed pe bai'n berchennog neu'n ddeiliad ei hunan, os na fyddai ganddo drwydded yr oedd yn weithred anghyfreithlon. Yr oedd yn rhaid i'r heliwr wrth dair trwydded: sef Trwydded Gêm, Trwydded Gwn a Thrwydded Ci. Ond roedd yna eithriadau: a) rhwydo cyffylog; b) difa cwningod; c) hela 'sgyfarnog neu geirw. Esgusodid rhai rhag cael y drwydded, sef y teulu brenhinol, y cipar a'r neb a gynorthwyai'r cipar neu'r heliwr (yn enwedig curwyr ar ddiwrnod saethu).

(iii) Trwydded Ci

Yr oedd yn rhaid wrth drwydded ecseis i'r ci, a'r drwydded hon yn gwbl annibynnol ar y deddfau gêm. Byddai'n rhaid dangos y drwydded hon ar gais y neb mewn awdurdod. Erbyn 1900 yr oedd pum punt o ddirwy ar y neb a fyddai heb drwydded ar y ci.

(iv) Trwydded defnyddio a chario gwn

Dyddia'r drwydded hon o 9 Awst 1870. Doedd gan yr un person hawl i gario gwn heb fod ganddo'r drwydded bwrpasol hon. Yr oedd hon yn drwydded ecseis dan reolaeth y Cyngor Sir a hwy a allai ddwyn cyhuddiad yn erbyn neb ar sail y ddeddf hon. Bellach bu sawl diwygiad i'r ddeddf ac i'r drwydded hon.

D. Ymlid Gêm yn Anghyfreithlon

(i) Tresbasu

Yn ôl cyfraith gwlad y mae'r neb aiff ar dir rhywun arall heb ganiatâd yn 'tresbasu' a bydd hawl gan y perchennog neu'r deilydd i'w erlyn er na fyddo unrhyw ddifrod i'r gwrychoedd na'r cloddiau. Fe gyfrifir sangu ar dyfiant y tir dan sylw yn 'tresbasu'.

Yn ôl y Ddeddf Difrod Maleisus 1861 fe gyfrifid y byddai person wedi tresbasu heb iddo roi ei droed arno, dim ond saethu tros y terfyn i'r tir hwnnw neu anfon ei gi yno. Ceid llawer achos o heliwr a'i gŵn yn ymlid 'sgwarnog neu lwynog heb unrhyw sylw o'r ffin.

(ii) Abwydo

Byddai perchennog y tir yn gosod abwyd wedi ei bersawru'n drwm i ddenu cŵn a chathod i'r trapiau. Ni ddylai roi'r abwyd yn rhy agos i'r terfyn rhag denu cŵn a chathod a fyddai ar dir arall neu ar y ffordd fawr yn gwbl gyfreithlon; mewn achos felly y tirfeddiannwr fyddai'r drwgweithredwr. Ond pan roddai neb abwyd wedi ei wenwyno yn ei ardd ac yntau wedi rhybuddio perchennog y ci neu'r gath, eto fe ellid ei erlyn dan Ddeddf Gwahardd Gwenwyno 1864. Erbyn hyn bu diwygio mawr ar y cyfreithiau sy'n ymwneud ag abwydo a gwenwyno.

(iii) Hela anghyfreithlon yn ystod y dydd

Daw'r drosedd hon dan y Ddeddf Gêm 1831 (rhan 30). Pan fyddai unrhyw berson ar dir yn ystod y dydd yn ymlid gêm neu gyffylog, sneips, soflieir, rhegen yr ŷd neu gwningod gallai gael ei ddal gan un a fyddai wedi ei drwyddedu i herwhela neu gan berchennog y tir, neu unrhyw gipar neu was i'r rhain. Rhaid oedd iddo roi ei enw a'i gyfeiriad ar gais y sawl a'i daliai ac yna gadael y tir, ond os gwrthodai wneud hyn, yna gallai'r person a'i daliodd ei arestio a'i ddwyn mor fuan ag y byddai modd gerbron ustusiaid a châi ddirwy o bum punt a chostau. Ond ni ddylid ei gadw'n gaeth am fwy na deuddeg awr.

Fel y gallesid disgwyl fe greodd y ddeddf gêm gryn anniddigrwydd a helynt rhwng y potsiar a'r awdurdodau ynglŷn â'i arestio. Ar wahân i'r cipar, y perchennog neu'r tenant, fe allai unrhyw un fod yn 'was' i'r rhain ac yn achwynwr. Mewn sawl achos ni fyddai gan ambell achwynwr unrhyw hawl na diddordeb yn y tir y gwelodd y potsiar neu'r tresbaswr arno. Gan y câi'r achwynwr dâl o gymaint â deg swllt ar hugain am ddwyn tystiolaeth yn erbyn y potsiar yn y llys, yr oedd yn werth ei ddal! Ond fe ddedfrydwyd sawl un ar dystiolaeth wan iawn a digon celwyddog. Gan i'r ddeddf wahardd mynediad i diroedd diffaith fe gymhlethwyd pethau yn go arw ond fe ymdrechai'r potsiar ei orau i geisio adennill ei hawliau. Bu cryn ddadlau yn y llysoedd bach ac yn

Llysoedd y Goron beth yn hollol a olygid wrth 'tresbasu'. Mynnai sawl barnwr mai 'mynediad personol' a olygid wrth dresbasu, ac na ellid cyfrif anfon ci ar dir rhywun arall yn 'dresbasu'. Ond fel y sylwyd eisoes byddai tanio ergyd o wn i'r tir a'r saethwr yn sefyll y tu allan, ar y ffordd fawr neu ar dir ar wahân, dan Ddeddf Awdurdodaeth Ddi-amod 1848, yn dresbasu. Ond nid oedd yn drosedd codi gêm ar dir dieithr a'i saethu o dir cyfreithlon yr oedd gan y saethwr hawl i saethu oddi arno.

(iv) Hela anghyfreithlon yn ystod y nos
Deddfau Herwhela'r Nos 1828 ac 1844 oedd yn ymwneud fwyaf â photsio ac eglurant fod y nos yn dechrau ymhen yr awr ar ôl i'r haul fachlud ac yn gorffen ar ddechrau'r awr cyn i'r haul godi. Gan fod potsio'r nos yn fwy o drosedd o lawer na photsio'r dydd yr oedd o'r pwys mwyaf pryd y dechreuai ac y gorffennai'r nos ac y dechreuai'r dydd. Nid oedd gan unrhyw un, hyd yn oed petai'n berchennog y tir a chanddo drwydded gêm, hawl i saethu gêm yn y nos.

Yn ôl y ddeddf hon byddai unrhyw berson a gymerai neu a laddai unrhyw gêm neu gwningen yn anghyfreithlon yn y nos, ar unrhyw dir boed dir caeedig neu agored, neu ar unrhyw ffordd neu lwybr, yn euog o drosedd o botsio'r nos. Os byddai i rywun yn anghyfreithlon yn y nos fynd ar unrhyw dir, agored neu gaeedig, gyda gwn, rhwyd neu unrhyw erfyn i bwrpas hela, byddai'n agored ar y gollfarn gyntaf i gael ei ddedfrydu i dri mis o lafur caled, yna byddai raid iddo gael meichiau o ddeg punt. Am ail drosedd fe'i dedfrydid i chwe ugain punt.

(v) Deddf Atal Herwhela 1862
Er bod y ddeddf hon yn ddiweddarach na'r deddfau eraill sy'n ymwneud â photsio, nid yw'n diddymu'r deddfau hynny; yn hytrach fe'i bwriadwyd i'w cryfhau a rhoi mwy o rym iddynt.

Yn y lle cyntaf rhoes y ddeddf hon lawer mwy o ryddid i'r heddlu. Cynt, yr unig hawl oedd ganddynt oedd archwilio'r tresbaswr pan fyddai ar y tir yn hela. Ond rhoes y ddeddf hon yr hawl i'r heddlu archwilio person ar y ffordd fawr gryn bellter o'r man y bu'n hela os byddai yn ei amau o fod yn botsiar. Ac os ceid gêm, gynnau neu rwydi ym meddiant y person a archwiliwyd, byddai ganddynt hawl i gymryd ei eiddo ac i ddwyn achos yn ei erbyn. Yn ddiddorol iawn roedd y ddeddf hon yn trin y potsiar yn yr un modd â'r lleidr a fyddai'n ceisio profi yn y llys fod yr eiddo a gafwyd arno yn eiddo cyfreithlon iddo. Roedd hi'n llawer anos i'r potsiar druan brofi fod y baich cwningod neu'r ffesantod yn eiddo cyfreithlon iddo!

Rhoes y ddeddf hon hefyd yr hawl i'r heddlu gymryd y 'ddalfa' a thaclau'r potsiar. Mae hanes diddorol am botsiar yn cario'i helfa mewn cert a cheffyl. Pan welodd ef yr heddwas, rhoes chwip i'r merlyn a llamodd heibio iddo, ond cafodd yr heddwas gip ar garthen lawn yn y drol. Wedi mynd allan o berygl rhoes y gyrrwr y garthen a oedd yn llawn o gwningod i berson arall. Maes o law fe arestiwyd y person hwnnw a'i faich cwningod. Yn ddiddorol iawn mynnai'r Llys i'r collfarnu fod yn anghywir oherwydd na fu i'r heddlu feddiannu'r gêm mewn gwirionedd. Yn ôl Deddf Atal Herwhela yr oedd yn rhaid cymryd y gêm oddi ar y potsiar ei hun, sef *'actual seizure necessary'*.

Mae'n amlwg y bu i'r ddeddf hon gyfyngu cryn dipyn ar y potsiars; nid rhyfedd y bu'r fath brotestio yn ei herbyn. Bu effeithiau'r ddeddf yn bur andwyol i gymdeithas cefn gwlad oherwydd chwalu'r berthynas dda rhwng yr heddlu a'r gymdeithas, sy'n brawf pellach o gydymdeimlad y gymdeithas tuag at y potsiar. Bu cymryd y taclau yn weithred greulon tu hwnt, gan eu gadael yn gwbl ddiymadferth.

(vi) Deddf Helfilod Daear 1880 (diwygiwyd 1906)

Y mae'r term 'helfilod daear' yn golygu 'sgyfarnogod a chwningod. Y Normaniaid a ddaeth â'r gwningen i wledydd Prydain yn y ddeuddegfed ganrif a llwyddwyd i'w cadw mewn cwningaroedd. Ond gan eu bod mor epilgar roedd yn anodd iawn eu cadw o fewn terfynau; o fewn cwmpas ei blwyddyn fagu, gall un gwningen gynhyrchu oddeutu deugain o gwningod. Erbyn canol y bedwaredd ganrif ar bymtheg bu raid rhoi ystyriaeth ddwys i'r pla, a chyflwynwyd y ddeddf hon.

Prif ddiben y ddeddf oedd amddiffyn cropiau'r tenant rhag

difrod y cwningod a'r 'sgyfarnogod. Cyn hyn y tirfeddianwyr yn unig oedd â hawl gyfreithlon i'w lladd a'u difa. O ganlyniad, erbyn canol y ganrif yr oeddynt yn bla difethgar a theimlid fod rhaid diwygio neu gael deddf newydd i ddelio â'r sefyllfa.

Ym 1866, er enghraifft, fe gymerodd Dafydd Roberts denantiaeth Llannerch Eryr, fferm ar stad y Rhiwlas, y Bala. Yr oedd yn un o ffermydd gorau'r stad, yn mesur cant tri deg wyth o aceri o dir campus i godi ŷd. Ond gan fod arni gymaint o gwningod, ar ei orau y gallai gadw pedair buwch, pedwar llo a dau geffyl. Collodd chwe acer o'r ŷd i'r cwningod a gorfu i'r stad dalu deuddeg punt o iawndal iddo. Fe ddywedir i wyth saethwr, ar 11 Hydref 1883 saethu dros fil o gwningod yn Llannerch Eryr.[7]

Y mae'r hyn sydd tu cefn i Ddeddf Helfilod Daear 1880 yn bwysig iawn gan mai ei phrif bwrpas oedd rhoi gwell amddiffyn i ddeiliaid y tir rhag y niwed hwn i'w cropiau. Gwnâi hyn drwy roi'r hawl i'r deiliad i ladd cwningod a 'sgwarnogod yn gyfrannol ag unrhyw berson arall a fyddai'n addas i wneud y gwaith ar yr un tir. Y deiliad ei hun ac un person arall wedi ei awdurdodi ganddo ef mewn ysgrifen oedd yr unig bersonau dan y ddeddf hon fyddai â hawl i ladd helfilod â dryll. Y person arall awdurdodedig oedd: (a) Aelod o deulu'r deiliad oedd yn byw a gweithio yno; (b) Personau yn ei wasanaeth ar y tir (e.e. gwas); (c) Unrhyw berson arall oedd yn ei wasanaeth am dâl yn dal a difa'r cwningod a'r 'sgwarnogod (e.e. cyfaill). Fe allai'r person oedd yn ei wasanaeth am dâl fel cwningwr fod yn gipar y tenant saethu neu yn un o'i gynorthwywyr.

Yn yr un modd gallai'r perchennog neu'r deiliad osod yr helfilod daear i'r sawl a fynnai, i'w dal neu eu lladd mewn dull ar wahân i saethu. Pwysleisid yn y ddeddf hefyd na fyddai'n bwrpasol i'r person hwn ganiatáu i ymwelwyr ymuno ag ef a chreu niwsans. Ni fyddai raid i'r wobr neu'r cyflog a nodid olygu arian; gan amlaf yr hawl i gymryd y gêm fyddai'r wobr.

Byddai raid i'r cwningwr gael awdurdod ysgrifenedig i ddal neu ladd yr helfilod daear gan y perchennog neu'r deiliad, ac os na allai ddangos hyn, roedd yn agored i'w gael yn euog a chael dirwy o ddwy bunt a'r costau. Pe bai yno yn y nos fe'i dedfrydid dan Ddeddf Potsio Nos 1828. Ni fyddai caniatâd llafar i ddal a difa helfilod daear o unrhyw werth. Dyma enghraifft o ganiatâd ysgrifenedig:

Cyfarwyddyd neu Ganiatâd gan Denant i Berson nad yw'n Was iddo, i Ddal Cwningod

'Yr wyf fi John Jones sy'n denant a deiliad ar y fferm a'r tiroedd a elwir "Bron Haul" a saif ym mhlwyf Llanbadrig Ynys Môn, ac rwyf i â hawl cyfreithiol i'r cwningod sydd ar y ffarm. Yr wyf trwy hyn yn rhoi caniatâd a thrwydded i Ifan Parri o Dyddyn Bach, Rhosgoch (a chanddo drwydded i ladd gêm) i hela, lladd a chymryd i'w ddefnydd wningod oddi ar y ffarm a'r tiroedd dan sylw am gyfnod o 24 wythnos o'r dyddiad hwn.'

Rhoir dan fy llaw a'm sêl
y degfed dydd o Chwefror 1882
John Hughes Y.H.[8]

Gan y talai'r cwningwr, trwy gytundeb, am yr hawl i gwninga daeth y potsiar a'i rwyd a'i filgi yn elyn iddo gan y cymerai'r hyfdra i ddal lle y mynnai heb dalu i neb. Pan ofynnodd rhywun i hen botsiar o Walchmai a oedd wedi cymryd tir i ddal cwningod, 'Do,' meddai Richard Owen, 'Mi rydw i wedi cymryd yr hen sir yma o fôr i fôr!' Byddai'r potsiar yn cymryd cwningod ambell dyddyn bychan am dâl ond ni fyddai hyn ond esgus i gael mynd allan i'w dir cyfreithlon er mwyn cael hela yn y ffermydd mawr a amgylchynai'r tyddyn.

Offer y Cwningwr

Gyda gosod Deddf Helfilod Daear 1880 fe gododd llawer iawn o gwningwyr ym Môn ac yn Llŷn, ac yn eu plith sawl hen botsiar a oedd wedi blino dianc rhag y gyfraith. Fel camp a chrefft yr herwheliwr, yr oedd dal cwningod hefyd yn grefft arbennig. Yn wir bu sawl un yn fethiant llwyr wrth y gwaith. Fel pob crefftwr arall yr oedd gan y cwningwr ei offer i'r gwaith.

Dan y ddeddf hon cafwyd caniatâd nid yn unig i rai ar wahân i'r tirfeddianwyr ddal a lladd cwningod, ond fe gâi hwnnw ddefnyddio offer ar wahân i ddryll i'r gwaith.[9] Y prif offer oedd y trap sbring. Daeth y trapiau hyn yn hynod o boblogaidd gan eu bod yn effeithiol iawn a hwylus i'w trafod. Y bore fyddai'r amser gorau i osod y trapiau er mwyn i'r pridd a'i gorchuddiai gael digon o amser i sychu a dileu'r arogl dynol gan fod y gwningen yn hynod sensitif i unrhyw arogl yn y pridd. Gosodai'r cwningwr y trapiau ar fore Llun: byddai gan bob un oddeutu dau gant a hanner i dri chant a golygai waith drwy'r dydd i'w gosod. Yr oedd y ddeddf yn hawlio fod yn rhaid i'r trap fod yn agos at enau twll y gwningen rhag dal unrhyw aderyn neu anifail arall, ac ni chaniateid gosod y trapiau yn agored ar y ddaear. Âi'r cwningwr i archwilio'r trapiau yn gynnar yn y bore a chasglu'r cwningod a ddaliwyd, oedd yn gryn faich yn ystod y boreau cyntaf. Yna, cyn iddynt oeri, byddai yn eu diberfeddu a dyna wledd i'r gwylanod a'r brain.

Hawlia'r ddeddf y byddai'n rhaid archwilio'r trapiau rhyw ben bob dydd. Yn 1911 y daeth y ddeddf a hawliai hynny i rym, sef Rhan 10 o Ddeddf Amddiffyn Anifeiliaid, rhag peri mwy o ddioddefaint nag oedd ei angen i'r gwningen. Os methai'r cwningwr â chydymffurfio â'r gofyn yma, yr oedd yn agored i'w gyhuddo ac i ddirwy hyd at bum punt.

Ym Môn byddai'r cwningwr yn gadael y trapiau yn yr un cloddiau ar hyd yr wythnos, gan ailosod pob un oedd wedi dal. Yna byddai'n eu codi i gyd ar ddydd Sadwrn a'u cadw ar gau dros y Sul. Fe bwysleisia Deddf Helfilod Daear fod pob caniatâd i adael trapiau a chroglethi ar agor dros y Sul. Yn wahanol i gwningwyr Môn yr oedd cwningwyr Llŷn yn fwy paganaidd, gan y gadawent hwy eu trapiau yn y ddaear dros y Sul!

Erbyn dechrau'r ugeinfed ganrif yr oedd y diwydiant gwneud trapiau wedi tyfu'n arw gan chwyddo busnesau'r haearnwerthwyr yng nghefn gwlad. Mae'n debyg mai'r gof lleol a fyddai'n arfer gwneud y trapiau hyn. Rwy'n cofio mynd efo 'Nhad ar ddiwedd tri degau'r ugeinfed ganrif i Efail Rhydgaled, Nanhoron yn Llŷn i brynu trapiau. Yr oedd teulu William Roberts yn ofaint a ddyddiai'n ôl i'r unfed ganrif ar bymtheg yn yr un efail, a diamau y buont yn gwneud trapiau yno yn yr hen ddyddiau. Ond canmol rhyw gwmni enwog o'r Canolbarth a wnâi William Roberts – 'Richard Green' a'i drapiau nymbar 5. Gorchestai'r gof gan agor trap newydd sbon ag un llaw a symud y tafod bach i gynnal y tafod mawr. Cytunwyd am chwe dwsin o drapiau newydd. Ysgrifennai'r gof yn ei lawysgrif orau ar y derbyniad wrth hymian rhyw dôn neu'i gilydd. Yr oedd William Roberts yn gerddor da a chanddo dôn yn y *Detholiad* – dyma'r tair tôn o'i eiddo: 'Iesu'r Plant', 'Nant' a 'Tŷ Fy Nhad', a hefyd tôn Miriam Iris ei wyres: 'Gwerthyr'. Ble arall ond ar Benrhyn Llŷn y gellir sôn am drapiau cwningod a thonau cynulleidfaol yn yr un cyd-destun![10] Fe allasai siopa fod yn nefoedd i blentyn yng nghefn gwlad erstalwm. Cysylltir Greens No. 5 â thôn y gwerthwr trapiau byth wedyn.

Offer arall o eiddo'r cwningwr oedd y groglath, neu yn iaith Sir Fôn – '*hang*'. Yr oedd hon o wneuthuriad weiren fain â chwe chainc yn ddigon o hyd i ffurfio cylch lle'r elai pen y gwningen drwyddo'n hwylus. Ar ben y groglath yr oedd cortyn cryf i'w sicrhau i'r peg ysgafn a gurid i'r ddaear. Gwyddai'r cwningwr i'r dim lle yr oedd rhedfa'r gwningen, ar ei ffordd o'r twll i'r borfa. Byddai rhostir yn lle delfrydol i'r groglath, yn enwedig rhwng tociau eithin mân. Yr oedd y gwningen yn hoff o gadw'i llwybr dros y clawdd hefyd ac roedd yn gyfle da i'w chrogi. Byddai rhaid wrth ganiatâd y ffermwr i osod croglath rhag y byddai gwartheg yno; yr oedd y groglath yn farwol i'r fuwch gan y porai â'i thafod. Mae'r groglath mor sensitif fe dora dafod buwch fel cyllell. Noson dywyll a stormus oedd y tywydd gorau i ddal â'r groglath. Ni fyddai'r cipar fyth yn hoff o weld y groglath gan y gwyddai y gallesid dal ffesant ynddi; arferai gau'r ddolen rhag iddo golli'r un o'i adar.

Ar ôl trapio byddai'r cwningwr yn troi at ffureta. Mwynhâi ei hun yng nghwmni ei filgi yn gwrando ac yn disgwyl. Yn gwbl ddirybudd i bawb ond y milgi, melltennai'r gwningen rhag bygythiad ei gelyn drewllyd. Ond, nid oedd gobaith dianc rhag brathiad y milgi. Tua diwedd y tymor byddai'r cwningwr yn gweithio'i drapiau yn y bore ac yn ffureta yn y pnawniau. Byddai'r cwningod yn gyndyn o ddod yn ôl i'r daearau lle y bu'r ffured gan ei bod hi fel pe bai wedi witsio'r clawdd.

Y Diwydiant Cwningod

O ganol y bedwaredd ganrif ar bymtheg hyd ganol yr ugeinfed ganrif yr oedd 'dal cwningod' yn ddiwydiant pwysig iawn ar Ynys Môn. Ar ddechrau'r bedwaredd ganrif ar bymtheg yr oedd y gwningen yn gryn ddanteithfwyd ac fe'i cedwid i fagu a bridio mewn cwningaroedd. Byddai rhai yn troi'r gadlas yn fridfa cwningod ac yn sicrhau y'u cedwid yno. Yn ôl Deddf Lladrad 1861 yr oedd cosb o bum punt am ddwyn 'sgwarnog neu gwningen o'r cwningaroedd hyn, prawf y cyfrifid y gwningen yn werthfawr. Bu cwningaroedd fel hyn yn Niwbwrch ym Môn ar un amser gan fod y twyni tywod yn lle delfrydol i fagu. Ond pan ddaeth y cwningod yn rhydd dros yr Ynys, yr oedd yn angenrheidiol eu cadw dan reolaeth ac erbyn hynny yr oedd galw a gofyn am eu cig.

Rhoes y Ddeddf Helfilod Daear 1880 gryn sylw ac arbenigrwydd i'r gwningen, nid yn unig am ei bod yn bla ac yn difa cropiau'r tenantiaid, ond am y daeth gofyn am ei chig gan y dosbarth gweithiol yn y trefi gan fod arni gig hynod o dendar a blasus oherwydd ei bod yn cnoi ei chil. Erbyn canol y bedwaredd ganrif ar bymtheg yr oedd brodwaith prysur o ddelio mewn cwningod i gyfarfod â'r gofyn am gig rhad. Erbyn dechrau saith degau'r ganrif yr oedd cymaint â miliwn o gwningod yn cael eu gwerthu i fasnachwyr Birmingham rhwng misoedd Hydref a Mawrth. Nid oes modd dweud faint o'r cwningod hyn a ddaliwyd yn gyfreithlon gan gwningwyr ond mae'n debyg fod llawer mwy na chan botsiars gan y byddent hwy yn gwerthu eu cwningod yn lleol o ddrws i ddrws. Fel y cynyddodd y trâd a'r gofyn am gwningod fe gâi'r potsiar brynwyr lleol, masnachwyr a fyddai'n anfon cwningod i fasnachwyr y dinasoedd. Dyna pam yr oedd mor bwysig i bob cwningwr gael cytundeb ysgrifenedig a oedd yn eu gwahaniaethu oddi wrth y potsiars.

Fe roes dau Ryfel Byd yr ugeinfed ganrif gryn hwb i'r diwydiant cwningod gan fod cigoedd ffres yn brin iawn ac yn hynod o ddrud. Fe dyfodd busnes ffyniannus iawn rhwng

Gogledd Cymru a threfi a dinasoedd fel Lerpwl, Manceinion a Birmingham a byddai rhai yn anfon i Lundain. Fel y gallesid disgwyl fe fanteisiodd y potsiar i'r eithaf ar y trâd yma gan nad oedd neb yn malio rhyw lawer am gyfraith mewn cyfnod o ryfel. Mae'n debyg mai'r gwningen oedd prif helfa'r potsiar ym Môn ym mlynyddoedd canol yr ugeinfed ganrif gan fod digonedd ohonynt a'u prisiau yn uchel iawn. Yn ystod yr Ail Ryfel Byd cododd pris cwpwl o gwningod i rywle rhwng wyth swllt a chweugain gan fod y farchnad ddu ar waith a neb yn cydnabod yn agored beth oedd y pris!

Y Cwningwyr

Erbyn canol yr ugeinfed ganrif ceid yn agos i ddau gant o gwningwyr ym Môn. Fel y codai'r pris, cynyddai'r cwningwyr a'r potsiars ac roedd yn fywoliaeth dda i'r ddau ddosbarth. Yr oedd Gwalchmai mor enwog ag unrhyw ardal ym Môn am eu cwningwyr hefyd. Yr oedd yno gymaint â dwsin ar un cyfnod. Fe gyfrifid Hugh Evans, Tŷ Dŵr, yn un o'r goreuon. Yr oedd ef, fel sawl cwningwr, yn naturiaethwr da ac yn adarwr craff ryfeddol. Cytundeb llafar fyddai rhwng y cwningwr a'r ffermwr erbyn y cyfnod hwn. Yr oedd yn bwysig iddo fynd i'r fferm i 'weld' y cwningod. Galwai tua chanol mis Medi ar noswaith braf wedi i'r cwningod ddod allan i bori. Fe rôi hynny ryw syniad i'r ddau ohonynt pa mor niferus fyddai'r cwningod y tymor hwnnw. Yna ceisio dod i gytundeb ar bris. Yr oedd rhenti Stad Bodorgan yn bunt yr acer ar ddechrau'r pedwar degau. Cytunent fel arfer ar y cwningwyr yn talu pris oddeutu deugain punt, yn ddiwahaniaeth am faint y fferm. Ar wahân i gytuno ar bris, fe geid cytundeb ynglŷn â dal y cwningod yn y gwanwyn, pan fyddai'r prisiau yn isel gan y byddai'r cwningod yn magu. Ond dyma pryd y byddai'r cwningod yn gwneud y mwyaf o ddifrod ac yr oedd yn fanteisiol iawn i'r ffermwr gael cwningwr a fyddai'n barod i drapio bryd hynny. Yn hyn o beth yr oedd Hugh Evans yn rhagori gan y'i cyfrifid yn ddaliwr llwyr iawn. Byddai rhai cwningwyr yn talu mwy ond ddeuai'r rheiny fyth yn ôl i ddal ar yr egin. Byddai libart dal Hugh Evans yn cychwyn yn Nhreban Meurig, Clegir Mawr,

Bryn Glas ac yna i'r 'Berffro – Bwlan, Graig, Tŷ Mawr, Tre Eiddon a Phlas yn Glyn. Yr oedd tymor y cwningwr yn dechrau o ganol Medi ymlaen i ddiwedd Mawrth – tymor trwy gydol y gaeaf, a dyna a'i gwnâi'n waith mor drwm. Fe geid weithiau gyfnod maith o rew pryd na allai'r cwningwr wneud dim.

O symud i gwr arall yr Ynys, i ardal Llanfair-yng-Nghornwy a Rhydwyn, fe gawn yno un o gwningwyr mwyaf yr Ynys – William Williams, Siop Fawr Rhydwyn (sef mab Thomas Williams, Tŷ Wian, Llanfair-yng-Nghornwy). Yn ôl pob sôn yr oedd ei dad wedi dechrau busnes o brynu a gwerthu ond aeth ei feibion i fusnes eang iawn fel cwningwyr gyda William yn cyflogi rhwng deuddeg a phymtheg o ddynion pob gaeaf. Yn naturiol byddai'r fath gyfrif yn cyrraedd cryn diriogaeth i ddal cwningod. Cymerai William Williams lawer iawn o ffermydd ar Stad Bodorgan, o Walchmai hyd Aberffraw, ac yna ar draws trwy Garmel i Lannerch-y-medd a thrwy Amlwch am Lanbadrig. Yr oedd y fath diriogaeth mor bell o'i olwg yn golygu y byddai gan William Williams un i gadw llygad ar y trapiau a'r caeau rhag y potsiars. Yr oedd clywed yr enw 'Tŷ Wian' yn ddigon o fraw i ambell botsiar. Clywais hen botsiar o Landrisant yn dweud fel y bu ond y dim iddo gael ei ddal gan William, Tŷ Wian. 'Ond diolch i'r nefoedd,' meddai, 'mi roeddwn i yn ifanc bryd hynny, ond mi ddaliodd y milgi.'

Yr oedd dau frawd William Williams, Rhydwyn sef John a Richard, hefyd yn gwningwyr reit enwog ar hyd a thraws yr Ynys. Yr oeddynt yn gweithio fel partneriaid ac fe'u hadwaenid fel 'y brodyr Tŷ Wian'. Yr oedd chwaer iddynt, merch Tŷ Wian, yn briod ag Ambrose Lynes, yntau yn gwningwr enwog ar yr Ynys, ac ef a'i deulu yn helwyr wrth reddf.

Byddai'n gryn orchwyl cael y fath helfa o gwningod i'r orsaf drên i'w hanfon i ddîlars ym marchnadoedd Lerpwl a Manceinion. Gan fod rhan go helaeth o libart William Williams yng nghylch Gwalchmai a'r Berffro gwnâi ddefnydd o orsaf y Fali, ac âi cwningod Llannerch-y-medd ac Amlwch drwy orsaf Rhosgoch. Fe anfonai rai cannoedd o gyplau o gwningod bob wythnos. Erys enwau rhai o'r marchnatwyr ar gof rhai o'r teuluoedd o hyd. Yr oedd Charles Pettrie yn un o'r masnachwyr mwyaf a chanddo storfa oer fawr i gadw'r anifeiliaid ac iddo ef yr anfonai William Williams y rhan fwyaf o'i helfa. Yr oedd prynwr arall o'r enw William Davies yn Lerpwl ac un o'r enw Fielden ac yr oedd J.F. Cole, Almaenwr, yn un o fasnachwyr cwningod mwyaf marchnad Manceinion. Iddo ef y byddai Herbert Griffith, Bodegri, cwningwr o Lanrhyddlad, yn anfon ei gwningod. O bryd i'w gilydd byddai gan Herbert gwpwl o betris yn y sach hefo'r cwningod. Yr oedd dealltwriaeth rhyngddo a Cole y byddai arwydd y groes ar y label fel y gwyddai'r derbynnydd fod yna gêm yn y sach hwnnw.

William Jones o Benterfyn, Llanbadrig, oedd cwningwr Cylch Llanbadrig a Chemais a bu Griffith Wynne Griffith o ardal Llandyfrydog yn bwrw prentisiaeth fel cwningwr hefo William Jones. Mae ôl y brentisiaeth honno ar ei nofel antur i blant – *Helynt Coed y Gell.* A dichon y bu'r brentisiaeth yn gaffaeliad mawr iddo yn y maes y galwyd ef iddo, sef yn weinidog hefo'r Methodistiaid.

Wedi gadael yr ysgol aeth y mab i ddysgu'r grefft hefo William Jones. Ond cyfarfu William, y mab, â'i ddiwedd mewn modd trasig ryfeddol. Wrth drapio ar allt serth y môr yn agos i hen Eglwys Sant Padrig bwriwyd y cwningwr ifanc i'w dranc gan fowld mawr a ryddhawyd o'r allt. Bu'r brofedigaeth honno yn loes drom ar William Jones a'i briod.

Byddai Hugh Owen o Gefn Glas, Llanfechell, yn dal ffermydd cylch Bryntwrog yng nghanol y sir. Mae'n amlwg ei fod yn gwningwr cydwybodol iawn gan y byddai'n rhentu bwthyn 'Strytwm Bach', o eiddo'i frawd, yn yr ardal. Yr oedd yn bwysig iawn, os oedd modd, i'r cwningwr fyw mor agos â phosib at ei libart ddal – rhag lladron a photsiars. Gan fod y tymor dal cwningod mor fyr, yr oedd yn bwysig gwneud y defnydd gorau o bob cyfleuster a'r cwningwr a'r potsiar wrthi nos a dydd gan mor llwglyd oedd y marchnadoedd amdanynt.

Y Delwyr

Yn ystod y blynyddoedd hyn fe gododd sawl deliwr lleol

mewn cwningod. Byddai'r prif gwningwyr yn anfon eu cwningod yn syth ar y trên i Lerpwl, Birmingham a Manceinion. Ond byddai eraill o'r potsiars yn gwerthu i'r delwyr lleol a hwythau yn eu gwerthu i fasnachwyr y dinasoedd. Mantais y delwyr lleol hyn oedd y byddent yn galw heibio i nôl y cwningod a chyfle i'r potsiar eu cyfarfod ar y ffordd yn rhywle wedi nos.

Yr oedd Marged Jones, y Siop o Walchmai yn un o'r delwyr hyn a châi pob cwningen ac unrhyw aderyn groeso mawr yn ei siop gan y mynychai bob marchnad ym Môn gyda'i stondin lawn. Dywedir y medrai hi lithro ffesant i ddwylo'r prynwr heb i neb sylwi. Byddai ganddi glamp o fwch cwningen yn hongian gerfydd ei draed ôl ar ffrynt y stondin. Holid yn syth beth oedd pris y gwningen fawr gan weld ynddi ginio Sul. Ni fyddai Marged fawr o dro yn lapio'r bwch yng nghefn y stondin ond, yn rhyfedd iawn, byddai'r un gwningen fawr yn ei hôl yn yr un fan yn union ag yr oedd y llall! Prynai Marged Jones lawer iawn o gwningod y potsiars, a phan ddeuent hwy (neu ambell was fferm) â'u helfa i Marged, cwynai fod gormodedd ohonynt: 'Mae'r farchnad wedi cau i fyny', meddai. Byddai'n newid ei chân erbyn gwerthu. Cwynai yn y farchnad fod cwningod yn brin: 'Maen nhw cyn brined ag aur allan yn y wlad', meddai. Ac wrth gwrs doedd trigolion Caergybi ddim callach nad felly yr oedd pethau.

Parhaodd yr arfer o werthu cwningod o ddrws i ddrws hyd at ddiwedd tri degau'r ugeinfed ganrif, ac yn hirach yn ambell fan ym Môn. Y gwragedd a'r plant a wnâi'r gwaith hwnnw a chael chwe cheiniog yr un amdanynt yn y blynyddoedd cyn yr Ail Ryfel Byd.

Deliwr lleol arall oedd Pat Hogan o Fangor; Gwyddel oedd yn llawn o'r heliwr ac yn ddyn busnes a chanddo ddigonedd o gwsmeriaid yn Ninas Bangor. Arferai hurio milgwn i'r potsiars, sy'n brawf fod y busnes cwningod yn un hynod o ffyniannus yn y pedwar degau. Yr oedd milgi da yn werth rhywle rhwng pymtheg punt ar hugain a hanner can punt, felly nid hawdd oedd fforddio'r fath arian. Felly fe sicrhâi Patrick Hogan y câi fenyn ar ddwy ochr y frechdan.

Yr oedd prynwr arall o Fangor a ddeuai i Fôn i brynu

cwningod, sef Owen Hughes, a gadwai siop fwtsiar yno, ac yr oedd gan Owen glamp o lorri fawr i'w bwrpas. Am ryw reswm fe'i gelwid yn 'Owen Chwech Bach', neu dyna oedd ei enw yng Ngwalchmai! Tybed ai 'Chwech Bach' y gelwid y chwe cheiniog gwyn pan ddaeth allan gyntaf? Ond beth bynnag oedd ei enw yr oedd Owen Chwech Bach yn ddelar go bwysig a symudai gryn dipyn o gwningod bob wythnos, y rhelyw ohonynt yn helfa'r potsiar.

Mae'n amlwg fod galw gwyllt am gwningod yn ystod yr Ail Ryfel Byd gan gymaint o ddelwyr a gaed. Fe ddeuai rhai o'r tu allan i Fôn, ac un o'r pwysicaf o'r rheiny oedd dyn o'r enw Townsend o Ddolgellau. Sais ydoedd ond yr oedd wedi dysgu digon o Gymraeg i fargeinio am gwningen neu unrhyw fath o aderyn. Nid oedd ail iaith Mr Townsend yn caniatáu iddo grwydro dim tu allan i fyd bargeinio. Gan fod ganddo iaith mor garbwl credid ei fod yn greadur dwl a di-ddeall a cheisiodd un ei dwyllo trwy dorri pig hir gylfinir a'i droi'n iâr ffesant, gan fod plu y ddau aderyn o'r un lliw a'r un patrwm. Craffodd y delar, rhoes ei ddedfryd– 'pig ffesant ond traed *curlew*! Beth wyt ti galw fo yn Cymraeg? Fi talu am *curlew*!' Ond bu'r masnachwr o Ddolgellau yn gymwynaswr da i botsiars gan y byddai'n barod i stopio mewn unrhyw fan, ac roedd hynny yn bwysig iawn.

Delar lleol prysur iawn oedd Griffith Jones, Sgubor Fawr o Soar, a phrynai ef gan y cwningwyr. Casglai'r cwningod yn ei fan a'u hanfon o Stesion Bodorgan. Byddai'r cwningod hyn yn llawer mwy marchnadol nag eiddo'r potsiars. Yr oedd yn anodd iawn i'r milgi ddal heb adael rhywfaint o'i ôl a byddai ei ddannedd weithiau yn duo'r cnawd brau. Felly byddai ambell ddelar fel Griffith Jones am wneud enw iddynt eu hunain fel masnachwyr helfa lân.

Yn gynnar yn ystod yr Ail Ryfel Byd daeth dau frawd o wlad Pwyl dan erledigaeth i Fôn. Cymerodd y ddau at dradio mewn cwningod gan fod ganddynt gysylltiad â masnachwyr ym Manceinion a buan iawn y profodd y ddau eu bod yn ddynion busnes digon medrus. Bu iddynt ddewis y mannau mwyaf cwningar ar yr Ynys – Llannerch-y-medd a Gwalchmai – a chodwyd dwy ganolfan ganddynt yno i dderbyn a hamperu'r cwningod.

Yr oedd llawer mwy o'r delwyr ac o'r cwningwyr na ellir eu henwi bob yn un ac un. Y mae'n brawf fod y cyfnod ers sefydlu Deddf Helfilod Daear ym 1880, ac yn arbennig yn ystod a rhwng y ddau Ryfel Byd, yn gyfnod ffyniannus iawn yn hanes trâd y gwningen. Cododd cymdeithas gref rhwng y delwyr a'r cwningwyr oedd yn unigryw iawn, yn enwedig o'i chymharu â'r berthynas 'cariad casineb' fu rhyngddynt a'r potsiars. Byddai ambell gwningwr a sawl deliwr yn barod iawn i brynu gan y potsiar ond ar y cyfan yr oedd yr elyniaeth yn gryfach. Ond gyda dyfodiad yr haint echryslon Mycsomatosis i wledydd Prydain ym 1953 fe chwalwyd brawdoliaeth y cwningwyr a'r delwyr a'u troi yn ddim ond atgof. Gyda dyfodiad yr haint, a hefyd diwygio'r Ddeddf Er Atal Creulondeb i Anifeiliaid tua'r un cyfnod (a oedd yn gwahardd y defnydd o drapiau sbring i ddal cwningod), fe ddaeth dyddiau'r cwningwr i ben yn ddisymwth iawn a bu'r haint yn gyfryw ag i ladd y potsiar hefyd er na chollwyd yr un aderyn. Cyn dyfodiad yr haint amcangyfrifid fod cymaint â chan miliwn o gwningod ym Mhrydain, cyfartaledd o rhwng pymtheg i ugain cwningen i bob acer! Yr oedd y difrod a wnaed ganddynt ar y cropiau yn werth cymaint â £50 miliwn. O fewn dwy flynedd cafodd naw deg naw y cant ohonynt eu difa – fu erioed gwningwr mwy effeithiol na'r Mycso. Ond fe gollodd yn agos i ddau gant o gwningwyr Môn eu gwaith am byth a gorfu i'r potsiar roi ei wn a'i rwyd yn segur yn y gist. Collwyd hefyd gymdeithas arbennig iawn pan gollwyd y cwningwyr. Fu erioed naturiaethwyr tebyg i'r rhain a dreulient eu dyddiau gwaith allan hyd y caeau ym mhob tywydd. Yr oeddynt hefyd yn help i'r ffermwr, yn cadw llygad ar y stoc ac ar y terfynau.

Ond nid colled i'r cwningwr a'r potsiar a'r delwyr yn unig fu colli'r cwningod. Er eu bod yn difa'r cropiau a thrwy hynny yn creu cryn golled, eto yr oedd deiliaid y tir yn cael eu talu am eu colled. Byddai'r cwningwr yn talu am y cwningod, tâl a gyfrifid yn rhan go helaeth o rent unrhyw fferm. Pan gollwyd y cwningod, bu sawl ffermwr yn cwyno wrth Asiant y Stad ei bod hi'n anodd talu'r rhent ac y dylai gael gostyngiad. Bu i dyddynnwr ar Stad Plas Penrhyn, Niwbwrch, wneud cwyn i'r stad na allai dalu'r rhent am nad oedd 'yr un gwningen ar y tir'.[11] Anfonodd ei gŵyn ar y dydd olaf o Ionawr 1954. Dyma brawf mor ddibynnol oedd y tyddynwyr a'r ffermwyr hwythau ar y cwningod.

Ni fu pethau, ym myd herwhela, yn hollol yr un fath ar ôl 1953.[12]

[1] Evans, Hugh, *Cwm Eithin*, Gwasg y Brython, 1933 t. 52.

[2] *Y Seren*, 1923.

[3] Jones, David J. C. V., *Crime, Protest, Community and Police in Nineteenth Century Britain*, Routledge & Kegan Paul, 1983, t. 64.

[4] *Ibid*, t. 78.

[5] Roberts, Samuel, *Farmer: Careful of Cil-Haul Uchaf* (A brief history of wrongs done to his family) Conwy, 1881.

[6] Derfel, R. J., *Caneuon R.J. Derfel*, Manceinion, 1892.

[7] Thomas, Einion, 'Ciperiaid, Ffesant, Potsiars a Pholitics Stad Rhiwlas y Bala 1859-1880'; Darlith a draddodwyd ym Mhlas Tan-y-Bwlch '*Pobol yr Ymylon*', 9-11 Chwefror 2001.

[8] Mead, Lawrence (gol.) *Oke's Game Laws*, 5ed argraffiad, London, 1912, t. 365.

[9] Deddf Helfilod Daear 1880, Rhan 6.

[10] Roberts, William, *Hynafiaeth a Chrefydd*, Nant, Nanhoron, 1950.

[11] Llythyrau Stad Plas Penrhyn, Niwbwrch, Archifdy Llangefni (llythyrau heb eu catalogio).

[12] Mead, Lawrence, *op cit.*

Y Potsiar yn y Llys

A. Dyffeiad y Potsiar

Fu erioed gymeriad mwy dyffeigar na'r potsiar. Tystia rhai o drigolion hynaf ardaloedd cefn gwlad Môn hyd heddiw y byddai potsio i'w cyn-dadau yn weithred gwbl angenrheidiol i gynnal a chadw eu teuluoedd mewn oes dlawd. O ganlyniad mynnai'r hen botsiar nad oedd na chyfraith na chipar a'i rhwystrai rhag ennill ei damaid fel pawb arall. Nid oedd rhyw gocyn pwysig o gipar na threseiliad o fyddigions a eisteddai mewn barn arno i'w rwystro rhag cynnal ei deulu. Y mae ffigurau'r llysoedd yn profi mor benderfynol y bu'r potsiars, yn arbennig gydol oes Fictoria. Yn siŵr fu erioed droseddwr â mwy o gydymdeimlad tuag ato nag ef. Eto, fe'i dirwywyd yn drwm ac, os na thalai, gorchmynnid iddo dymor maith mewn carchar, er na chyfrifid ei drosedd cynddrwg â llawer o droseddau cyffredin y cyfnod.

Yn ôl Joseph Arch, 'Y potsiar, o bob troseddwr, a gâi'r gwrandawiad mwyaf annheg yn y llysoedd.'[1] Gwrandewid ar eu hachosion yn y llysoedd ynadon, a'r rhelyw o'r ynadon yn gwbl gefnogol i'r Deddfau Helwraeth. Bu i'r cyfreithiwr enwog hwnnw, Mickael Browne, ddadlau'n gryf dros i achosion herwhela gael eu gwrando gan ynadon cyflogedig. Gwnaeth Browne enw iddo'i hun fel amddiffynnwr y potsiar ac, yn wir, fe gâi ei adnabod fel *'the Nottingham poachers' lawyer'*. Ond ni lwyddodd ef na sawl cynnig arall i achosion yr herwheliwr gael gwrandawiad tecach.

Ond, fel y mae David J. V. Jones yn ein hatgoffa, fe gododd yng Nghymru radicaliaid a brotestiai'n ymarferol yn erbyn y ffafriaeth a ddangosai'r ynadon tuag at y deddfau helwriaeth drwy ddedfrydu'r potsiar yn ddidostur iawn.[2] Cynhalient gyfarfodydd cyhoeddus i leisio'u protestiadau. Yr oedd un o'r radicaliaid hyn yma ym Môn ac fel y soniwyd eisoes bu i'r Parchedig Ddr Henry Harris Davies o Fiwmares fynnu yn fwriadol gael ei arestio er mwyn tynnu sylw at y deddfau gêm cwbl anghyfiawn. Yn siŵr bu i'r lleisiau taer hyn gael peth dylanwad ar y ffordd y gweinyddwyd y deddfau yn y llysoedd. Yn wir, aeth ambell aelod o'r fainc i gwestiynu tystiolaeth ambell achwynwr ac ysbïwr ac i wrando'n fwy tosturiol ar y potsiar.

Yn ôl ffigurau llysoedd y bedwaredd ganrif ar bymtheg, potsio, ynghyd â lladrad, tresbasu, troseddau yn erbyn deddf tlodi a chardota, oedd yn dwyn y rhan fwyaf o amser y llys. Yr oedd hyn yn wir iawn am lysoedd ynadol Môn yn y cyfnod dan sylw fel y dengys Susan Ellis, sy'n gosod herwhela yn bedwerydd ar restr troseddau'r llys, yn uwch na lladrad hyd yn oed.[3] Darllenwn yn y ffigurau hyn fod potsio yn un o'r troseddau a gynyddodd yn gyflym yn ail hanner y bedwaredd ganrif ar bymtheg. Y mae sawl rheswm am y cynnydd, yn bennaf tensiwn cymdeithasol, tlodi a diweithdra.

Daeth deddfau helwriaeth a deddfau pysgota yn achos ac yn symbol o'r gwahaniaeth rhwng dau ddosbarth cwbl wahanol yng nghymdeithas cefn gwlad. Yn ei ymchwil i achosion troseddu ym 1649 daw'r Parch. Henry Worsley i'r casgliad mai'r prif achos oedd 'gelyniaeth dosbarth yn erbyn dosbarth yng nghefn gwlad'.[4]

Erbyn canol y bedwaredd ganrif ar bymtheg yr oedd llawer o'r tirfeddianwyr mwyaf yn gosod eu heldiroedd a'u pysgodfeydd i fasnachwyr cefnog o Loegr. Aed ati o ddifrif i baratoi ar gyfer yr ymwelwyr hyn trwy fagu digonedd o ffesantod a phetris a stocio'r afonydd hefo pysgod gan y byddent yn talu'n dda am eu helfa. I'r pwrpas o osod y 'saethu' fe gyflogid cwmni o arwerthwyr a phriswyr o Lundain a dinasoedd mawr eraill. Darllenwn ym mhapurau Stad Plas Newydd fel y cyflogent hwy y cwmni enwog Loft and Warmer, arwerthwyr a phriswyr o Lundain, i osod y gêm. Yn naturiol byddai'r dosbarth yma yn hynod o gefnogol i'r deddfau helwriaeth gan eu bod yn gwarchod a gofalu am eu gêm; nid rhyfedd iddynt gasáu pob potsiar â chas cyfiawn. Yn yr un modd bu i bob potsiar eu casáu hwythau hefyd. Yn nhyb y potsiar yr oedd y giwed hon yn tresbasu ar eu llonydd hwy ar benwythnosau. Cafodd y potsiar elyn newydd yn y byddigions hyn a theimai ei bod hi'n bleser difa eu helfa. Bu Deddfau Helwriaeth 1831 ar lawer cyfrif yn fwy o achos troseddu nag yn fodd i'w atal. Crëwyd mwy o wrthdaro dosbarth o ganlyniad. Yr oedd y ciperiaid a'r heddlu yn or-awchus i gosbi'r potsiar gan eu bod dan gymaint o bwysau gan y tirfeddianwyr a'r saethwyr dieithr. O ganlyniad daethant ag achosion bach dibwys gerbron y llysoedd; yn wir yr oedd eu brwdfrydedd yn gyfryw ag i fod yn wrth-gynhyrchiol.

Rheswm arall dros y cynnydd amlwg yn niferoedd y troseddau herwhela yn y cyfnod rhwng 1850-1875 oedd y berthynas agos rhwng potsio a thlodi. Dadleuai rhai awduron er hynny fod llawer o'r potsiars yn bobl digon cefnog gyda swyddi da, ac nad oedd potsio yn ddim ond difyrrwch a sbort iddynt; maent yn cyfeirio'n aml at y potsiar trefol, yn arbennig y coliar, a gadwai filgi er mwyn cael ymlacio o undonedd ei waith drwy hela. Dichon fod hyn yn wir mewn ardaloedd a threfi poblog yn Lloegr ond nid yw'n wir am botsiar yng Nghymru, llai fyth am botsiar ar Ynys Môn. Yr oedd gwaith yn bur anwadal yn Oes Fictoria: câi'r chwarelwr fargen wael a'r coliar gyfnodau slac ac ar amseroedd o ddiweithdra yn y chwarel a'r pwll glo fe droesant hwythau at botsio. Fel y dywed Yr Arglwydd Hatherton, 'Pan fo masnach ar i lawr mae potsio ar i fyny, ond pan ffynna masnach bydd troseddau potsio ar i lawr.' Yn ystod ac wedi rhyfel Napoleon, fe gododd prisiau bwyd yn afresymol gan orfodi'r tlawd i droi at botsio neu lwgu. Mae ffigurau'r llysoedd yn dangos yn eglur iawn eto fod cynnydd sylweddol yn niferoedd y potsiars a erlynwyd yn y cyfnod hwn.

Gwyddom fel y byddai'r gwas ffarm allan o waith am gyfnodau o'r flwyddyn. Byddai'r gweithwyr hyn mewn traff-erthion ar adegau i gael dim i gynnal eu teuluoedd. Potsio fyddai'r ffordd fwyaf naturiol yng nghefn gwlad i ennill ceiniog. Byddai gan y gwas ffarm gyfle da i osod croglath ar ei ffordd i'w waith ac fe wyddai i'r dim lle y clwydai'r ffesant ar gwr y winllan. Yn ôl un awdur, 'Yr oedd hi'n amhosibl i was ffarm fyw yn onest drwy'r flwyddyn.'[5] Ar brydiau fe dorrai haint allan ymhlith stoc y ffarm ac ni fyddai modd gwerthu'r un anifail a byddai'n rhaid i'r porthmyn gadw draw.[6] Mewn argyfyngau felly ni fyddai modd i'r ffermwr gael cyflog i'r gwas. Yn Chwefror 1863, fe dorrodd clwy traed a'r genau allan ar rai o ffermydd brasaf Môn: Gwna Fawr, Trefdraeth, Trewyn, Llandyfrydog, Pandy Lodge Llanfair Pwll a Thŷ Newydd Llangristiolus.[7] Yr oedd y ffermydd hyn yn cyrraedd dros gryn arwynebedd. Gan mai nodi'r buchod yn unig a wneid yn yr adroddiad, rhyw saith deg tri o gyfrif, dichon fod llawer iawn o ffermydd eraill wedi colli anifeiliaid ar wahân i fuchod. Yn ddiddorol iawn cerdded yr anifeiliaid yn nŵr y môr oedd y feddyginiaeth dybiedig yn yr oes honno! Ar adegau fel hyn, nid oedd gan y gwas unman i droi gan y byddai swyddogion Deddf y Tlodion yn ddigon didostur tuag atynt. Pa ddewis oedd ganddynt ond troi at botsio? A chan nad oedd y dosbarth yma hanner mor gyfrwys a medrus â'r hen botsiar caent eu dal a'u herlyn gan chwyddo'r ffigurau troseddu'n sylweddol.

Ar wahân i'r heintiau a amharai ar fywyd normal y ffermydd, gwaith dros-dro a gâi'r gwas ar lawer iawn ohonynt. Mae'n wir bod cynaeafau gwahanol a barhâi drwy'r haf hyd at fis Hydref, ond prin fyddai'r gwaith sefydlog, ac eithrio i'r prif weision. Câi'r gweision rhydd dymor byr o gynhaeaf penwaig ym Môn i'w dwyn dros y Nadolig ac yna byddai misoedd cynta'r flwyddyn yn fisoedd llwm iawn. Tystia papurau newydd y cyfnod hwn y byddai achosion o herwhela yn llenwi llysoedd Môn am dri mis cynta'r flwyddyn. Yr oedd hyn i'w briodoli i ddiffyg gwaith a buan iawn y dyblai rhif y potsiars. Cadarnheir y ffigurau hyn gan adroddiadau'r Parchedig John Clay (1796–1858) o garchar Preston, lle y bu'n gaplan am ran helaethaf ei weinidogaeth. Mynnai'r athronydd cymdeithasol hwn weld gwreiddyn troseddu yn tarddu yn y gyfundrefn ddosbarth a oedd yn gorthrymu'r gymdeithas weithiol i dlodi dybryd.[8] Rhydd Hugh Evans hefyd lais clir iawn i'r anniddigrwydd yma. 'Cymerwyd y mynydd oddi ar y tlawd, ni fedd hawl i dorri ychydig o fawn i'w gadw rhag rhynnu yn oerfel y gaeaf... nac i ddal cwningen i geisio estyn oes ei wraig pan fo mewn darfodedigaeth.'[9] Nid rhyfedd i gaplan carchar Kendall ysgrifennu yn ei adroddiad ei bod hi'n amhosibl argyhoedd-i'r potsiar a garcharwyd fod 'potsio' yn drosedd o gwbl! Credai'r potsiar mai trosedd ar gyrion y gyfraith oedd potsio, fel cardota a lloffa.

Ond nid yw'r ffigurau o'r llysoedd yn dweud y stori i gyd a thueddant i fod yn gamarweiniol. Wrth gwrs, nid oedd pob potsiar yn cael ei ddal ac roedd yn ymffrost gan sawl un na chafodd erioed ei ddal! Ac ni ddygwyd pob potsiar a ddaliwyd gerbron y llys gan y byddai'n well gan ambell ffermwr ddod i gytundeb ag ef. Teimlai eraill y gallai'r potsiar fod o help ar y fferm ac y byddai'n ddoethach o lawer i beidio achwyn arno. Gan fod y gymdeithas yng nghefn gwlad yn un glòs iawn, a'r rhelyw yn perthyn i'w gilydd, naill ai trwy waed neu briodas, doedd dim peryg i'r rhain achwyn ar ei gilydd, er mae'n wir y byddai rhyw fradychwr ymhlith pob cymdeithas yn barod i werthu'r potsiar am gyflog da.

Y mae'r adroddiadau papurau newydd yn hynod o fratiog hefyd gan fod potsio yn drosedd mor gyffredin, eithr diolch i rai adroddiadau cawn ychydig o gig digon blasus ar esgyrn sychion. Byddai ambell botsiar yn arfer mesur da o hiwmor gan lwyddo weithiau i liniaru'r gosb. Byddai eraill, rhag mynd i garchar, yn cael plwc hegr o beswch gan blygu yn ei ddwbl a pheri i aelodau'r fainc deimlo'n bur anniddig. Dro arall byddai rhai yn llewygu'n ffigurol gan beri cynnwrf a helynt yn y llys. Byddai'r rhan fwyaf ohonynt yn hanner dall, yn gwbl fyddar neu yn hynod gloff yn y llys!

Ond, o'r adroddiadau a'r ffigyrau a feddwn, cawn ddarlun o'r potsiar yn sefyll yn wrol gan ddadlau ei gam yn ddyffeigar ryfeddol. Mynnai nad oedd ganddo ddewis, ar gyfrif ei dlodi, ond potsio er mwyn cael dau ben llinyn ynghyd. Daliai'n ddiedifar i'r diwedd er ei fod yn achos arbennig ar gyfrif ei amgylchiadau.

B. Dal y Potsiar

Heb os, dal y potsiar oedd y ddrama fwyaf gynhyrfus yn ei holl hanes. Perfformid y ddrama hon gan amlaf yn nhrymder nos mewn mannau digon anghyfannedd. Profa sawl ysgarmes rhwng y cipar a'r potsiar eu bod ill dau fel ei gilydd yn gymeriadau mentrus a dewr, ond yr oedd gan y potsiar rai manteision amlwg a'i gwnâi hi bron yn amhosibl i neb ei ddal: yr oedd yn gweld fel cath, ac ni fu erioed greadur craffach. Gwyddai'r gwir botsiar i'r dim lle roedd gwrych a gwar, afon a ffos, a phan gâi afael ar ben ei lwybr – diflannai! Ni fu erioed redwr tebyg iddo. Mi gofiwch ddisgrifiad gwych T. D. o hen botsiar Llangefni: 'Mi fedr Charles Peace sleifio trwy sgrwff a drain mor ddistaw â malwan a diflannu fel llwynog.'[10] Yn hyn o beth byddai'r cipar dan gryn anfantais.

Ond os na châi'r cipar afael ar y potsiar ei hun byddai'n fwy llwyddiannus wrth ddal y milgi neu'r cynllwyngi. Yr oedd y rhain yn gŵn hynod o ffeind a chyfeillgar. Os câi'r milgi dipyn o sylw a maldod ni welai unrhyw ddiben mewn rhedeg i ffwrdd fel ei feistr. Gan fod perthynas mor glòs rhyngddynt roedd siawns go dda o gael y potsiar wedi cael ei filgi!

Mae hanes diddorol am giangiau o botsiars yn colli eu cŵn hela ac mor desbrad rhag cael eu dal gan giperiaid y Parciau nes y bu iddynt falurio'r ffordd ym mhorthdy'r cipar nes dod o hyd i'w cŵn.[11] Fe gollodd William Jones o Lantrisant filgi da ar un o'i helfeydd. Pan glywodd William sŵn y cwningwr o Lanfair-yng-Nghornwy yn nesu ato drwy'r nos diflannodd am ei fywyd ond, er dirfawr siom iddo pan gyrhaeddodd adref, nid oedd y milgi wedi dilyn. Amddiffyniad William Jones fu i'r milgi dorri'n rhydd neu fod rhywun wedi ei fenthyca heb ofyn. Sut bynnag, ni ddaeth y milgi yn ôl i Lantrisant.

Dro arall byddai'n rhaid i'r potsiar ffoi gan adael ei rwyd, ac i sawl un roedd y rhwyd yn gyfystyr â ffon fara ac yn ddrud i'w hailosod. Eto yr oedd y potsiar yn fodlon colli'r cwbl rhag colli'i hun. Ond ni lwyddai i ddianc bob tro – weithiau deuai'r cipar ar ei warthaf cyn iddo gael cyfle i ddianc. Yn amlach na pheidio, byddai'r is-gipar hefo'r cipar ac, yn ddieithriad, byddai'r potsiar ar ei ben ei hun. Dan amgylchiadau felly yr oedd yn ddigon hyddysg yn y gyfraith i wybod y byddai'n ofynnol iddo roi ei enw a'i gyfeiriad ac yna fynd oddi ar y tir neilltuol. Mewn rhai achosion fe roddai'r potsiar enw ffug neu wrthod rhoi ei enw o gwbl na gadael y tir. Byddai hyn yn siŵr o arwain at sgarmes, a cheir digon o achosion lle y derbyniodd y cipar gurfa enbyd neu ei fwrw i'r afon. Ar y llaw arall câi'r cipar y gorau ar y potsiar weithiau gan roi dos dda o'i ffisig ei hun iddo.

Ar 27 Tachwedd 1868 bu i un o'r enw William Richards o Gefncoch ym mhlwyf Llangwyryfon yng Ngheredigion saethu'r cipar Joseph Butler yn farw.[12] Diflannodd y potsiar, a chan mor awyddus oedd yr heddlu i gael gafael ynddo cynigiwyd gwobr o ganpunt i'r neb a ddeuai o hyd iddo. Mae'r disgrifiad ohono yn y poster yn ddiddorol. Gwisgai drowsus melfaréd, côt fawr dywyll o frethyn garw cartref gyda legins ac esgidiau trwm wedi eu careio yn uchel. Ar y llaw arall saethwyd potsiar yng Nglan Conwy ym mis Ionawr 1860.[13] Profa'r ddau achos nad rhyw chwarae plant fyddai perthynas y cipar a'r potsiar.

Nid oedd pawb ar ochr y potsiar er y byddai gan y rhan fwyaf o bobl gydymdeimlad ag ef, ac fe'i caent hi'n anodd iawn cefnogi'r cipar a oedd yn elfen mor estronol yn eu hardal. Rhyw was i was y neidr oedd y cipar, yn cynffona i'r byddigions a'r ysgweiriaid. Ond yr oedd ganddo yntau ei gefnogwyr: cefnogwyr, cofier, nid cyfeillion, gan mai gweision cyflog oeddynt.

Un peth oedd pasio deddfau amrywiol, peth cwbl wahanol oedd rhoi'r deddfau hynny mewn grym, yn arbennig deddfau yn ymwneud â herwhela, gan mai gweithred yn perthyn i'r nos oedd hon gan amlaf. I'r pwrpas o weinyddu'r deddfau hyn sefydlwyd deddfau lleol yn gynnar yn y ganrif, yn ogystal â Chymdeithas Gêm, byrddau pysgodfeydd, byddin fechan o giperiaid, gwylwyr, beilïaid a'r heddlu.[14] Bu hyn i gyd yn achos cryn anghydfod, fel y gellid disgwyl, a chyda'r holl gyrff amhroffesiynol fe grëwyd awyrgylch o ryfel cartref yng nghefn gwlad.

Yr hyn a roddai halen ar y briw i'r potsiar oedd y ffaith y byddai'n rhaid iddo dalu costau i'r achwynwyr yn y llysoedd, a byddai hynny gan amlaf yn fwy na'r ddirwy. Talodd y Parchedig Ddr Henry Harris Davies, er enghraifft, ddeg swllt ar hugain i ryw Hugh Hughes am achwyn 'fod person y plwyf yn botsiar'! Ac i wneud pethau'n waeth fyth, gallasai unrhyw berson fod yn achwynwr, gallai fod yn gipar neu'n berson nad oedd ganddo ronyn o hawl ar y tir y tresbasai'r potsiar arno.

Yr oedd digonedd o bobl yn barod ac yn awchus i ennill rhyw buntan trwy achwyn ar eu cyfeillion. Byddai'r ynadon yn barod iawn i dderbyn eu datganiadau yn gwbl ddigwestiwn. Yn naturiol, creodd hyn helyntion ymosodol a swnllyd yn y llysoedd, a thu hwnt. Galwyd cyfarfodydd cyhoeddus mewn ardaloedd yng nghefn gwlad i brotestio yn erbyn y deddfau hyn ac yn erbyn y rhai oedd yn gyfrifol am eu grymuso.

Mae'n amlwg i'r protestiadau hyn gael dylanwad ac i amryw o'r achwynwyr bradychlyd fod yn ddigon cas eu hwyneb yn eu cymdeithas. Ar 5 Ionawr 1821 fe gyhoeddwyd poster arbennig yn enw'r 'Gymdeithas i Ddiogelu Gêm'. Yr oedd neges y poster yn eglur iawn: sicrhau fod y gymdeithas yn cyflogi personau i gasglu gwybodaeth yn erbyn personau anghymwys sy'n dinistrio gêm, a hefyd yn erbyn unrhyw berson sy'n prynu a gwerthu'r helfa. Noda'r poster hefyd y byddai unrhyw wybodaeth i'r cyfeiriad yn dderbyniol tu hwnt ac fe'i derbynnid yn diolchgar gan Jeston Homfray, cyfreithiwr o Gaerdydd wedi ei awdurdodi gan y Gymdeithas i'r gwaith o ganlyn yr wybodaeth yn ei blaen. Fe nodir ar sawdl y poster – 'Rhybudd i'r Potsiar'.

Bu coedlannau'r stadau yn atyniad ac yn demtasiwn i'r potsiar erioed. Roedd Coed Llys Dulas yn gefndir i nofel y Parchedig G. Wynne Griffith, *Helynt Coed y Gell*, ond bu'n fagned i botsiars Amlwch, Llandyfrydog a Llannerch-y-medd hefyd. Ar y chweched o Ragfyr, 1868 aeth Thomas Williams, llafurwr o Lannerch-y-medd, i Lys Dulas i chwilio am gêm tua deg o'r gloch y nos hefo'i wn a'i filgi. Bu'n llwyddiannus yn ei helfa a chafodd dri ffesant ac un 'sgwarnog. Ond daeth y cipar ar ei warthaf a'i ddal gan gymryd ei helfa. Sonia'r nofelydd mor ddidostur a chiaidd y byddai'r cipar a gweision Llys Dulas yn trin y potsiar a dichon y cafodd Thomas Williams ei gam-drin yn yr un modd.

Ymhen dwy noson, ar yr wythfed o Ragfyr daliwyd John Roberts, yntau o Lannerch-y-medd, yn yr un man, ar yr un perwyl ac yr oedd dau ffesant braf ganddo yntau. Yr oedd ef yn dderyn hwyrach o lawer na'i gyfaill, yn ôl adroddiad y llys, gan ei bod yn tynnu at ddau o'r gloch y bore pan ddaliwyd ef. Y mae Susan Ellis yn tynnu sylw at y ddirwy drom a

GAME.

To Poachers and others who buy or sell Game.

An Association having been formed for the preservation of the Game, Persons are employed to lay informations against unqualified Persons who are in the habit of destroying Game, and also against any Person whatever who shall sell or buy the same.

Any communications will be thankfully received by Mr. JESTON HOMFRAY, Solicitor, Cardiff, who is authorized by the Association to assist and prosecute any informations.

Cardiff, 5th January, **1821.**

R. LLOYD, PRINTER, HIGH-STREET, CARDIFF.

roddwyd iddynt yn Llys Llannerch-y-medd.[15] Fe'u dedfrydwyd i dri mis o lafur caled yn Nhŷ Cywiro Carchar Biwmares. Ar derfyn y tri mis byddai'n rhaid iddynt gael rhywun a fyddai'n barod i fod yn feichiau drostynt yn y swm o ugain punt, i'w cadw rhag troseddu am gyfnod o flwyddyn. Pe methent gael meichiau byddai'n rhaid iddynt dreulio tymor pellach o chwe mis yn y carchar.

Mae'r ddedfryd hon yn gwbl afresymol, hyd yn oed yn ôl safonau'r oes honno, er ei bod yn wir fod y ddau botsiar wedi'u dal yn y nos ac roedd hynny'n gofyn am ddedfryd drymach na phe bai hi'n ddydd. Mae'r ffaith fod y ddau wedi'u dal ar dir ystad y Foneddiges Dinorben yn siŵr o fod yn esboniad am dynged y ddau. Yr oedd yr ynadon a eisteddai yn llys Llannerch-y-medd y diwrnod hwnnw yn gyfeillion i'r Foneddiges, neu o leiaf yn oeddynt yn awyddus i fod. Tristwch y sefyllfa yw'r ffaith fod y ddau lafurwr tlawd wedi gorfod treulio tri mis o lafur caled yn y carchar. Heb os, bu'r achosion hyn, fel sawl un, yn hwb arall i'r gwrthdaro dosbarth.[16]

Bu i dri potsiar arall, o Amlwch y tro hwn, gael eu dal yn tresbasu wrth chwilio am gêm ar Stad Llys Dulas (a oedd erbyn hyn yn eiddo i Syr Thomas Neave). Ar ddechrau Ionawr 1899 mentrodd Edward Thomas, yr Ynys Felen Bach, Amlwch, ar y tir ac fe'i daliwyd wrth y gwaith gan Richard Owen, yr is-gipar. Ni fyddai'r potsiar byth yn hoffi cael ei ddal gan y pen-cipar, heb sôn am yr is-gipar! Ond dyna fu hanes yr Ynys Felen Bach ac fe'i dygwyd i'r llys yn Amlwch. Bu'r fainc honno yn hynod o drugarog wrtho; chweugain o ddirwy a gafodd. Ni ellir ond priodoli'r gwahaniaeth i'r ffaith fod mainc Amlwch yn llawer caredicach na mainc Llannerch-y-medd.

Yn yr un llys ar yr un diwrnod dedfrydwyd dau botsiar arall o Amlwch: John Roberts a Richard Williams, Mynydd Llwyd. Meiddiodd y ddau fynd i'r Parc Mawr, Llys Dulas i herwhela a'r tro hwn y pen-cipar ddaeth ar eu gwarthaf a'u dal. Mae'n amlwg fod John Roberts wedi dychryn yn go arw, ac yn ei ddychryn fe waeddodd, 'Wyt ti ddim am fy nghosbi? Dyma'r tro cynta erioed i mi roi fy nhroed ar y tir.' Anwybyddodd y pen-cipar ei erfyniad. Yr oedd ganddo fwy o ddiddordeb yn y milgi. 'Pwy bia'r milgi?' gofynnodd yn reit sarrug. Rhoes Richard ateb parod i'w gwestiwn, 'Fy mrawd,' meddai'n swta. Rhoes John gynnig arall i geisio dod o afael y cipar, 'Ar ein *holidays* yr ydan ni, ac wedi bod am dro i Lys Dulas i weld yr hen blasty hardd 'ma.' Dod am dro, hefo milgi mawr yn stelcian yn y Parc? Roedd eisiau llawer gwell stori i argyhoeddi'r pen-cipar, ond bu'r fainc yn hynod dosturiol eto wrth y ddau gan roi chweugain o ddirwy i John Roberts, yr un a fu'n erfyn ar y cipar ond, am ryw reswm, coron o ddirwy gafodd Richard Williams am ddweud clamp o gelwydd am berchenogaeth y milgi.

Wrth symud i gwr arall y sir, sef i Gapel Coch, cawn achos diddorol iawn o herwhela, ar dir y plas eto, ond ar stad Tresgawen y tro hwn. Achos yn ymwneud â dau o'r ardal honno, Hugh Hughes Penrallt, Llanfihangel Tre'r Beirdd, a Richard Hughes, Tyncoed, Tregaian. Yn ôl a gasglwn o'r llys, allesid mo'u cyhuddo o dresbasu ar dir neb, dim ond iddynt 'gymryd' 'sgwarnog ar ochr y ffordd fawr. Fe all fod mwy nag un ystyr i'r gair 'cymryd'. Yr ystyr mwyaf naturiol yn y cyswllt yma fyddai i'r milgi ddal y 'sgwarnog, ond yr hyn a benderfynwyd gan y fainc oedd iddynt fod yn euog am fod y 'sgwarnog gyferbyn â thir y Capten George Pritchard Rayner. O ganlyniad, bu i'r fainc yn llys Llangefni ar 16 Ionawr 1888 eu dirwyo i ddwy bunt yr un a 13 swllt ac 8 geiniog o gostau. Os na thalent o fewn wythnos fe'u carcherid i lafur caled. Yr oedd cryn ddadlau ynglŷn â'r 'ffordd fawr' a bu sawl ymrafael cyfreithiol ar y cwestiwn: eiddo pwy oedd gêm ar ochr y ffordd fawr? Dywed Twm Tincer wrth y cipar yn y ddrama *Adar o'r Unlliw* gan J. O. Francis: 'Y ffordd fawr yw hon, onide?' ond dyma ateb y cipar yn reit bendant, 'Ond mae'r tir o boptu yn perthyn i Mr Venerbey-Jones, ac mae'r gêm sy arno yn perthyn iddo ef, a'i eiddo [ef] yw pob creadur asgellog, pluog a blewog.' Mae'n amlwg oddi wrth ymateb Twm Tincar a Dici Bach Dwl i'r cipar fod hwn yn gwestiwn llosg.

O symud o'r bedwaredd ganrif ar bymtheg i'r ugeinfed ganrif, daeth diwygiad crefyddol i olchi tros y wlad gan gyrraedd pob twll a chornel. Yr oedd Dic Bach Dwl yn y ddrama *Potsiar* yn methu'n lân ulw â deall pam fod rhaid i

Tomos Siôn gefnu'n llwyr ar botsio a hela am iddo yntau ddod tan rin y diwygiad.[17] Ofnai Dici druan ei bod hi ar ben arno ef a Ffan y filgast a'r ffuret bach os oedd y diwygiad am achub pawb. Ond y dryswch pur i Dici oedd pam fod rhaid i neb beidio â bod yn botsiar am iddo gael jòch o'r peth yna a elwir yn ddiwygiad? Mae'n debyg bod Sir Fôn wedi cael cawodydd cyn drymed ag unrhyw ran o'r wlad, ac eto ni chollwyd mo'r potsiars! Yn ôl ffigurau Llysoedd Bach Môn yn ystod 1904-05 yr oedd nifer y potsiars a erlynwyd lawn uwch na'r ddwy flynedd cynt!

Un o'r achosion yn y cyfnod hwn oedd yr un yn Llys Ynadon Llangefni ar 22 Medi 1904 lle erlynwyd tri photsiar am herwhela yn Nhraeth Coch. Fe'u daliwyd gan gipar Baron Hill: cymeriad o'r enw Frederick Hill Mills. Ni fyddai ganddo ef lawer o gydymdeimlad na chefnogaeth i ddiwygiad crefyddol mwy nag aelodau'r fainc y diwrnod hwnnw: O. H. Foulks, Capten Laurence Wiliams a Capten J. H. Pritchard-Rayner. Ond, chwarae teg i'r tri ohonynt, buont yn ysgafn eu dirwy ar John Roberts, Ffordd Ceidio, Llannerch-y-medd a John Owen ac Owen Roberts o Draeth Coch. Cafodd y ddau gyntaf ddirwy o chweugain yr un a'r costau, ond, am ryw reswm, dim ond swllt o ddirwy a gafodd Owen Roberts.

Yn Ynadlys Amlwch y gwrandawyd achos Henry Parry, Ty'n Lôn, Llandyfrydog a gyhuddwyd o dresbasu ar dir Porth-y-Gadfa ar 15 Hydref 1904 am hanner awr wedi pump y bore. Haera David Jones, Tŷ Newydd, Pensarn, iddo weld ei gymydog Henry Parry ar dir Porth-y-Gadfa y bore hwnnw. Mae'n amlwg fod David Jones yn un o achwynwyr i'r cipar John Jones, cipar Syr Thomas Neave, Llys Dulas. Ond gwadai Henry Parry y cyhuddiad gan honni i'w fam alw arno'n gynnar ar y bore dan sylw am fod y brain yn y cae tatws. 'Codais ar unwaith,' meddai, 'a chan nad oes gennyf gi, euthum â'r gwn er mwyn dychryn y brain. Ar fy llw, ni fûm â'm troed ar dir Porth-y-gadfa.'

Yn ffodus iddo tystiai William Roberts, y Nant fod ei stori'n wir. Tybed a yw'r brain yn codi am hanner awr wedi pump y bore ym mis Hydref, a sut ar y ddaear fawr y llwyddodd ei fam i weld y brain o gofio y byddai'n bur dywyll ar yr awr honno o'r flwyddyn? Ond beth bynnag am hynny, credodd ynadon Amlwch nad oedd achos i'w ateb a thaflwyd yr achos allan. Tybed nad yw'n enghraifft o un o'r achwynwyr yn bod yn or-awchus i ennill ei geiniog a honno yn geiniog annheilwng iawn?[18]

Cyn gadael blwyddyn y diwygiad byddai'n werth mynd draw i Walchmai a sylwi na chafodd hwnnw fawr o effaith ar y potsiar yno chwaith. Yng ngwres y diwygiad aeth giang o bump o botsiars allan am helfa. Ychydig iawn o enghreifftiau o'r giangiau hyn a geid ym Môn o'i gymharu ag ardaloedd yn Lloegr. Yr oedd Owen Owen, Cerrig yr Hafal, wedi gweld y pump: Hugh Griffiths o Lanbeulan; Richard Owen, Glasfryn; Richard Hughes, Low Gate; Thomas Hughes, Penrallt a Robert Lee Thomas, Low Gate, gyda dau gi yn herwhela ar dir Ty'n Buarth. Daeth cipar Bodorgan ar eu llwybr ac aeth yn ysgarmes rhyngddynt. Troes Richard Owen a Richard Hughes yn fygythiol iawn tuag at y cipar ond llwyddodd y cipar, gan bwyll, i ddarbwyllo'r ddau i dawelu gan eu hatgoffa, wedi'r cwbl, eu bod yn tresbasu heb ganiatâd perchennog y tir. Bu achos y pump yn Llys y Fali ar 17 Tachwedd 1904 gyda Dr Edwards, Bodedern, Richard Gardner a'r Uwchgapten Fox Pitt yn eistedd. Fe ystyrid unrhyw ymyrraeth ac ysgarmes â'r cipar yn achos difrifol ac fe ddirwywyd Richard Owen a Richard Hughes i bunt yr un a'r costau. Cafodd Robert Lee Thomas a Hugh Griffiths ddirwy o chweugain yr un tra cafodd Thomas Hughes ei rybuddio gan y Cadeirydd gan mai plentyn ydoedd.[19]

Bygwth y cipar fu trosedd dau botsiar arall hefyd, y naill o Frynsiencyn a'r llall o Llandaniel Fab, sef Hwfa a Harri. Ceir eu hanes dan y pennawd, 'Dau Botsiar Beiddgar' yn yr *Herald Gymraeg*, 20 Ionawr 1931, pennawd sydd yn ein gwahodd i ddarllen hanes y ddau botsiar o gyffiniau'r Bryn. Rhan o'r beiddgarwch oedd iddynt dresbasu ar dir Ardalydd Môn o Blas Newydd ym mhlwyf Llanedwen. Ar derfyn y flwyddyn 1930 paratodd yr Asiant, L. J. Walker, adroddiad blynyddol ar wahanol agweddau o weithgareddau'r ystad.[20] Yn yr adroddiad fe gyfeiria at y potsio ar y stad a'i fod wedi hysbysu'r pen-cipar o hyn. Gorchmynnodd i'r ddau gipar, Arthur Sargent a Joseph Dean, yr is-gipar, gadw llygad ar y coedlannau yn ystod y lleuad nesaf. Yr oedd y lleuad yn bwysig i'r potsiar a'r cipar!

Mae'n debyg fod y lleuad yn tynnu am lawn erbyn dechrau mis Rhagfyr a manteisiodd Harry a Hwfa ar noson braf ar Ragfyr 6ed. Tua hanner awr wedi un y bore, a'r lleuad yn cneitio'n braf, aeth y ddau am Bwllfannog, lle'r oeddynt yn adnabod y goedlan yn dda a lle y gwyddent y clwydai'r coedieir. Dyna ergyd sydyn a gwelodd y ddau gipar y ci yn dychwelyd yr aderyn i'w feistr. Dyna ergyd eto a disgynnodd ffesant i'r llawr. Erbyn hyn y roedd y ddau geidwad o fewn chwe llath i'r potsiars, ond troes un ohonynt gan godi ac anelu'r gwn at Arthur Sargent. Safodd pawb yn fud yng ngolau'r lleuad. Gwaeddodd y cipar a'i lais yn glir yn nhrymder y nos yn ei iaith ei hun: '*In heaven's name, don't shoot!*' Gyda hyn rhedodd i gysgodi tu ôl i goeden fawr. Daeth y saethwr ar ei ôl gan alw, 'Cliria hi oddi yma cyn i mi saethu dy ymennydd i'r pedwar gwynt. Dyma'r cyfla olaf gei di.' Manteisiodd y pen-cipar ar y cyfle hwnnw a diflannodd ef a'i was am adref.

Cyfaddefodd y ddau botsiar iddynt fod yng nghoed Plas Newydd y noson dan sylw ond na welsant neb. Hysbyswyd hwy y byddai'n rhaid iddynt ddod i Borthaethwy er mwyn cael 'arddangosfa adnabod' o flaen y ddau gipar. Ar hyn cyfaddefodd Harri iddo fod mewn gwrthdaro â'r ciperiaid a bu iddo dderbyn ei ran. Fodd bynnag, daliai Hwfa i wadu gan ddweud na fu ef allan gyda Harri am ei fod wedi meddwi ac wedi cysgu wrth bont Orag yn Llanddaniel, ond pan rybuddiwyd ef gan Cwnstabl Davies y byddai'n rhaid iddo ddod i'r Borth ar gyfer yr 'arddangosfa', cyfaddefodd yntau'r cwbl.

Gan eu bod heb drwydded gwn na hawl ar y tir, y Cyngor Sir fyddai'n erlyn y ddau droseddwr ond, yn naturiol, yr oedd gan yr ystad eu twrnai eu hunain i baratoi'r erlyniad, sef y cwmni Carter Vincent o Fangor. Bu iddynt baratoi'n ofalus gan synhwyro y byddai'r achos yn troi o gwmpas y cwestiwn o adnabod y ddau botsiar. Gwendid arall yn yr achos oedd y ffaith na chafodd Hwfa ei rybuddio'n iawn cyn gwneud datganiad. Yn y llys, a gynhaliwyd yn Llangefni ar 19 Ionawr 1931, tystiwyd i'r ddau botsiar gael eu gweld yn ystod oriau mân y bore yng nghoed Plas Newydd ar dir preifat Ardalydd Môn a chanddynt hen ynnau un faril mewn cyflwr gwael. Pan holwyd hwy am eu rheswm dros eu gweithred yn herwhela ar yr awr honno, cafwyd yr ateb: 'Y mae pethau'n wael iawn yn y chwarel,' meddent, 'ac ar amser felly chawn ni ddim arian.' Cyn eu dedfrydu rhoes cadeirydd y fainc gerydd iddynt gan ddweud fod y math yma o ymddygiad yn gwbl annerbyniol ar Ynys Môn. 'Y mae hwn yn achos difrifol iawn,' meddai, 'ac rwy'n benderfynol o roi terfyn ar y fath beth ym Môn.' Dedfrydwyd Hwfa Roberts i dri mis o lafur caled yng ngharchar Caernarfon, a chafodd ei gyfaill o Llanddaniel Fab ddirwy o bunt a'r costau.

Mae'r cyfeiriad at y chwarel yn ddiddorol iawn yn y dystiolaeth. Gwyddom y byddai amryw o drigolion Brynsiencyn a glannau'r Fenai yn gweithio yn chwareli Arfon yn y cyfnod dan sylw. Ceid plyciau digon gwael yno ar gyfrif y tywydd neu ansawdd y garreg ac arferai'r chwarelwyr, a'r coliars hefyd, gadw milgwn a throi at botsio mewn cyfnodau felly, fel y soniodd I. D. Hooson yn ei gerdd am Wil yng ngharchar Rhuthun.

Mewn llys ym Mangor fe blediodd tri o chwarelwyr y Penrhyn yn euog o botsio ar bnawn Sul ar stad yr Arglwydd Penrhyn. Pan holwyd hwy am eu henwau gan Richard Porch, y cipar, atebodd un: 'Mae'n rhaid dy fod yn benwan felltigedig, mi roesom ein henwau i ti fis yn ôl.' Byddai'n well iddo fod wedi cau ei geg yn lle atgoffa'r cipar iddynt gael pardwn y tro hwnnw! Gyrru'r cŵn ar ôl 'sgyfarnogod oedd y drosedd. Cydnabu'r tri yr arferent fynd i'r capel ar bnawn Sul ond iddynt benderfynu mynd am dro y pnawn arbennig hwnnw. Dirwywyd y tri i ddeg swllt yr un.

Rhyw drosedd digon diniwed a gyflawnwyd gan David Lewis, Carreg yr Allt Wen o Langristiolus. Fe'i daliwyd yn tresbasu ym mhlwyf Hen Eglwys gerllaw ond, yn ôl tystiolaeth y cipar, saethu at hwyaden wyllt oedd ei drosedd. Gan nad oedd yr hwyaden yn ddigon bonheddig i'w chyfrif yn gêm, yr oedd ei drosedd yn un ddibwys iawn. Cytunodd y fainc (sef H. B. Price, Harry Clegg, T. Williams-Jones a G. R. Cox) i daflu'r achos allan.

Yr oedd tridegau'r ugeinfed ganrif yn flynyddoedd llwm a

thlawd gyda theuluoedd yn gorfod ymdrechu'n galed i gadw dau ben llinyn ynghyd. Erbyn hyn yr oedd y di-waith yn cael rhyw ychydig o'r dôl, ond roedd yn annigonol iawn wrth geisio cadw a chynnal teulu mawr; o ganlyniad fe barhaodd potsio fel un ffordd o hybu'r enillion prin. Cawn sawl enghraifft o'r penteulu yn dibynnu ar y milgi ac fe ddygwyd aml i botsiar gerbron y llysoedd ym Môn yn y cyfnod hwn. Un o'r achosion hynny fu achos y ddau o'r Berffro a wrandawyd yn Llys Llangefni ar 8 Ionawr 1935. Aeth O. R. Owen a'i gyfaill Cledwyn Roberts i chwilio am gwningod ar y gelltydd rhedyn y tu allan i'r Berffro. Gan fod pob llathen o dir yn y cylchoedd yn eiddo stad Bodorgan fyddai'r cipar fyth ymhell iawn o gyrraedd unrhyw ddigwyddiad amheus. Curodd y ddau botsiar yn y rhedyn a'r milgi ar y cwr yn disgwyl ei gyfle, ond roedd David Laking, y Kennels, yn disgwyl am ei gyfle hefyd. Cododd cwningen ac roedd y milgi yn ei llyfu oddi ar ei thraed ymhen dim o dro. Wedi holi am eu henwau, rhybuddiwyd y ddau gan y cipar y byddai'n rhaid iddynt sefyll eu prawf am dresbasu a hefyd am ladd y gwningen. Gordon Roberts, y twrnai enwog, a erlynai yn y llys y diwrnod hwnnw. Holwyd y ddau botsiar beth oeddynt yn ei wneud ar dir y stad heb ganiatâd: 'Y ci gafodd ffit, Syr,' oedd yr ateb. Heb godi ei ben, meddai'r erlynydd: 'Ydach chi'n siŵr nad y gwningen gafodd ffit?' Cyn i'r chwerthin ddistewi yn y Llys plediodd y potsiar arall, 'Mi rydan ni'n dau ar y dôl ac yn ei ffendio hi'n anodd iawn byw ar cyn lleied.' Ond, caled neu beidio, fe welodd y fainc yn dda i roi chweugain o ddirwy i'r ddau.

Ymhen pedair blynedd, torrodd yr Ail Ryfel Byd allan gan newid pob byd a byd pawb. Bu'r gyflafan hon yn fodd i chwalu byd y potsiar. Ond wedi'r rhyfel daeth aml i hen botsiar yn ei ôl i'w gynefin a mynnu cael milgi yn gyfaill ac yn gwmni. Ym mhapurau Plas Newydd, darllenwn am ddau achos gwahanol yn yr un man ar yr un noson. Harry George Ashman, cipar Ardalydd Môn, sy'n cofnodi'r hanes.[21]

Yr oedd Harry a'r is-gipar George Houlding yn cadw llygad ar Gors Ddryg (Cors Drygar) a oedd yn rhan o diriogaeth stad Plas Newydd.[22] Yr oedd hi'n noson braf ddiwedd Awst 1946, wedi saith o'r gloch yr hwyr. Wedi swper aeth tri o gyfeillion o'r Gaerwen gerllaw am dro tua'r gors. Yr oedd ganddynt gynllwyngi mawr blewog a chariai bob un o'r tri wn. Diflannodd y ci i'r brwyn hela a chyn hir clywodd y ciperiaid ergyd gwn a fu'n alwad i'r ddau ei gwneud hi am y gors. Aeth y ddau drwy'r brwyn yn llechwraidd nes cyrraedd at y tri heliwr, ond ni chynhyrfodd yr un o'r tri gan roi'r argraff fod ganddynt bob hawl i fod yno. Wedi'r cwbl, fe ddaliai'r werin i deimlo fod ganddynt hawl i hela ar y tir comin. Cydnabu'r tri nad oedd ganddynt ganiatâd ac o ganlyniad eu bod yn tresbasu i chwilio am gêm. Plygodd y cipar y gynnau a'u cael wedi eu llenwi yn barod i'w saethu. Rhoes y tri eu henwau yn ddigon diniwed fel Roger, Owen ac Alun ac fe'u rhybuddiwyd y caent wŷs i ymddangos yn Llys Llangefni ddechrau Medi.

Cyn symud o'r fan fe welodd y ciperiaid ddau ddyn arall yn dod am y gors, o gyfeiriad Tŷ Mawr y tro hwn. Yr oedd gan un ohonynt wn ac roedd ganddynt gi du croes yn hela yn y gors. Ni wnaeth yr un o'r ddau unrhyw ymgais i ddianc pan welsant y ddau gipar. Rhoesant eu henwau yn ddirwgnach fel Arthur Roberts a Richard Owen, y ddau o Langefni. Pan holwyd hwy ymhellach beth oedd eu busnes yn tresbasu ar dir y stad ac yn hela a chwilio am gêm y sgweiar, 'Dim ond mynd am dro i saethu. Dyma'r tro cyntaf i ni fynd, a pheth arall, tydan ni ddim wedi saethu dim.' Fe ddirwywyd y ddau barti yn Llys Llangefni. Mae'r ddau achos yn dangos yn eglur fod natur a phwrpas herwhela wedi newid cryn dipyn erbyn y blynyddoedd wedi'r rhyfel.

Ar wahân i dresbasu a lladd gêm erlynid y potsiar hefyd am gadw'r cŵn heb drwydded. Yr oedd y drwydded yn saith swllt a chwe cheiniog, trwydded ecseis oedd hi ac ni ellid pwrcasu ond trwydded am flwyddyn lawn yn gorffen ar y dydd olaf o Ragfyr. Yn ôl Deddf Cŵn (1906, Adran 9) yr oedd dirwy o bum punt am fod heb un. Penid y ddirwy a'i chasglu gan swyddog o'r cyllid gwladol. Gan yr hepgorid ci dan hanner blwydd oed neu filgi dan flwydd oed, penderfynid oedran y ci gan y perchennog. Ni châi potsiar fawr o drafferth i gadw'r milgi yn ifanc ac yn heini. 'Mae'n fengach heddiw nag erioed' fyddai dadl y potsiar am ei filgi.

Byddai rhai misoedd o'r flwyddyn yn ddi-fudd i botsio –

yn ystod y gwanwyn a'r haf yr oedd y gêm allan o'i dymor, yr adar yn gori, a'r cwningod a'r 'sgwarnogod yn magu. Ond byddai'n rhaid cadw'r cŵn a'u trwyddedu a byddai hynny yn gryn gost. Yn ddieithriad fe ddeuai'r achosion hyn gerbron y llysoedd o fis Ebrill hyd at ddiwedd Mehefin – y misoedd pryd na fyddai rhyw lawer o achosion herwhela. Fe nodwn rai achosion o chwarter olaf y bedwaredd ganrif ar bymtheg:

9 Ebrill 1888, yn Llys y Fali fe ddirwywyd Hugh Parry, Ty'n Lôn, Llanrhuddlad, i dri swllt ac i dalu 17s 6d o gostau.[23] Os na thalai ar unwaith fe gâi fis o lafur caled yng Ngharchar Caernarfon.

Yn llys Llannerch-y-medd ar 28 Mai 1888 dedfrydwyd John Thomas o Walchmai am gadw ci heb drwydded. Fe'i dirwywyd i bum swllt a gorchymyn iddo dalu 12s 6d o gostau. Os na fyddai yntau yn talu o fewn yr wythnos, fe'i carcherid am saith niwrnod gyda llafur caled.

Yn Llys Llangefni dirwywyd Robert Young, Bont Malltraeth, Trefdraeth, i bum swllt am yr un drosedd a gorchmynnwyd iddo dalu deg swllt o gostau. Os na thalai yntau'n ddi-oed fe'i carcherid gyda llafur caled am fis.

C. Dedfrydu'r Potsiar

Wedi dal y potsiar, diwedd y gân fyddai'r llys a'r dedfrydu yn dilyn. Gan mai hanner olaf y bedwaredd ganrif ar bymtheg oedd hafddydd potsio ym Môn, fel ym mhobman arall o'r wlad, nodir yn y tabl sy'n dilyn bigion o'r achosion o herwhela yn llysoedd ynadol Môn dros y cyfnod hwnnw.

Y Sesiwn Fach ym Môn

Enw	Dyddiad	Llys	Trosedd	Cosb
Rowland Owen Llanfaelog	Tach 14, 1848	Gwesty'r Fali	Tresbasu ar dir Sgubor Wen, Aberffraw yn chwilio am gêm	Dirwy o bunt a 15s o gostau. Os na thelir ar unwaith – carchar, Tŷ Cywiro am fis.
John Griffiths Llanddyfnan	Chwef 24, 1849	Porthaethwy	Saethu ffesant heb drwydded	Dirwy o £2, 15s o gostau. Os na thelir ar unwaith, dau fis o garchar.
Robert Weston Biwmaris	Awst 6, 1849	Biwmaris	Potsio	Mis o lafur caled yng Ngharchar Biwmaris. Ar derfyn y mis fe'i rhwymir yn y swm o £10 neu ddau warantwr i roi £5 yr un.
Richard Jones Biwmaris	Medi 17, 1849	Biwmaris	Potsio	Tri mis o garchar – llafur caled. Ar derfyn y tri mis ymrwymo am flwyddyn yn y swm o £10.
Edward Owen Stryd Wrecsam	Ebrill 4, 1850	Biwmaris	Curo William Newman, Cipar Baron Hill	Dirwy o £4 18s 0d ac os na thelir ar unwaith dau fis o garchar.
Y Parchedig Ddr Henry Harris Davies MA PhD, Llangoed	Rhagfyr 19, 1859	Llangefni	Potsio gêm ym mhlwyf Llaniestyn ar dir Robert Williams	Dirwy o £2 a 13s 6d o gostau i John Sygs yr achwynwr.

Owen Jones Llangoed	Rhagfyr 19, 1859	Llangefni	Potsio	Dirwy o £1 10s 0d, ac os na thelir ar unwaith deugain niwrnod a dau o garchar a llafur caled.
Evan Rowland Clwchmawr Llechcynfarwydd	Hydref 11, 1852	Bodedern	Potsio hefo gwn a chi heb drwydded gêm	Dirwy o £1, 15s o gostau neu bythefnos yn Nhŷ Cywiro carchar Biwmaris.
Evan Rowlands Bodffordd	Tach 12, 1849	Llangefni	Tresbasu i chwilio am gêm ar dir Ty'n Coed, Llanbeulan	Dirwy o 10s, 11s o gostau. Pythefnos yn Nhŷ Cywiro carchar Biwmaris os na thelir ar unwaith.
William Roberts Amlwch	Tach 12, 1849	Llannerch-y-medd	Potsio hefo gwn a chi heb drwydded gêm	Dirwy o £1 a 13s 6d o gostau. Os na thelir ar unwaith, mis yn Nhŷ Cywiro carchar Biwmaris
William Roberts Tyddyn Bach Trefdraeth (llafurwr)	Rhagfyr 10, 1849	Llannerch-y-medd	Potsio hefo gwn a chi heb drwydded gêm	Dirwy o £1, a gini o gostau, neu os na thelir pythefnos yn Nhŷ Cywiro Carchar Biwmaris.
George Ward Caergybi (llafurwr)	Hydref 28, 1850	Caergybi	Tresbasu i chwilio am gêm ar dir Penrhos, Caergybi	Dirwy o £2, ac 16s o gostau. Os na thelir, dau fis o lafur caled yn Nhŷ Cywiro Carchar Biwmaris.
Joseph Dickinson Joseph Clough Richard Booth (y tri o Fiwmaris)	Hydref 3, 1851	Biwmaris	Cyd-botsio gyda chŵn a gynnau heb drwydded gêm	Dirwy o £3 yr un, 10s o gostau. Os na thelir, dau fis yn Nhŷ Cywiro Carchar Biwmaris.

Evan Rowlands Bodfeddan Ceirchiog (ffermwr)	Hydref 11, 1852	Bodedern	Potsio gêm hefo gwn heb drwydded	Dirwy o £3 ac 16s o gostau. Os na thelir, chwe wythnos yn Nhŷ Cywiro Carchar Biwmaris.
Thomas Owen Penrhyn Oer Du Llangwyllog (ffermwr)	Rhagfyr 3, 1852	Bodedern	Potsio hefo ci heb drwydded gêm	Dirwy o goron a 10s 6d o gostau. Os na thelir, deg diwrnod yn Nhŷ Cywiro Carchar Biwmaris.
John Jones Biwmaris	Mawrth 12, 1853	Biwmaris	Defnyddio croglath i ddal ffesant ym Mhentraeth	Dirwy o saith swllt a 13s o gostau, neu bythefnos yn Nhŷ Cywiro Carchar Biwmaris.
William Parry Ty'n Cae Amlwch	Tach 27, 1854	Llannerch-y-medd	Potsio hefo gwn a chi heb drwydded ar dir Llanwenllwyfo	Dirwy o £1 a 12s o gostau. Os na thelir ar unwaith, pythefnos yn Nhŷ Cywiro Carchar Biwmaris.
Hugh Williams Llanidan (saer coed)	Ionawr 16, 1860	Porthaethwy	Lladd petris heb drwydded gêm	Dirwy o 10s, neu os na thelir ar unwaith pythefnos o lafur caled yn Nhŷ Cywiro Carchar Biwmaris.
Robert Hughes Llandyfrydog	Ionawr 16, 1860	Amlwch	Saethu petris heb drwydded gêm	Dirwy o 5s, neu os na thelir ar unwaith, pythefnos o lafur caled yn Nhŷ Cywiro Carchar Biwmaris.
Isaac Jones Y Deri Fawr Llandyfrydog (gwas ffêrm)	Ionawr 16, 1860	Amlwch	Saethu petris heb drwydded gêm	Dirwy o 10s neu os na thelir ar unwaith, tair wythnos o lafur caled yn Nhŷ Cywiro Carchar Biwmaris.

Enw	Dyddiad	Lle	Trosedd	Dedfryd
Hugh Jones Bryngwran (bwtsiar)	Ebrill 9, 1860	Llys yng Ngwesty'r Fali (Valley Hotel)	Potsio ar dir Owen John Augustus (Fuller) Meyrick Ysg.	Dirwy o 10s, neu os na thelir ar unwaith carchar Biwmaris am bythefnos.
Richard Jones Llandegfan (llafurwr)	Ebrill 1860	Biwmaris	Potsio	Dirwy o chwe cheiniog, neu os na thelir ar unwaith, wythnos o garchar.
Evan Williams Biwmaris	Medi 8, 1860	Biwmaris	Potsio ar dir Syr Richard Bwcle Williams	Dirwy o swllt, neu os na thelir ar unwaith, pythefnos yn Nhŷ Cywiro Carchar Biwmaris.
Hugh Edwards Porthaethwy	Ebrill 1, 1861	Porthaethwy	Lladd cwningen	Fe'i carcharwyd am bum munud yn Heddgell Porthaethwy. Yna ei rwymo i iawn ymddwyn yn y swm o £10.
William Williams Porthaethwy	Ebrill 1, 1861	Porthaethwy	Potsio cwningod	Dirwy o 8s, neu os na thelir rhagblaen, carchar am bythefnos.
Y Parchedig Ddr Henry Harris Davies	Chwefror 6, 1860	Llangefni	Rhwng 1 Chwefror a 1 Medi 1860 saethu pum petrisen yn anghyfreithlon ym mhlwyfi Llaniestyn, Llanfihangel Dinsilwy a Llanfaes	Dirwy o bunt am bob petrisen – £5 a chostau o £1 10s 0d i'r achwynwr Hugh Hughes. Os na thelir yn ddiymdroi, gorchymyn i gael ei garcharu yn Nhŷ Cywiro Carchar Biwmaris.

Enw	Dyddiad	Llys	Trosedd	Cosb
William Parry a Robert Jones Amlwch	Tach 10, 1862	Llys yng Ngwesty'r Fali	Potsio hefo cŵn heb drwydded	Dirwy o goron yr un. Cael saith diwrnod i dalu ac os na thelir, cosb o saith diwrnod o lafur caled yng Ngharchar Biwmaris.
William Williams Biwmaris (llafurwr)	Tach 24, 1862	Porthaethwy	Potsio cwningod	Dirwy o chwe cheiniog. Cael wythnos i dalu ac os na thelir, pythefnos o lafur caled yng Ngharchar Biwmaris.
Richard Jones Penrhoslligwy (mwynwr)	Rhagfyr 15, 1862	Llangefni	Potsio cwningod	Dirwy o chwe cheiniog; oni thelir, pythefnos o lafur caled yng Ngharchar Biwmaris.
William Hughes Llanfairmathafarn Eithaf (ffermwr)	Medi 15, 1862	Llangefni	Potsio heb drwydded gêm	Dirwy o bunt ac os na thelir rhagblaen, pythefnos o lafur caled yn Nhŷ Cywiro Carchar Biwmaris.
Hugh Jones Mynydd Bleuog Llanfflewyn	Chwefror 10, 1862	Llannerch-y-medd	Potsio sneips ar dir Mynydd Ithel, plwyf Llanfechell, stad Fuller Meyrick a daliad gan David Griffiths	Dirwy o ddwy bunt a 15s i'r achwynwr John Roberts. Os na thelir ar unwaith, mis o lafur caled yn Nhŷ Cywiro, Biwmaris.
William Jones Glangors Bach Trewalchmai	Medi 26, 1864	Llannerch-y-medd	Tresbasu heb ganiatâd i chwilio am gêm heb drwydded	Dirwy o bum swllt.

Thomas Williams Llannerch-y-medd	Rhagfyr 6, 1867 10.00 p.m.	Llannerch-y-medd	Lladd tri ffesant ac ysgyfarnog ar dir o eiddo'r Foneddiges Dinorben	Anfon i garchar am dri mis o lafur caled. Ar ei derfyn rhaid cael mechnïaeth o £10.
John Roberts Llannerch-y-medd	Rhagfyr 8, 1867 2.00 a.m.	Llannerch-y-medd	Bod yn nghoed Llys Dulas – eiddo'r Foneddiges	Anfon i garchar am dri mis o lafur caled. Ar ei derfyn rhaid cael meichiau o £20 i beidio troseddu o fewn deuddeg mis.
Griffydd Williams	Mawrth 7, 1870	Biwmaris	Dwyn pedwar trap cwningen – gwerth pedwar swllt	Carchar am saith diwrnod.
John Jones Biwmaris	Tach 14, 1870	Biwmaris	Dwyn 29 o lymeirch o Bysgodfa Richard Bwcle Baron Hill	Gohirio'r achos i'r Llys Chwarterol.
Edward Morgan Llaneugrad	Mai 31, 1870	Biwmaris	Potsio hefo cŵn yn chwilio am gêm	Dirwy o swllt a 1s 7d i'r achwynwr Edward Williams.
William Griffith Porth Amlwch	Hydref 24, 1870	Llannerch-y-medd	Tresbasu i chwilio am gêm	Dirwy o dair punt ac 11s i Thomas Jones yr achwynwr.
William Jones Rhos Las Llanfihangel Esgeifiog	Hydref 1, 1877	Porthaethwy	Tresbasu i chwilio am gêm	Dirwy o bum swllt ac 11s o gostau ac os na thelir pythefnos yng Ngharchar Biwmaris.

John Hughes Cwt yr Esgyrn Llanfihangel Esgeifiog	Hydref 1, 1877	Llangefni	Tresbasu i chwilio am gêm	Dirwy o 10s 6d a 15s 6d o gostau neu os na thelir ar unwaith, mis o garchar.
John Willis (Cipar) Baron Hill	Awst 14, 1882	Porthaethwy	Meddw ac afreolus	Dirwy o swllt a 14a 6d o gostau; os na thelir y cyfan yn ddiymdroi bydd carchariad yng Nghaernarfon.
Hugh Williams Llannerch-y-medd	Hydref 23, 1882	Llannerch-y-medd	Tresbasu i chwilio am gwningod	Dirwy o swllt a chostau o 7s neu os na thelir rhag blaen, mis yng Ngharchar Caernarfon.
Richard Thomas Llangristiolus	Tach 6, 1882	Porthaethwy	Potsio cwningod a gêm	Dirwy o hanner coron a chostau o 11s 6d.
David Hughes Tŷ Croes	Tach 27, 1882	Llannerch-y-medd	Tresbasu i chwilio am gêm (dau achos)	Dirwy o bunt am bob achos a 12s 6d o gostau.
Hugh Roberts Trehwfa Bodedern	Mehefin 12, 1885	Y Fali	Dwyn dwsin o wyau ffesant o'r nythod ar dir Richard Williams heb ganiatâd	Dirwy o dri swllt a chostau o 17s.
James Irvy Carreg Fawr Caergybi	Mehefin 27, 1883	Caergybi	Tresbasu i chwilio am gêm	Dirwy o wyth swllt a 12s o gostau.

Enw	Dyddiad	Lle	Trosedd	Dirwy
Samuel Griar Stryd Thomas Caergybi	Awst 14, 1883	Y Fali	Potsio cwningod	Dirwy o ddeg swllt a'r un swm o gostau.
Owen Roberts Evan Williams a John Barnett Llangefni	Medi 1, 1883	Porthaethwy	Dal eogiaid hefo rhwyd anghyfreithlon	Dirwy o bunt yr un ac 11s 6d o gostau yr un.
William Hughes Kingsland Caergybi	Tach 13, 1883	Y Fali	Tresbasu i chwilio am gêm ar dir William Owen Stanley, Penrhos Caergybi	Dirwy o ddeg swllt ar hugain a £1 2s.6d o gostau. I dalu yn ddi-oed neu mis yng Ngharchar Caernarfon.
William Roberts Tyddyn Bach Trefdraeth	Ionawr 21, 1884	Llangefni	Dwyn pedwar ffesant o eiddo Syr George Meyrick	Chwe wythnos yng Ngharchar Caernarfon.
Edward Morgan Lôn y Felin	Ionawr 21, 1884	Llangefni	Potsio ar dir Thomas Hugh Owen am gêm	Dirwy o ddeg swllt ac 11s 6d o gostau. Carchar am fis os na thelir yn syth.
John Jones David Owen a William Davies o Lannerch-y-medd	Mawrth 31, 1884	Llannerch-y-medd	Potsio cwningod ar dir Thomas Roberts yn Llantrisant	Dirwy o goron a 14s 6d o gostau. Pythefnos o garchar oni thelir.

Enw	Dyddiad	Lle	Trosedd	Dirwy
Benjamin Hughes Brynsiencyn	Medi 15, 1884	Llangefni	Potsio cwningod ar dir Griffith Jones Roberts, Trefarthen	Dirwy o goron a 10s o gostau. Os na thelir yn ddiymdroi mis o garchar.
John Price Llanbedrgoch	Chwefror 6, 1888	Porthaethwy	Potsio cwningod	Dirwy o bum swllt os na thelir ar unwaith, carchar o saith niwrnod yng Ngharchar Caernarfon.
Griffith Edwards Black Bridge Caergybi	Mawrth 28, 1888	Caergybi	Potsio cwningod	Dirwy o bum swllt, neu os na thelir ar unwaith, carchar o saith niwrnod yng Nghaernarfon.
John Griffiths Amlwch	Mawrth 26, 1888	Llannerch-y-medd	Saethu gêm yn Llys Dulas	Dirwy o swllt a 12s o gostau.
John Jones Gamfagyrfer Tre Walchmai	Mawrth 26, 1888	Llannerch-y-medd	Potsio cwningod	Dirwy o ddeuddeg a chwech a chostau, ac os na thelir ar unwaith saith niwrnod o garchar a llafur caled.
Owen Hughes Owen Parry	Mawrth 26, 1888	Llannerch-y-medd	Curo'r plismon	Dirwy o bunt a 19s 6d o gostau; i dalu ar unwaith, neu bythefnos o lafur caled mewn carchar.
John Williams Bachau Llandyfrydog	Hydref 15, 1888	Llangefni	Dwyn dau drap cwningen (gwerth 1s 8d) o eiddo Hugh Jones	Dirwy o ddwy bunt a £1 14s 2d o gostau.

| Owen Doyle Llangoed | Tach 5, 1889 | Porthaethwy | Potsio gêm ar dir stad Baron Hill | Dirwy o ddeg swllt, ac os na thelir yn ddi-oed, saith niwrnod o garchar a llafur caled. |
| Thomas Pritchard Tai Newydd Llanddyfnan | Rhagfyr 17, 1889 | Llangefni | Potsio gêm | Dirwy o ddeg swllt a 23s o gostau, ac os na thelir ar unwaith, mis o lafur caled mewn carchar. |

CH. Cosb i'r Potsiar

Wedi'r dal a'r dedfrydu, diwedd y gân i'r potsiar druan oedd cosb, ac fe allasai'r gosb honno fod yn ffiaidd o drwm gan ambell fainc. Yr oedd cyfraith-drosedd lem iawn mewn grym yn y bedwaredd ganrif ar bymtheg, a chryn drafod gydol oes Fictoria ar y dulliau o gosbi. Cododd hyn o ganlyniad i'r diwygiad fu ar gwestiwn cosb, sef eithrio cymaint o droseddau o'r gosb eithaf â phosibl. Y mae bedd dyn ifanc dwy ar bymtheg oed ym mynwent Aberdaron a grogwyd am ddwyn dafad. Ond erbyn 1837 llofruddiaeth oedd yr unig drosedd a haeddai ddienyddiad, ac o ganlyniad i ddiwygio'r ddeddf eithaf yr oedd yn rhaid cael cosbau ar gyfer y troseddau a hepgorwyd o'r ddeddf honno. Bu raid rhoi ystyriaeth i addasu'r carchardai ar gyfer mwy o boblogaeth ac y mae carchar Biwmaris yn dal mewn cyflwr da, yn dystiolaeth i'r cyfnod arbennig yma gyda'i geriach a'i greiriau creulon. Yno wrth gwrs yr anfonwyd cannoedd o botsiars Môn, nid am botsio ond am fethu talu'r dirwyon ar yr awr a'r lle – yn y llys. Mae'r hen garchar yn dal i adrodd stori'r driniaeth a gâi'r potsiars gynt, a phob rhyw droseddwr arall, yn oes Fictoria.

Yn dilyn y cynnydd sylweddol ym mhoblogaeth y carchar, daeth galw am system a fyddai'n medru dosbarthu'r troseddwyr. Ar y cyfan dosbarth o bobl syml a chyffredin o gefn gwlad oedd y potsiars, yn wahanol iawn yn hyn o beth i'r lleidr a'r byrglar neu'r ymladdwr ffyrnig. Trafodwyd dwy system er mwyn ceisio gwahanu'r gwenith oddi wrth yr efrau, a dadleuai'r Parchedig John Clay ac eraill dros system wahanu a elwid yn 'anghyfaneddau'. Fe gâi'r carcharor gell iddo'i hun beunydd beunos heb ddod i gyswllt â'r un o'r carcharorion eraill, dim ond gyda swyddogion y carchar. Y system arall ym mhroses y 'gwahanu' yma oedd 'system distawrwydd'. Fe olygai hyn na châi'r carcharorion yngan gair â'i gilydd, na gwneud unrhyw fath o arwyddion.

Mae hanes am ddau botsiar o Walchmai yng Ngharchar Biwmaris yn teimlo'r system distawrwydd yn annioddefol – dim siarad â'i gilydd a hwythau'n dod o Walchmai! Ond daeth yr oedfa fore Sul a gwelwyd y ddau botsiar o Walchmai yn eistedd yn ddefosiynol fel dau flaenor Methodist yn sêt y pechaduriaid. Daeth cyfle i ganu'r emyn cyntaf a hefyd gyfle i droi'r mawl yn gymundeb â'i gilydd. Trwy ochr ei geg a heb amharu dim ar y donyddiaeth, gofynnodd un i'r llall, 'Am beth y doist ti yma?' 'Rhoi diawl o gurfa i'r cipar wnes i.' Daeth yr emyn i ben ar y crescendo, 'Da iawn ti, bendith ar dy ben di.' Fe aeth y ddau o'r oedfa honno wedi eu bendithio'n helaeth.

I gynnwys a gweithredu'r system hon bu raid addasu'r carchardai ac fe welir yr addasiadau hyn yng Ngharchar Biwmaris. Bu raid cael mwy o adeiladau wrth gwrs er sicrhau y câi pob carcharor ei gell ei hun. Ar ôl 1865 rhoddwyd gwres ym mhob cell ac roedd yno wely neu wely crog sengl, dysgl ymolchi enamel, toiled (a lanheid gan ddŵr o danciau ar do'r carchar) yn ogystal â bwrdd a chadeiriau.

Yn unol â dedfryd y llys, os na allai'r potsiar dalu ei ddirwy fe'i hanfonid i'r carchar am gyfnod a amrywiai o wythnos i dri mis, gyda llafur caled yn ddieithriad yn Nhŷ Cywiro'r carchar a oedd mewn asgell ar wahân. Fe'u hanfonid yno o'r llysoedd ynadol am droseddau megis potsio, meddwdod, ymddygiad anfoesol, cardota neu adael eu teuluoedd. Cyfrifid y troseddau hyn yn gamweddau moesol a chymdeithasol.

Cychwynnai diwrnod y carcharor am chwech o'r gloch y bore a gweithient yn ddi-dor, ac eithrio amser i'w prydau bwyd, hyd chwech o'r gloch yr hwyr. I'r rhai oedd dan lafur caled, caent waith trymach na'r lleill, megis troi'r cranc neu dorri cerrig â gordd drom gydol y dydd.

Y Sir oedd yn cynnal y carchariorion yng ngharchar Biwmaris ac yr oedd lwfans pendant ar eu cyfer o wahanol ddosbarthiadau. Dyma fwydlen y potsiar yn y carchar, hynny yw, y rhai a ddedfrydwyd i lafur caled rhwng pythefnos a chwe wythnos:

Dydd Sul a Dydd Iau

Brecwast: Peint o rual ceirch ac wyth owns o fara;
Cinio: Peint o gawl ac wyth owns o fara;
Swper: Peint o rual blawd ceirch.

Dydd Mawrth a dydd Sadwrn

Brecwast: Peint o rual ceirch ac wyth owns o fara;
Cinio: Tair owns o gig wedi'i goginio heb asgwrn, wyth owns
o fara a hanner pwys o datws;
Swper: Peint o rual blawd ceirch.

Dydd Llun, Mercher a Gwener

Brecwast: Peint o rual blawd ceirch ac wyth owns o fara;
Cinio: Wyth owns o fara. Pwys o datws neu beint o rual blawd
ceirch (os na ellir cael tatws);
Swper: Peint o rual blawd ceirch.

Fe gâi'r carcharorion tymor-hir amgenach cynhaliaeth er, ar
y cyfan, ychydig iawn o amrywiaeth a geid.

Yr oedd capel bychan tu mewn i'r carchar, a disgwylid i'r
carcharorion ymuno yn y gwasanaethau a gynhelid yno dan
arweiniad y caplan. Diddorol yw sylwi fod pob lle i gredu fod
y Parchedig Ddr Henry Harris Davies, y potsiar-bregethwr,
wedi ymbil dros sawl hen botsiar o Fôn yng Ngharchar
Biwmaris.[24] Rhyfedd o fyd!

Capel Carchar Biwmaris.
Dyma'r sedd gefn lle y cyfarfu'r ddau botsiar o Walchmai.

131

Brawdle Llys Biwmaris lle dedfrydwyd sawl potsiar.
Gyda diolch i Adran Addysg a Hamdden, Cyngor Sir Ynys Môn.

Cell yng Ngharchar Biwmaris. Sawl potsiar fu yma?
Gyda diolch i Adran Addysg a Hamdden, Cyngor Sir Ynys Môn.

[1] dyfynnir yn Jones, David J. V., *Crime, Protest, Community and Police in Nineteenth Century Britain*, 1983, t. 81.

[2] *ibid.*

[3] Ellis, Susan C., *Trafodion Cymdeithas Hynafiaethwyr a Naturiaethwyr Môn*, 1986, t. 117-146.

[4] Worsley, H., *Juvenile Depravity*, 1849.

[5] Jones, David J. V., *op.cit.*, t. 69.

[6] Richards, E., *Porthmyn Môn*, Gwasg Pantycelyn, 1998.

[7] *Yr Herald Gymraeg*, Chwefror 1883.

[8] Clay, W. L., *The Prison Chaplain: A Memoir of Rev. John Clay*, 1861.

[9] Evans, Hugh, *Cwm Eithin*, Ail arg. 1933.

[10] Roberts, T. D., *Bara Llaeth i Frecwast*, Gwasg Gwynedd, 1983.

[11] Manning, Roger, *Hunters and Poachers 1485-1640*, 1993.

[12] *Caernarvon and Denbigh Herald*, 2 Rhagfyr 1868.

[13] *ibid*, Ionawr 1860.

[14] Jones, D. J. V., *op.cit.*

[15] Ellis, Susan C., *op.cit.*

[16] Archifdy Llangefni: W. Q. S. 1868.

[17] Francis, J. O., *Potsiar* (Drama Fer un act), Caerdydd, 1914.

[18] *Y Cloriannydd*, 27 Hydref 1904.

[19] *ibid*, 17 Tachwedd 1904.

[20] *Papurau Plas Newydd* (Cyfres 8) Rhif 5763.

[21] *ibid*.

[22] Richards, Melville, (gol.) *Atlas Môn*, 1972.

[23] *Quarter Session Rolls* (W Q S 1888) Archifdy Llangefni.

[24] Llyfr Ymweliadau Carchar Biwmaris – Mis Ebrill 1862; Gwasanaeth Archifau Gwynedd 1975.

Y Potsiar yn ein Llenyddiaeth

A. Y Potsiar Mewn Drama

Plentyn Oes Fictoria yw'r potsiar fel y meddyliwn ni amdano, yn ffigur a dyfodd o ganlyniad i ddeddfau helwriaeth – y deddfau a'i gwnaeth yn 'droseddwr mawr'. Nid oedd y potsiar yn gymeriad amlwg yn y gymdeithas cyn hyn, ac felly nid ydoedd ychwaith yn ein llenyddiaeth. Nid oes sôn amdano, er enghraifft, ym maledi'r ddeunawfed ganrif, er bod testunau'r cerddi hyn yn hynod niferus – o amgylchiadau'r dydd a'r newyddion diweddaraf i gŵyn y tlodion yn erbyn drudaniaeth neu brinder bwyd – yn ogystal â bod yn feirniadaeth gymdeithasol ar brydiau. Erbyn diwedd y bedwaredd ganrif ar bymtheg, er hynny, defnyddiwyd y potsiar fel cymeriad hynod ddefnyddiol mewn dramâu fel llais yn erbyn anghyfiawnderau cymdeithas.

O gofio ei bod hi'n ddiwedd y bedwaredd ganrif ar bymtheg cyn i'r ddrama Gymraeg gael ei geni, mae'n gryn syndod fod elfennau'r traddodiad wedi eu sefydlu'n bur gadarn o fewn ychydig flynyddoedd. Bu i ddau gwmni drama yng ngogledd Cymru er enghraifft actio addasiad o *Rhys Lewis*, sef nofel Daniel Owen, ac un o'r cymeriadau mwyaf poblogaidd yn y ddrama oedd y potsiar, ewythr Rhys Lewis. Yn wir y mae stamp *Rhys Lewis* yn drwm ar ddramâu y 1920au. Nid yn unig y mae'r 'gŵr ifanc' yn condemnio'r gymdeithas bwdr ond yn bwysicach o lawer fe fyn arddel y gwerthoedd. Cymerir y 'dyn cyffredin' a'i broblemau teuluol o ddifrif, a phwysleisir yr angen i frwydro ac ennill tegwch a chyfiawnder.

Roedd trosiad J. M. Edwards (brawd O. M. Edwards) o'r nofel yn hynod feistrolgar ac yn un tu hwnt o boblogaidd. Rhwng 1910 a 1937 fe berfformiwyd y ddrama hon bedwar

cant a phedwar deg dau o weithiau.[1] Cadwodd J. M. Edwards
y cymeriadau heb newid odid dim arnynt – pwy fyddai'n
meiddio newid dim ar gymeriadau yr oedd y werin yn eu
hadnabod mor dda? Nid rhyfedd i'r cymeriadau hyn ddod yn
rhan o gynhysgaeth y ddrama Gymraeg. Fel y mae Dafydd
Glyn Jones yn ein hatgoffa '...peth prin oedd drama
Gymraeg boblogaidd heb fod ynddi rhyw gymeriad ac arno
stamp Tomos Bartley. Dyna'r potsiar, y dyn â'r gwn a'r
ffesant, a ddaeth yn ffigwr mor anhepgor mewn cynifer o
ddramâu; diau mai ewythr Rhys yw'r prototeip.'[2] Mae'r ffaith
fod yr hen botsiar wedi cael ei droed ar y llwyfan yn bwysig
yn ei hanes. Nid yn unig fe gafodd ran yn y ddrama, ond fe
'ddaeth yn ffigwr mor anhepgor'. Nid rhyw bitw o ran yn yr
is-blot yn caru ar y slei hefo'r forwyn yn y gegin a'i sgrialu hi
allan drwy'r drws cefn pan ddeuai'r teulu adre a gafodd
ychwaith, gan mai mewn ambell ddrama y fo, y potsiar a'r
tincer neu 'Dici Bach Dwl', sy'n cynnal y ddrama.

Yn wir, daeth y potsiar yn cario'i wn ac yn cuddio
cwningen ar ei berson yn dipyn o gymeriad stoc yn y dramâu,
ynghyd â'r creadur bach annwyl, Dici Bach Dwl (nad oedd
yn llawn llathen), a chipar a phlismon i ddal y potsiar (er nad
oeddynt byth yn llwyddo). Eithr mae swyddogaeth a
chyfraniad y potsiar i neges y dramâu hyn yn allweddol iawn.
Fel y dywed Abel J. Jones: 'Tra'n cytuno fod y ddrama yn
gyfrwng adloniant (ac un o'r cyfryngau gorau) eto mae'n
llawer mwy na hynny.'[3] O ddarllen y dramâu hyn, mae
gennym lawer gwell syniad am yr oes a phechodau'r oes
honno y mae'r dramâu hyn yn eu cystwyo mor ddidostur. Y
mae'r ddrama gymdeithasol feirniadol yn ymdrin â bywydau
a brwydrau teuluoedd cyffredin o Gymry – teuluoedd digon
tlawd a digefnogaeth. Mae'n ddiddorol sylwi fel y mae stamp
cymeriadau *Rhys Lewis* ar gymeriadau'r dramâu hyn yn
lleisio'r brotest ar ran y werin.

Mae yn y dramâu hyn alw parhaus am welliannau cymdei-
thasol a phob cymhelliad ac ysbrydoliaeth i ennill tegwch a
chyfiawnder i'r dyn cyffredin. Bu'r ddrama hefyd yn fodd
effeithiol, ar lawer cyfrif, i ddinoethi llawer o ddrygau'r oes
a'i gwendidau amlwg, a mwy o rai cuddiedig. Cyfeiria sawl

drama ei hergydion at ffug-barchusrwydd y byd crefyddol, er enghraifft.

Yn wir cymer y dramâu olwg gonest iawn ar fywyd gan feirniadu cymdeithas yn gwbl ddiflewyn-ar-dafod. Caiff rhagrith a gormesu'r tlawd, a oedd yn llygru cymdeithas, flas ffyrnig tafod cymeriadau'r ddrama. Yn ôl Esyllt Môn Jones, 'Bu i'r dramodwyr hyn ddefnyddio'u dramâu yn gyfryngau i feirniadu'n ddeifiol eu cymdeithas. Daeth y ddrama yn gyfrwng i garthu anonestrwydd a chulni o fywydau'r genedl. Yr oedd pynciau'r ddrama yn berthnasol i fywyd y bobl. Ei chefndir oedd y bywyd y gwyddai pawb o'i chynulleidfa amdano. Dramâu am bobl gyffredin yn ymwneud â phroblemau cymdeithasol mewn ffordd gymhedrol, radical ydynt.'[4]

Er tebyced y cefndir cymdeithasol a 'phechodau'r oes' yn y dramâu hyn i'r gymdeithas yr oedd Twm o'r Nant mor feirniadol ohoni (a Daniel Owen yntau yn ei nofelau), eto mae yna rai pethau y mae Dafydd Glyn yn tynnu sylw atynt: 'Fe gydiodd ein dramodwyr ni mewn dwy dasg a adawyd ar eu hanner gan Dwm o'r Nant; protestio yn erbyn gormes y meistri tir drwy gicio'r stiwardiaid a gwawdio gwŷr y proffesiynau.'[5]

Ac ys dywed Ian Niall ymhellach wrth ystyried rôl y potsiar: 'Yn ddiddorol, mae'r Cymry yn medru cydymdeimlo'n reddfol â'r unigolyn yn erbyn awdurdod; y mae'r potsiar a phobol yr ymylon yn enghraifft wych o'r peth.'[6] Dyna fu rôl arbennig y potsiar yn y dramâu hyn, herio'r hen drefn ffiwdal a oedd ag un adain yn y dŵr. Bu i'r hen botsiar ennyn ac ennill cydymdeimlad a thosturi llawer yn ei fywyd real ac fe lwyddodd i wneud hynny hefyd ym myd afreal y ddrama. Fe gynrychiolai'r werin yn ei thlodi gan sefyll dros gyfiawnder a thegwch. Yn ei wrthryfel tawel a diniwed fe gynrychiolai'r brotest wleidyddol honno yn erbyn tlodi a phob gorthrwm arnynt. Nid rhyfedd iddo ddod yn ffigur mor anhepgor yn y ddrama.

Er mai yn Saesneg yr ysgrifennai J. O. Francis ei ddramâu, yng nghyfieithiad naturiol Mary Hughes mae'r ddrama *Potsiar* yn gwbl Gymreig ei naws a'i chefndir.[7] Comedi un act yw *Potsiar* gyda'r prif gymeriad, Tomos Siôn, yn botsiar wedi ei achub yn y diwygiad.

Mae'r gomedi yn llwyddo'n dda i greu awyrgylch dechrau'r ugeinfed ganrif i'r dim, gyda phrotest digon diniwed yn erbyn rhyw barchusrwydd rhagrithiol a nodweddai grefydd y dydd. Yn wir fe resynwn ninnau gyda Dici Bach Dwl fod Tomos wedi ei achub erioed. Cawn deimlad ei fod yn siŵr o fod yn amgenach dyn o lawer cyn ei achub. Mae dadleuon bach diniwed Dici i gael Tomos yn ôl 'fel yr oedd' yn goblyn o ddigri, ac eto mor onest nes ein bod yn dyheu am iddo ennill yn y diwedd. Pan droes Tomos Siôn ato o balas ei barchusrwydd i ddweud, 'Rwy'n ddyn parchus rŵan, Dici, ddo' i ddim yn ôl eto,' dyma Dici Bach Dwl yn ein llorio'n llwyr, 'Ond tydw i na Ffan na'r ffured ddim yn barchus.' Myn Dici aros yn ei fyd bach braf, nid yw eisiau gwybod am fyd arall a dyma roi cynnig eto: 'Mi welais i ffesant yn codi'n sydyn ac yn dychryn cwningen a honno'n mynd fel cythraul.' Bu'r geiriau yma bron â bod yn ddigon i achub yr hen botsiar yn ôl. 'Taw,' meddai Tomos, a dyna arwydd o ddyn â'i gefn at y wal. 'Taw Dici, pwy feddylia y dôi'r diafol yn ffurf Dici Bach Dwl i demtio dyn.' Yna daw ergyd farwol Dici, 'Maen nhw'n deud yn y pentre eich bod chi ofn y cipar, Tomos Siôn.' Hen botsiar ofn cipar! Dyna Dici wedi ennill eto.

Ond fe ddaeth ymwared o le arall i Dici er iddo ddadlau mai Dafydd Hughes y blaenor oedd wedi dwyn Tomos Siôn oddi arno ef a Ffan a'r ffured. Roedd y blaenor hwn, a fu'n cadw llygad barcud ar Tomos Siôn ers ei dröedigaeth, yn potsio ei hun ar y slei. Yr oedd Dafydd Hughes hefyd ar ôl y gwningen fach gastiog. O ganlyniad y mae Tomos Siôn yn cael codwm braf oddi wrth ras ac yn landio'n ôl ym myd y potsiar. Methodd y diwygiad â thynnu'r potsiar o Tomos Siôn. Tybed ai dyna oedd gwendid y diwygiad hwnnw, methu achub y dyn i gyd? Mi fuasai Dici Bach Dwl yn haeru fod meddwl am y fath beth yn gwbl amhosibl ond fe ddinoethwyd y blaenor parchus. Y fo, Dafydd Hughes, yw'r dihiryn. Pe bai'n rhaid dewis, mae'r dramodydd yn gadael y dewis arnom ni: pwy ddywedem yw'r agosaf at galon y wir grefydd? Nid y blaenor yn siŵr, a daw'r cymeriad hwnnw (neu'r diacon) yn aml yn gocyn hitio yn y dramâu hyn.

Y mae J. O. Francis wedi llwyddo gyda mesur dda o hiwmor i ymdrin â hen thema a oedd yn britho llenyddiaeth, ac yn arbennig dramâu'r cyfnod, sef y petruster ingol hwnnw rhwng bodolaeth ofer a'r bywyd crefyddol llwydaidd a pharchus. Ydi colli'r holl fyd er mwyn ennill enaid yn fargen dda?[8]

Y mae'r awdur hwn yn aml yn ei waith yn goeglyd feirniadol o'r bywyd Cymreig gan ddefnyddio ei ddrama yn gyfrwng i'r feirniadaeth honno. Ar wahân i feirniadu'r ffug-barchusrwydd a nodweddai grefydd y cyfnod, y mae ynddynt hefyd wrthdaro yn erbyn gormes y tirfeddianwyr cefnog a'r sgweiriaid. Yn ei gomedi *Adar o'r Unlliw* y mae J. O. Francis yn defnyddio dau botsiar, Twm Tincer a Dici Bach Dwl, i wrthryfela yn erbyn yr hen system ffiwdal.[9] Llwyfennir y ddrama ar ochr y ffordd yn un o froydd cefn gwlad gogledd Cymru, a hynny am ddeg o'r gloch y nos – lleoliad ac amser od braidd o ystyried mai'r lle a'r amser mwyaf cyffredin i'r dramâu hyn fyddai canol pnawn yn y gegin neu'r parlwr.

Mae'r ddau botsiar yn reit ddidaro pan ddaw'r cipar heibio er bod Jenkins yn bytheirio y dylent godi eu pac a symud oddi yno. Ond mae'r potsiars yn hyddysg yn y gyfraith, a chan nad oes ganddynt arfau hela na gêr pysgota ni all neb eu rhwystro rhag mwynhau eu swper ar ochr y ffordd fawr. Fel y soniwyd eisoes mewn pennod flaenorol mae Jenkins y cipar am iddynt ddeall fod y tiroedd o boptu'r ffordd yn eiddo i'w feistr, Mr Venerbey-Jones, ac mai unig bwrpas y ffordd fawr yw 'mynedfa'. Mae'r cipar hefyd am eu hatgoffa, ac er mwyn i'r ddau botsiar ddeall mae'n sillafu'n bwyllog, hawliau ei feistr, 'eiddo Mr Venerbey-Jones yw pob creadur asgellog, pluog a blewog'.

Llwyddodd J. O. Francis yn y ddrama hon eto i ddefnyddio dau gymeriad cwbl ddi-nod i leisio'r brotest dawel ac eithaf diniwed ar y cyfan yn erbyn 'y gŵr mawr y ffordd yma'. A thrwy gael cymeriad uchel ei barch arall, sef esgob, i fwynhau'r salmwn y maent wedi ei botsio, fe roddir mwy o hygrededd i'r brotest, a llwydda'r awdur i ennill ein cydymdeimlad llwyraf â'r tri yn eu diniweidrwydd naturiol.

Ac fe lwydda i gryfhau ein chwerwedd at bob Venerbey-Jones a'i giperiaid!

Gweinidog ifanc, potsiar a'i ferch, a phedwar blaenor yw prif gymeriadau R. G. Berry yn ei ddrama bedair act *Ar y Groesffordd*.[10] Eifion Harris yw'r gweinidog ieuanc, un o'r cymeriadau stoc a oedd ym mhob drama o'r bron ac mae yn Eifion rai o nodweddion y gwir broffwyd. Fe saif yn ddewr dros chwarae teg i bawb, hynny yw, fe saif dros gyfiawnder cymdeithasol. Does ganddo ychwaith ddim amser i barchusrwydd cul y piwritaniaid Ymneilltuol. Daw nodweddion Bob Lewis, un o gymeriadau Daniel Owen, i'r amlwg yn fuan iawn yn Eifion Harris. Yn hytrach na bodloni a derbyn y drefn fel gweinidog parchus Seilo, mynna Eifion dorri ei gŵys ei hun trwy agor drws yr eglwys yn ddigon llydan i bawb ddod i mewn.

Y mae gweinidog newydd Seilo am roi'r genhadaeth yma ar waith, rhoi gwahoddiad i bawb yn ddi-wahân i Seilo. Caiff ganiatâd llugoer y blaenoriaid a broffwyda nad â'n bell iawn gyda chenhadaeth neu stynt o'r fath. Ar ei daith daw'r gweinidog i Bant Glas, cartref Dic Betsi y potsiar. Nel Davies, merch y potsiar a'i croesawa. Nid oes gan Nel druan fawr o glem ar y busnes o 'groesawu gweinidogion' a buan iawn y teimla Eifion Harris yn bur anghyfforddus ar y fath aelwyd. Mae'n amlwg fod cryn dipyn o ddylanwad ei thad ar Nel. Nid rhyw Ddici Bach Dwl diniwed yw Dic Betsi, ond dyn a'i lond o gythreuliaid ac o'r un toriad â thad pob potsiar drama, ewythr Rhys Lewis. Y mae Richard Davies yn ben potsiar yn yr ardal ac yn byw ar gêm stad Blackwell y Plas. Bytheiria Dic ei athroniaeth yn gyhoeddus heb falio dim am neb, 'Mae'r afon a'r awyr a'r coed yn rhydd i bob dyn byw bedyddiol, ac mi ddylent fod.' Y mae'r potsiar yr un mor ffyrnig yn erbyn duwioldeb ffug pobl barchus y gapel hefyd. Try ar Nel, 'Wyt ti'n mynd yn dduwiol fel pobol capal – yn rhy dduwiol i fy niodde i?'

Pa obaith sydd i Nel? Yn ôl pobl dda y capel 'rhyw hoeden wyllt ofergoelus' yw hi: dau bechod anfaddeuol i'r piwritaniaid cul. Pa rinwedd bynnag allai fod yn Nel, yn sicr nid oes ganddi mo'r cymhwyster i fod yn wraig gweinidog. Os methodd y gweinidog ag ennill aelod i Seilo ar aelwyd Pant

Glas y pnawn rhyfeddol hwnnw, fe'i henillwyd gan gyfaredd merch y potsiar, ac yno y crëwyd y Groesffordd â'i gorfodai i benderfynu. Dewis rhwng Nel Davies, wyllt ac ofergoelus, a bod yn weinidog parchus yn Seilo.

Yna mae'r potsiar yn marw mewn damwain yn y coed. Tynnir pawb at ei gilydd yn anghyfforddus o agos ar aelwyd Pant Glas. Nid yw hon yn aelwyd gymwys i flaenoriaid parchus sy'n ceisio pwyllgora ynghylch gweinidog a'u heria. Wrth ymresymu â'r gweinidog daw parchusrwydd ffug y blaenoriaid i'r golwg: 'Y pwnc ydi hyn, nid a ydi Nel Davies yn bur ei chymeriad ond ydi hi'n ddigon cwymwys i fod yn wraig i weinidog Seilo... y pechod mawr y mae hi'n euog ohono yw mai Dic Betsi ydi'i thad hi.'

Ond ar waethaf pawb, dewisa Eifion Harris ferch y potsiar yn hytrach nag Eglwys Seilo. Ond cyn iddo gael amser i roi ei benderfyniad mewn grym, yn ddiseremoni anfonir y ferch afradlon i wlad bell, ac yno y mae am flwyddyn a rhagor. Pan ddaw yn ei hôl mae'r sefyllfa yn newid yn gyfan gwbl, fel sy'n digwydd mewn dameg a drama pan ddaw'r afradlon adref. Pan synhwyra pobl dda Seilo fod yna dipyn o waed y Plas yn Nel Davies, maent yn fwy na pharod i'w derbyn fel gwraig deilwng i weinidog Seilo. A dyna ergyd farwol i ragrith dauwynebog fel y disgyn y llenni ar ddrama dda.

Dyma alwad am gymod rhwng pobl barchus y capel a'r bobl gyffredin, pobl yr ymylon. Y mae Idwal Jones hefyd yn ein hennill yn llwyr hefo 'pobol gyffredin' yn ei ddrama *Pobl yr Ymylon*; maent yn hoffus a chynnes ac yn eithriadol o *'true to nature'*, chwedl Daniel Owen. Mae'r ddrama yn hyrwyddo'r agweddau hynny o gydymdeimlad â'r amddifad a'r difreintiedig.[11]

Bywyd cefn gwlad ar ddiwedd y bedwaredd ganrif ar bymtheg a bortreadir yn nrama enwog W. J. Gruffydd *Beddau'r Proffwydi* a gyhoeddwyd ym 1913.[12] Mae gan Emrys freuddwydion ac yntau ond yn hogyn ysgol. Y mae tad Emrys am iddo briodi merch yr Hafod a dod yn gyfoethog, tra fod ei fam a'i nain am iddo fod yn broffwyd neu ddiwygiwr. Mae'r ddeuoliaeth mor amlwg drwy'r ddrama, 'Mae'n gywilydd i bobol gomon hel eu dwylo hyd rai fel y sgweiar a ninnau'n denants iddo.'[13]

Mae'r cwlwm yn tynhau. Gwêl Emrys ddau geiliog ffesant ar lawr. Cytuna byd ac eglwys fod rhaid cosbi am y fath drosedd, ond pa gosb sy'n ddigon? Ei anfon i garchar a'i dorri o'r seiat, y ddwy gosb agosaf at y crogbren. Er rhoi'r proffwyd yn y Tloty nid yw'r fflam yn diffodd yn llwyr, er iddi ar adegau losgi'n isel gynddeiriog. Trwy ryfedd wyrth daw Emrys ac Ann, y forwyn, yn ôl o Ganada (nid America!) wedi gwneud digon o arian i ddod yn denantiaid i Sgellog Fawr.

'Mi leciwn i daro un ergyd neu ddwy dros y werin yna,' medd Emrys, gan roi llais cryf i brotest ei oes. 'Mi ges i'r ddau ffesant fel y cafodd y sgweiar ei dir, eu cymryd nhw.' Ac yn siŵr roedd y brotest hon yn fyw iawn ar ddiwedd y bedwaredd ganrif ar bymtheg, a heb farw erbyn cyfnod ysgrifennu'r ddrama.

Un o'r dramâu mwyaf poblogaidd ym Môn yn oes aur y ddrama oedd *Nora Plas-y-Foel* gan J. R. Jones.[14] Yn rhyfedd iawn nid yw yn rhestr O. Llew Owain o ddramâu yn ei *Hanes y Ddrama yng Nghymru 1850–1943* (1948), ac ychydig iawn o gopïau ohoni sydd ar gael. Y plot confensiynol a geir yma eto, a'r cymeriadau stoc arferol. Protest yn erbyn y meistri tir trwy gystwyo'r stiward yw'r ddrama. Y mae Arthur, y gŵr ifanc, yn ennill serch Nora Davies, Plas-y-Foel yn ddiymdrech iawn a chaiff y swydd o yrru ei char – fu dim gwell cyfle i garu erioed! Y mae Dic y potsiar yntau yn ddigon ffodus wrth garu â Mary, morwyn Plas-y-Foel, i gael llawer o gyfrinachau'r teulu arbennig hwnnw. Bytheiria Dic yn erbyn yr hen drefn ffiwdal felltith, gan ddangos ei atgasedd at y stiward newydd, Llywelyn Turner, pan ddywed yn ei gefn: 'Dwyt ti ddim ond cnawd ac esgyrn 'run fath â finnau ond fod gen ti well dillad am y cnawd a'r esgyrn.'

Caiff Marged Thomas, mam Arthur, rybudd ysgrifenedig i adael Brynawel, hen gartref y teulu. Dyma ddull y sgweiar o ddial ar Arthur am ganlyn Nora ac yntau yn ei ffansïo. Mor drist yw gwrando ar yr hen wraig, 'Mae gen i rywbeth i'w ddweud wrth gloddiau drain y lle yma.' Myn Marged Thomas mai hi a droseddodd yn erbyn y stiward am gymryd cwningen gan Dic Potsiar.

Ond yn ôl y disgwyl mae'r byrddau'n troi. Trwy gyfrwng y plismon drama, Inspector Nelson, dadlennir fod Llywelyn

Turner wedi ceisio ceisio perswâd ar Mary'r forwyn i roi gwenwyn yn niod Arthur. Y stiward neis yw'r dihiryn a'r troseddwr. Aeth yr awdur hwn, J. R. Jones, yn go bell wrth roi'r stiward yn y carchar ond, oherwydd ei drosedd, nid oes gennym yr un glyfiriad o gydymdeimlad ag ef. Mae tystiolaeth mewn llun ac atgof i'r ddrama hon gael ei pherfformio gan gwmni o Walchmai ym 1926. Tom Williams Brynteg gafodd ran Dic ac roedd yn ffitio'r part i'r dim. Mae o'n debyg i botsiar yn y llun hefo cwningen yn pico allan o'i boced, padlen dan ei droed a'r ffured fach ddela 'rioed yn ei gesail; rhyw gadach o het glwt lipa am ei ben a hen getyn o goeden geirios yn ei law chwith. John Teilia, mab Mary'r Fach, hen borthmon moch o fri a photsiwr rhwng cromfachau, yw Dan y Potsiar. Roedd gan John dipyn o feddwl ohono'i hun fel actor, digon iddo gyhoeddi i'r byd a'r betws ar raglen *Cefn Gwlad* ymhen deng mlynedd a thrigain wedyn mai fo a actiai Dan y Potsiar yn y ddrama![15] Cafodd John hawl (neu gais) i ddod â milgast a hen

Cwmni Drama Gwalchmai 1926
'Nora Plas y Foel', J. R. Jones

Rhes gefn (o'r dde): Edward Price (Cynhyrchydd); Arnold Price, Tŷ'r Ysgol; Harri Jones, Cae'r Glaw; Harri Williams, Brynteg; Hugh C. Jones, Cae'r Glaw; Thomas Williams, Brynteg (Potsiar). Rhes ganol: Maggie Mary Williams, Brynteg; Mrs Price, Tŷ'r Ysgol; Annie German (Athrawes); Lela Williams, Isallt; Maggie Jones, Porth Mawr. Yn eistedd: David Lee Thomas (Y Cipar); Llew Parry, Rhosneigr; John Parry, Teilia (Potsiar).

gynllwyngi mawr yn rhan o'r ddrama. Harri Willias, Brynteg oedd gyrrwr y car, ac mi fuasai Harri wedi gwneud potsiar naturiol hefyd.

B. Y Potsiar mewn Barddoniaeth

Nid oes erw o ddaear Ynys Môn, fel unrhyw ran arall o'r wlad, na fu yma hela a physgota, cyn i'r un potsiar daenu ei rwyd. Nid oedd potsiar i'w gael, yr oedd pawb yn helwyr. Yn ddiweddarach o lawer, gyda chau'r tiroedd yn eiddo pendant i rai teuluoedd y daeth y gwrthdaro rhwng y perchennog a'r heliwr yn amlwg ddigon. Yn yr argyfwng hwnnw y ganwyd y potsiar.

Ond bu i Feirdd yr Uchelwyr ganrifoedd yn ôl ganu clodydd i'r heliwr a'i arfau mewn cywyddau mawl a gofyn. Yr oedd hela yn rhan bwysig o ddifyrrwch a chwarae'r boneddigion ac roedd hi'n bwysig i'r beirdd glodfori'r hyn a oedd yn cyfrif i'w noddwyr.

O ddarllen gweithiau'r beirdd cynnar mae'n syndod cyn lleied sydd wedi newid yn nulliau ac arfau'r heliwr. Mae'r beirdd hyn yn clodfori'r meirch a'r ceffylau, dro arall byddent yn canu cywydd i ofyn am ffon badl, neu englynion i ofyn helfa a gwaywffon. Yn yr un modd fe geir englynion i ddiolch am arfau'r heliwr. Ceir hefyd sawl cywydd i erchi milgi – cyfaill hoffusaf y potsiar. Y mae Huw Cae Llwyd o Landderfel yn ei gywydd yn gofyn am ddau filgi:

> Carwn weled ci'n rhedeg,
> Gwarwyn du, i geirw yn deg.
> Mae dau it, fel meudwyaid,
> O'r lliw hwn, cyrchwn pe caid.
> Melys iawn y'th ganmolwn,
> Ac yn ôl canmol y cŵn.[16]

Dyma'r milgwn mawr cryfion, digon tebol i hela'r ceirw fel y cyfeiriai'r cywydd. Gwyddom y byddai Uchelwyr Môn yn cadw ceirw mewn parciau caeëdig yn yr Oesoedd Canol. Caent hwyl yn eu hela ac fe gyfrifid eu cig yn ddanteithfwyd ar fwrdd y plas. Oni chanodd Tudur Penllyn i Huw Lewys o Brysaeddfed ym mhlwyf Bodedern:

Medd yn y glyn a fyn fo,
Fenswn a gwin o Aensio.

Mae'n amlwg fod Huw Lewys yn mwynhau cig y carw
(*venison*) a blasu gwin o Ffrainc draw yn y bymthegfed ganrif.
Mae'n amlwg i'r arfer o gadw ceirw i bwrpas hela barhau ym
Môn hyd ddiwedd yr unfed ganrif ar bymtheg gan y byddai
un arall o Uchelwyr yr Ynys – Syr Richard Bwclai o'r Baron
Hill, Biwmares – yn cadw ceirw mewn dau barc ar y stad
honno. Mwynhâi'r boneddwr hwnnw bastai o gig carw
deirgwaith yr wythnos! Câi ei gyfeillion eu croesawu i'r un
pryd hefyd, sy'n brawf nad bwyd cyffredin oedd cig y carw.[17]
Erbyn diwedd yr unfed ganrif ar bymtheg yr oedd yr
Uchelwyr wedi rhoi'r gorau i gadw ceirw, gan eu bod yn
anifeiliaid digon difethgar ar dir y plas. Yn lle'r carw fe
gafodd y boneddwyr hyn anifail bach arall i'w difyrru – y
'sgwarnog neu'r geinach. Ni allai'r Uchelwyr na'r potsiar fyth
ddisgwyl amgenach anifail i'w hela na hon. Yr oedd y
'sgwarnog yn gyflym ryfeddol ac yn gastiog fel roedd yn
gymalau. Mae'n debyg mai'r geinach a orfodai'r boneddwr a'r
potsiar i fridio ac i groes-fridio'r milgwn, canys dyma'r prawf
ar unrhyw filgi. Cafodd yr Uchelwyr achos i ymffrostio yn eu
helgwn a'u meirch wrth hela ac ymlid yr 'sgwarnog. Mi allwn
yn hawdd ddychmygu'r olygfa pan oedd Môn heb yr un
clawdd na therfyn, dim ond un cae mawr a thragwyddol
ryddid i'r milgi ymlid yr anifail bach newydd. Yn ddiwedd-
arach fe'i gelwid yn bryf mawr, ac yn wir, cath eithin, neu yn
iaith D. J. Williams, 'y gota hir-glust, brenhines goch y
gweunydd.'[18] Bu mwy o hela ar y 'sgwarnog nac odid unrhyw
anifail arall ar Ynys Môn.

Tyfodd yr arfer o hela'r 'sgwarnog i gryn fri cyn diwedd yr
unfed ganrif ar bymtheg. Y mae Huw Cornwy yn uchel ei
ganmoliaeth i Siôn Lewys o'r Chwaen Wen ym mhlwyf
Llantrisant fel heliwr hynod o fedrus a gadwai feirch a 'chŵn
hirion'. Yr un yw cân Lewys Menai hefyd am yr heliwr hwn
o Lantrisant:

A chadw gwŷr, awch degrodd,
A chŵn a meirch iawn eu modd.

Yr oedd William Lewys o Brysaeddfed (1526-1604) yntau yn gryn heliwr ac yn frawd i Siôn, Chwaen Wen. Roeddynt yn gymdogion i'r bardd Siôn Brwynog (1510-62) o Fodwigan yn Llanddeusant. Yr oedd William yn gymaint heliwr fel y mynnai i'r bardd – Siôn Brwynog – erchi wyth o helgwn iddo gan bedwar o wŷr bonheddig:

> Corn a gân crïo yn gau,
> Cawn hawnt gan y cŵn hwyntau;
> Camp a wnânt cwmpeini o wŷr –
> Carliaid, fal carolwyr!
> Ebrwydd ânt y bore ddydd,
> Flowmoniaid, i fol mynydd;
> Da rai yngod yn dringaw
> Dros greigiau fal dreigiau draw;
> Darllain brud o'r llwyni brol –
> Dyma ennill damweiniol:
> Ysgyfarnog waisg fawrnaid
> Â'i blin gwrs o'u blaen a gaid!
> At gwr y glyn, owtcri gwlad
> Wrth ollwng yr wyth wylliad.[19]

Mae'n naturiol i'r meirch a'r helgwn ennill cryn barch, edmygedd a hoffter eu meistri, yr Uchelwyr ym Môn, fel mewn mannau eraill. Cawsom sawl achos i sylwi ar y berthynas glòs rhwng y potsiar a'i filgi, felly hefyd yr uchelwr a'i gi. Y mae gan Huw ap Rhys Wyn, bardd ac aelod o deulu bonheddig Mysoglen ym mhlwyf Llangeinwen, gywydd pur anghyffredin ei destun, sef marwnad i'w hoff gi, a elwid Bwrdi. Bydd ei fyd a'i fywyd yn wag ac yn gwbwl ddi-hwyl o golli ei helgi, medd y gerdd. Ond gwaeth na'r cyfan i'r bardd yw'r ffaith yr elo'r ceinachod ar gynnydd: 'Gan ddarfod ddyfod ei ddydd, / Y geinach aed ar gynnydd.' Fu'r fath golled erioed mewn ardal; pwy yn wir na thyr ei galon:

Cywydd Marwnad Bytheiad a elwid Bwrdi
> Daeth imi fraw draw yn drwch,
> A'i ddeunydd o ddiddanwch,
> Am golli, gwae fyfi fardd
> C'wirgron, bytheiaid cer'gardd.

Ni cheisiaf, nid af un dydd
I geunant mwy yn gynydd.
'Sywaeth nid yw waeth yn wir
Cwyn nodol, cyn na delir
Gan ei farw, gŵyn oferach;
Bâr ydyw byth Bwrdi Bach.

Gan ddarfod ddyfod ei ddydd,
Y geinach aed ar gynnydd.
Yn y llwyn hesg llawen hi,
Mewn achos, a mi'n ochi.
Hy' gall heb ball wyneb hon, –
O'r dygiad! – rodio digon.
Ni ddilid un y ddolen
O hyd wedi Bwrdi hen.
Yn iach ddatod nod dan wŷdd
Ei manwaith, ditw mynydd,
Na dynabod, cyfnod cu,
Lloches ar helynt llechu
Unig, na dwyn yn uniawn
Y gwrthol na'r ôl i'r iawn
Gywrain fryd, na gyrru'n frau
Oll ebrwydd ar y llwybrau,
Nac aros maith iawn gwrs mwyn
O gydwaith ar y gadwyn,
Na siŵr ladd, myn gradd y grog,
Wisgi fyrn ysgyfarnog.
Yn iach bellach, fo ballwyd
Ganu ei chlul, geinach lwyd.

Dewis math nid oes i mi, –
Myfyrdod mwy o Fwrdi.
Oer yw mynd heb un awr iach
O hwyl bwyll hela bellach.
Gan farw draw gwn wiwfar drud, –
Cyfryw oedd y cyf'rwyddyd.
Myned, nid lles i minnau,
Mwy, at y cymdeithion mau
I wrando ffrost yn bostiaw,
Acen drwch, am eu cŵn draw,

Ac i weled, seinied sôn,
Amryw fil o 'mrafaelion
Rhwng rhai a f'asai fisi,
Fawr boen wedd, yn f'erbyn i,
Yrŵan sydd o'r un sain
Hynod rhyngddyn' eu hunain
Am gael gwybod, briwnod brau,
Pwy o'r gwŷr piau'r gorau.

Halen ar friw i'r bardd oedd gwrando brol ei gymdogion
am eu cŵn, ac yntau yn ei hiraeth o golli Bwrdi. Ymhlith ei
gymdeithion fe enwa Huw ap Rhys Wyn a ganlyn: Siôn
Bwclai, Pyrs Llwyd, Rhydderch o Dregaean, Wiliam Prys
Wyn a Rhisiart Lewis. Ond mae'n rhaid i'r bardd feddwl am
gi arall yn 'ail iddo'. Ar y nodyn hwn y terfyna'r Farwnad
drist hon a bwysleisia'r berthynas unigryw all fod rhwng yr
heliwr a'i gi:

A minnau awr a munud,
O lun ne' fodd, ail yn fud
Yn dwyn alaeth, rhy-gaeth gad,
Maith yw, am 'y mytheiad,
Yn aros cael rhyw fael fo
O lwyddiant yn ail iddo; –
O chaf i'm rhan amdano
Ei fath, ni cheisia' well 'fo.[20]

Cyfeiriwyd eisoes at Siôn Brwynog yn gofyn am helgwn
dros William Lewys o Brysaeddfed, ac ŵyr i Siôn Brwynog
oedd Robert ap Huw o Fodwigan ym mhlwyf Llanddeusant.
Yr oedd Robert yn un o naw o blant Huw o Fodwigan a
Catrin ei wraig. Ychydig a wyddom am y plant ac eithrio
Siôn o Fodwigan (1570-1642) y mab hynaf, a oedd yn
berchen deuparth stad Bodwigan. Priododd Siôn ag
Elizabeth o Dregwahelyth yn Llantrisant, plwyf cyfagos.
Daeth Robert ap Huw (1580-1665) i gryn amlygrwydd fel
telynor a bardd. Y mae dwy lawysgrif werthfawr o'i eiddo
wedi goroesi, un gerddorol a'r llall o'i farddoniaeth. Wrth
grwydro'r wlad daeth i gysylltiad â llawer o feirdd a
cherddorion ac o Uchelwyr oedd yn noddi'r diwylliant

Cymraeg. Fe'i penodwyd yn delynor i'r brenin Iago'r cyntaf, fel y cadarnha Huw Machno:

> Gŵr od yn dwyn gair ydwyd,
> A gwas y brenin teg wyd.[21]

Ond heb os, i'n pwrpas ni, Edmwnd ap Huw (1588-1665), y mab ieuengaf yw'r mwyaf diddorol. Mae'n amlwg, a barnu oddi wrth ganmoliaeth ei frawd Robert ap Huw iddo, fod Edmwnd yn heliwr medrus iawn.[22] Yr oedd ynddo gyfuniad anghyffredin ryfeddol – masnachwr gwin yn Lloegr a heliwr da. Mae sawl cyfeiriad am Gymry'r cyfnod yn anturio i Loegr i chwilio am fywoliaeth. Anturiodd Edmwnd o Landdeusant ac aeth yn winwr *(vintner)*, gan gymhwyso'i hun fel gwerthwr gwin ac egluro ansawdd y gwin. Swydd berthnasol i ddinasoedd neu drefi mawr oedd hon, yn siŵr, ac nid i bentref gwladaidd fel Llanddeusant. Ond os na châi waith fel gwinwr ar ei ddychweliad i Fôn yr oedd digonedd o dir hela iddo.

Fel heliwr da roedd raid i Edmwnd wrth arfau at y gwaith a chafodd gan ei frawd Robert ap Huw ofyn, mewn cywydd, am ffon badl i Ruffudd Llwyd y crwner.[23] Dyma un o gerddi gorau'i frawd, sef cywydd gofyn yn null ei daid Siôn Brwynog. Y mae'n gywydd hwyliog, cellweirus ac yn llawn gormodiaeth. Yr oedd Edmwnd yn awyddus iawn i gael ffon badl i'r pwrpas o hela a physgota, gan ei fod yn erfyn deuben. Yr oedd Gruffudd Llwyd y Crwner yn dod o'r Chwaen Hen, Llantrisant, ac y mae profion ei fod yn un o'r Uchelwyr a noddai'r beirdd.

Mae'r cywydd yn agor yn yr hen ddull gyda chlod i'r Uchelwr:

> Y crwner cywir union
> Y sydd a'i fawr swydd i Fôn,
> Gŵr hoffaidd llawn, Gruffudd Llwyd,
> Y llew didwyll da ydwyd,
> Ac aer wyd o gywir wŷdd,
> A sein graff i Siôn Gruffudd;
> Eich iachau sy'n orau nod
> Y Chwaen Hen i chwi'n hynod;
> Mwy hanes i'm yw henwi

Gwaed y Chweits a gaed i chwi;
Gorau un ei garennydd
Yn y sir fy newis hydd.
Ni ddown o ben â henwi –
Eich iachau na'ch arfau chwi;
Oen wyd i wan, ni ad wall,
Dy wyro nedi i arall,
Cei rediad, fal cawr ydwyd,
Cadarn ŵr i'r cedyrn wyd;
Cydymaith y'ch caid yma,
Cwmpnïwr a dyddiwr da;
O fewn bar y fan y bych
Ni ddowtia un a ddoetych.
Dyfn iawn wyd, nid ofni neb
A dynno yn dy wyneb;
Am haelder, goleuder gwlad,
Ifor wyd a'i fawr rediad;
I roi budd i fawr a bach
Ni bu helynt neb haelach.

Yna wedi canmol haelioni diderfyn yr Uchelwr o'r Chwaen, aiff y bardd yn ei flaen i roi cip ar hanes y deisebwr, ei frawd ieuengaf:

…mae'ch gofyn ŵr
Ffel byrdost o ffwlbardwr,
A fu gynt, helynt hoywlan,
Yn fintner i Loeger lan,
Yn yfed yn gynefin,
Pwyth a rôi, bob bath ar win;
Eto'n siŵr mae'n fwynwr fo,
E dry 'i ben a dŵr Beuno,
Edmwnd ap Huw, Duw o'r dyn,
Wych gyfaill, sydd i'ch gofyn;
Gŵr yw fo, gorau o Fôn
A gair ar bryfed geirwon.

Wedi canmol y rhoddwr a chyflwyno'r gofynnwr, o'r diwedd mae'n bardd yn cyrraedd at y gofyn am ffon badl.
Yn ôl *Geiriadur Prifysgol Cymru*, math o rwyf fechan ac iddi

lain gwastad yw 'padl'. Mae hefyd yn ein cyfeirio at gywydd Watcyn Clywedog 'I ofyn helffon a gwaiwffon a ffadel' – arfau'r heliwr, wrth gwrs. Disgrifiad arall yn y Geiriadur yw: 'Teclyn bychan coeshir tebyg i raw, "rhawffon" *(paddle-staff)*.' Ym 1828 y ceir y cyfeiriad cyntaf at 'padlen', gair yr ydym yn bur gyfarwydd â fo. Rhaw ac iddi ben bychan cryf a choes hir a bagl ar ei phen. Erbyn 1828 yr oedd yn erfyn bach cwbl hanfodol i'r tyrchwr, y ffuretwr a'r cwningwr. 'Padlen dwrch' neu 'dyrchwr' yw'r enw arni mewn rhai mannau. Yr oedd yn erfyn hynod o hwylus gyda'i phen bychan cul o ryw bedair i bum modfedd o led. I'r pwrpas o osod trap twrch neu drap cwningen, dyna'r maint ar gyfer y twll. Yn yr un modd pan fyddai'r ffured mewn caeth-gyfle, dyma'r math o erfyn a ddefnyddid rhag malurio gormod ar y clawdd. Tueddid i'w defnyddio fel ffon gan amryw gan ei bod yn ysgafn ac yn gryf. Yn ddiddorol iawn mae'r potsiar yn llun Cwmni Drama Gwalchmai o *Nora Plas y Foel* yn pwyso ar ei badlan mewn dull a oedd yn hynod boblogaidd gan ffuretwyr a thyrchwyr. Rhoent fagl y badlen oddi tan y pen-glin ac yna rhoi pleth yn y goes am ei choes. Rhyw hanner eistedd i orffwys un goes – felly y byddai 'nhad a chymydog o gwningwr arall yn sgwrsio'n ddifyr am hydion byd. Mae'n debyg fod y 'badl' yr ymofynnai'r bardd amdani yma yn gyfuniad o'r tryfer a ffon. Mae'n amlwg mai o'r gair yma y cawsom 'padlan' a fu'n erfyn mor bwrpasol i'r helwyr a'r trapiwr gynt, ac y gofyn Robert am un i'w frawd:

> Rhowch i hwn, mae'n rhyw i chwi
> Ffon badal ffein heb oedi,
> Yn hwylus iawn i hela
> A phen o ddur i'r ffon dda,
> A thryfer, bwrier heb wall,
> Yn erwin i'r pen arall.

Dyma ddisgrifiad cryno o'r teclyn deuben hwylus a heb os, yn ôl y bardd, fe brofai ei frawd ei hun yn heliwr medrus. Aiff Robert ap Huw yn ei flaen yn chwareus a chellweirus i nodi'r hela a'r difa ar bob rhyw drychfil o fewn y tir pan gaffo Edmwnd y ffon:

O rhowch, wiw union wedd,
Eleni cawn gelanedd,
Ei gŵn ef a gân ofid
Gan ymladd a lladd mewn llid,
Nid ad yn siŵr, brwydrwr brys,
Un fronwen fyw i'r ynys,
Na ffwlbart drwy wiwbart waith,
Na blaidd iawn heb ladd unwaith,
Na llwynog na llew anial,
Chwyrn ei waith, na chryn i'w wâl.

Mae'n amlwg fod y bardd yn gor-ddweud yn siŵr pan sonia am lwynog ym Môn ar ddechrau'r ail ganrif ar bymtheg. Mae'n wir y cafodd Dr William Gruffudd o'r Garreg Lwyd ym mhlwyf Llanfaethlu rodd o lwynog anwes gan gyfaill iddo o Feirionnydd, ond byr fu ei oes gan iddo grwydro dros y ffin i blwyf Llanrhyddlad ac yno, ar dir Cerrig Camog, fe'i saethwyd yn farw. Fu dim sôn wedyn am lwynog ar dir Môn am ganrif gron pan gawn hanes llwynog anwes arall gan William Bwclai (1691-1760) o'r Brynddu, Llanfechell. Bu farw'r cadno hwnnw ar 18 Mawrth 1740. Mae'n amlwg i ddychymyg y bardd hefyd dorri'n rhydd fel llwynog y Dr o'r Garreg-lwyd.[24] Ond chwarae teg, mae'r cyfan yn rhan o gelfyddyd y gofyn! Aiff y bardd yn ei flaen i hela pob rhyw wylltfil gyda'r 'ffon badal ffein':

Ni eiriach ef yn orwyllt
Y dyfrgi o'r weilgi wyllt,
A myn ennill mewn unawr
O nerth y ffon moelrhon mawr;
Arthod a wnaiff yn ferthyr
A baedd gwyllt heb wedd o gyr,
Drain y coed erioed ni roes
I rheini hir o einioes.
O chwennych fo ladd chwaneg
Pob rhyw geirw a'r teirw teg,
Y llygod a'r malwod mân –
Yn ddihangol ni ddihengan',
'I badal ni ad wybedyn,
A'r twrch o'r ddaear y tyn,

151

A siŵr yw i sirewod
Na chaiff eu rhyw yn fyw fod,
Na neidr yn enwedig,
Na dim pan fyddo mewn dig.

Yna fe symud y bardd at lan Afon Alaw heb fod nepell o Fodwigan. Erbyn hyn mae'r ffon badal yn dryfer miniog:

Ar lwc, ei dryfer a'i law,
Yn nwylan afon Alaw.
Medd llawer, mewn amser nod,
Cyn y Pasg cawn y pysgod.

Cyn cloi ei gerdd mae ganddo addewid y caiff Gruffudd Llwyd, rhoddwr y ffon badal, ran o'r pysgod a ddelir 'Yn nwylan afon Alaw':

Chwi gewch chwithau, gorau gŵr,
O'r rheini fod yn rhannwr.

Er mai cyfeirio at yr Uchelwyr fel helwyr a wna'r cywyddau hyn, ac nid at y werin yn potsio, yr un fyddai llwybrau a helfa'r ddau a'r un hefyd fyddai eu harfau. Erbyn yr ugeinfed ganrif yr oedd y potsiar yn ffigur digon amlwg yn y gymdeithas, er bod y beirdd yn swil braidd o ganu ei glod na'i gondemnio. Nid felly I. D. Hooson (1880-1948).

Nid oes ganddo ef fawr o gydymdeimlad â'r potsiar, a barnu oddi wrth ei gerdd i 'Wil'. Mae'n debyg mai'r potsiar achlysurol a adnabu Hooson – y glowyr yn ardal Rhosllannerchrugog – a hynny yn fwyaf arbennig ar amser o streic yn y pwll glo. Dichon y bu Hooson yn erlyn rhai o'r potsiars hyn fel cyfreithiwr yn Wrecsam. Telynegion swynol i greaduriaid a blodau yw ei gerddi ar y cyfan, a theimlwn ei gydymdeimlad â'r ffesant a'r gwningen yn ei gerdd boblogaidd:

Mae Wil yng ngharchar Rhuthun,
A'i wedd yn ddigon trist,
Ei rwyd a'i wn yn gorwedd
Yn segur yn y gist;
Y ffesant mwy gaiff lonydd
Ym mherthi gwyrdd y plas,

A'r lwyd gwningen redeg
Yn rhydd drwy'r borfa fras.

Mae Wil yng ngharchar Rhuthun,
A'i wraig yn malio dim;
Na'r plant na neb yn hidio,
Ond 'Fflach' y milgi chwim;
Mae hwn fel hen bererin
Hiraethus a di-hedd,
Ei dduw ymhell, ac yntau
Ym methu gweld ei wedd.

Yng nghwr y goedwig neithiwr,
A'r lloer yn hwylio'r nen,
Mi welais lygaid gloywon,
Ac ambell gynffon wen;
A thybiais glywed lleisiau
Fel mwyn aberoedd pell
Yn diolch i'w Creawdwr
Fod Wil yn rhwym mewn cell.[25]

Yr oedd gan W. Francis Hughes (William Oerddwr), ar y llaw arall, fwy o gydymdeimlad â'r potsiar na Hooson er bod y ddau yn perthyn i hanner cynta'r ugeinfed ganrif. Deil William Oerddwr yn llawn ei gondemniad o Ddeddfau Helwriaeth.

Gwerinwr syml oedd William Oerddwr wedi byw yn agos at y pridd ac yn ŵr o argyhoeddiadau dwfn. Yr oedd yn 'fardd gwlad' hynod o dderbyniol ac, fel y dywed ei gefnder, T. H. Parry-Williams, amdano: 'Y mae wedi bod yn prydyddu am ddegau o flynyddoedd i gyfeillion a cheraint a chydnabod, i'w caru a'u priodi, i'w byw a'u marw, i'w hwyl a'u helbulon, cerddi personol, os mynnir, ond cerddi gwir gymdeithasol.' Felly'r gerdd hon o'i eiddo i'r Potsiar:

Mae'r Potsiar powld yn mynnu hawl
Ar ddyfroedd llyn ac afon;
Aed holl giperiaid byd i'r diawl,
A phob crach foneddigion;
'Roedd dal pysgodyn iddo'n reddf
Impiedig yn ei natur,

Cyn i orthrymwyr wneuthur deddf
Ar femrwn coch a phapur.

'Fydd Potsiar fawr o dro'n cal slàff
O samon blasus, clyfar –
Heb ddim ond lamp go lew, a chàff –
I'r lan, dan drwyn y cipar,
A 'dydw i ddim yn berffaith siŵr
'Tae hi'n mynd i hynny, wedyn,
Na rôi o'r cipar yn y dŵr
Yn syth, yn lle'r pysgodyn.

Ac os bydd ffesant yn y coed
Wrth blasty'r gŵr bonheddig,
Ni fethodd Potsiar da erioed
Â'i chael i'w fwrdd Nadolig;
Os byddi di'n ffansïo ffrei,
Paid bod yn rhy ddigalon,
Mae Duw'n gofalu am syplei
O'i fôr tu cefn i'r afon.[26]

O'r ychydig englynion a ganwyd i'r potsiar, mae'r rhelyw
ohonynt yn y cywair llon, yn llawn difyrrwch, ac amryw
ohonynt ar ffurf beddargraff. O gasgliad Alan Llwyd o dros
bymtheg cant o englynion,[27] nid oes un yn uniongyrchol i'r
potsiar, ond yn ddiddorol iawn mae beddargraff heliwr o'r ail
ganrif ar bymtheg ym mynwent Llanycil ger y Bala yn rhoi
lle anrhydeddus i'r 'deugi' – fel carreg fedd Wil Parry ym
mynwent Amlwch (gweler ei hanes yn y bennod 'Adar
Amryliw'):

Beddargraff Heliwr ym Mynwent Llanycil

Rhowch garreg deg a deugi – a llwynog,
  A lluniwch lun dyfrgi,
  A gafaelgar deg filgi,
  A charw hardd ar ei chwr hi.

                     Siôn Dafydd Las

Er nad oes englynion uniongyrchol i'r potsiar, mae yno
amryw yn ymwneud â'i fyd:

154

Carw

Doe gwelais cyd â gwialen – o gorn,
   Ac arno naw cangen;
  Gŵr balch ac og ar ei ben,
  A gwraig foel o'r graig felen.

Dafydd ap Gwilym (?)

Milgi

Cyrch gwiber, hyder ehedydd, – melyn cawn,
   Ymlaen cŵn y gwledydd;
  Corff hirfain, craff ar fynydd,
  Ci perl a ŵyr cipio hydd.

Cryfdwr llew hylew, lliw heulwen – wybr frig,
   Llithiedig, lle'th adwen;
  Cyflym wyllt, ci fel mellten,
  Cei draw gylch aur, cadw'r gloch wen.

Rhys Cain

Y Pysgotwr

Cilia draw wedi'r gawod – i wynfyd
   Cymanfa'r mwyalchod;
  Wrth afon fyw, byw a bod,
  'A thwyllo hen frithyllod'.

Dewi Emrys

Milgi

Cawr ei hil mewn cwrddle crwn, – heriwr gwynt,
   Concwerwr gweilch filiwn;
  Pan êl, ei ddull ni welwn, –
  Lled troed yw milltir i hwn!

Dewi Emrys

Hwyaid Gwylltion

Had yn hwyaid a daen heuwr – y wawr
   Yn yr ardd dawelddwr;
  A'r hwyr ar ro'n gyffrowr,
  Codant, blodeuant o'r dŵr.

Euros Bowen

Fe gasglwyd ysgub frigog o gerddi ac englynion dan olygy-ddiaeth Elwyn Edwards yn *Yr Awen Lawen;* yn eu plith cawn englynion beddargraff i'r 'Potsiar' a'r 'Cipar'.[28] Mae'r cyfan ohonynt, fel yr awgryma teitl y gyfrol, yn chwareus a doniol:

Beddargraff Potsiar

Yn dy fedd y gorweddi, – heb dy rwyd,
   Heb dy raw a'th filgi,
   A'r adar o ddireidi
   A wna dom ar dy fedd di.

Thomas Richards

Beddargraff Potsiar

Efo'i rwyd a'i dryfer ai – i'r afon
   Oedd 'breifat', i rywrai;
   Nid oedd ofn a'i diddyfnai,
   Hyd ei fedd, i ado'i fai.

Drwy y dŵr a'i droed oerion, – yn araf
   Cyniweiriai'n fodlon;
   Ac er amlhau sylltau Siôn
   Llai o rif fu llu'r afon.

Er symud o fro'r samon, – a'r adar
   A rhydio'r 'hen afon',
   Nid oes sail dros ddweud bod Siôn
   Yng ngolwg yr angylion.

Ioan Brothen

Beddargraff Cipar

'Rwyt mewn arch tan dywarchen – yn y *beat*
   Ni'th arbedwyd, fachgen;
   Potsiwr yn siŵr ddwed â sen:
   'Lodja'n dy bedair ledjen'.

D. Evans

Beddargraff Potsiar

Mor dawel yn ei wely, – a cheinach
    Huna wrth ei lety;
Ac o'r ywen, dan wenu,
Ieir y plas sy'n cweirio'u plu.

Collwyn

Beddargraff Potsiar

Mae'r gwningen yn gwenu, – a'r ffesant
    Orffwysa nes cysgu;
O'i orwedd dan y pridd du
Pry genwair sy'n pêr ganu.

Gwilym Deudraeth

Beddargraff Potsiar

Heb un hawl bu yn hela, – a dianc
    Fel dewin â'i ddalfa;
Â'i ddawn daer yn rhydd nid â
O rwymau'r Cipar yma.

J. Lloyd Jones

Gofynnwyd i Dafydd Thomas o Gil Coed, Bangor, gyfansoddi cân ddoniol am 'fynd i saethu'. Gan mai'r ddeuawd enwog o Dudweiliog – John ac Alun – a ofynnai, aeth Dafydd ati i gyfansoddi'r gân. Roedd y ddau ganwr yn paratoi fideo ar gyfer eu cyfres nesaf ar y teledu a gwelodd Dafydd gyfle am anfarwoldeb, a chefais innau glo i'r bennod hon:

Yr Heliwr

Codi yn y bore tua chwarter i dri,
Sleifio wnaf o'r gwely rhag ei deffro hi;
Bydd Wil fy ffrind yn disgwyl,ger y giât, mi wn,
Fe sy'n dod â Pero, a fi sy'n cario'r gwn.

Rhwystro'r ci rhag cyfarth, a dringo dros y wal,
Coesau Wil yn crynu, ofn oedd cael ei ddal;
Rhaid sleifio heibio'r plismon a mentro doed a ddêl,
Nod y cythral hwnnw yw rhoi Wil a fi'n y jêl.

Cododd gwynt o rywle, het Wil aeth i'r coed cyll,
Meddwl wnes mai ffesant oedd, taniais y dryll;
Het 'rhen Wil fel gogor, yn sownd yng ngenau'r ci
A'r plismon slei o'i guddfan, yn ein gwylio ni.

I'r carchar heb ddim dewis y dygwyd Wil a mi,
Ond nid oedd dim tystiolaeth, a chawsom fynd yn ffri.
Codi eto'n gynnar, rhoi welis am fy nhraed,
Rhaid cael mynd i saethu 'chos mae potsio yn fy ngwaed.

Cytgan:

Ond rwy'n hoffi mynd i saethu, cyn toriad gwawr pob dydd,
Ffesant dew o'r plasty a hed ar adain rydd.
Ambell gwningen weithiau neu hwyaden wyllt neu ddwy,
Fi a Wil y Perthi yw potsiars gorau'r plwy.

Dafydd Thomas[29]

[1] Lloyd, D. Tecwyn, 'Gwir gychwyn y busnes drama 'ma', *Llwyfan*, Gwanwyn 1973.
[2] Jones, Dafydd Glyn, 'Saunders Lewis a thraddodiad y ddrama Gymraeg', *Llwyfan*, Gaeaf 1973.
[3] Jones, Abel J., 'Does Wales need a drama?' *Welsh Outlook*, 1928.
[4] Jones, Esyllt Môn, *Rhinwedd, Rhith a Rhagrith: arferion cymdeithasol a diwylliannol yn nramâu D. Mathew Williams, Idwal Jones, J. Kitchener Davies a J.E. Williams*, MA Cymru (Bangor), 1997.
[5] Jones, Dafydd Glyn, 'Hen ddramâu, hen lwyfannau' yn *Llwyfannau Lleol* (gol. Hazel W. Davies) Gomer, 2000.
[6] Niall, Ian, 'Poaching is a dying art', *Country Quest*, 1962.
[7] Francis, J. O., *Y Potsiar* (cyfieithiad Mary Hughes), Comedi un act. Caerdydd, 1914.
[8] Norwood, G., 'Review: The Poacher', *Welsh Outlook* 1914.
[9] Francis J. O., *Adar o'r Unlliw*, cyfieithiad Magdalen Morgan o *Birds of a Feather*, Llundain, 1910.
[10] Berry, R. G., *Ar y Groesffordd: Drama Gymraeg bedair act*, Caerdydd, 1920.
[11] Jones, Idwal, *Pobl yr Ymylon*, Caerdydd, 1927.
[12] Gruffydd W. J., *Beddau'r Proffwydi*, Caerdydd, 1913.
[13] *ibid*, t. 12.
[14] Jones, J. R., *Nora Plas y Foel*, Conwy, 1924.
[15] Fideo *Cefn Gwlad 3*, 1992: John Parry, Gwalchmai.
[16] Harris, Leslie, *Gwaith Huw Cae Llwyd ac eraill*, Caerdydd, 1953.

17 Wiliam, Dafydd Wyn, *Llwynogod Môn ac ysgrifau eraill*, Cyhoeddiadau Mei, 1983.

18 Williams, D. J., *Hen Wynebau*, 1939, t. 57.

19 Wiliam, Dafydd Wyn, *op.cit.*

20 Llyfrgell Genedlaethol Cymru, Llansteffan 125, t. 41.

21 Machno, Huw, 'Cywydd i Ofyn Telyn', Rhydychen. Llyfrgell Bodleian e10, 1.

22 LL.G.C. Peniarth 104, t. 203 (mewn meicroffilm).

23 Robert ap Huw (1580-1665) 'Cywydd i ofyn ffon badl i Ruffudd Llwyd y crwner dros Edmwnd ap Huw brawd y bardd', Amgueddfa Brydeinig:ms Ychol 14918-19.

24 Wiliam, Dafydd Wyn, *op.cit.*

25 Hooson, Isaac Daniel, *Cerddi a Baledi*, Gwasg Gee, 1936.

26 Hughes, W. Francis, *Cerddi William Oerddwr*, Gwasg Gee, 1954.

27 Llwyd, Alan, *Y Flodeugerdd Englynion*, Christopher Davies, 1978.

28 Edwards, Elwyn, *Yr Awen Lawen, Blodeugerdd Barddas o Gerddi Ysgafn*, 1989.

29 Thomas, Dafydd, 'Yr Heliwr', trwy ganiatâd caredig Cwmni Sain.

Gwalchmai – Pentra'r Tair P

Y mae'r enw 'Trewalchmai' yn hen iawn, yn enw a gysylltir â Gwalchmai ap Meilyr (1130-1180), er y cysylltir ei enw weithiau â Threfeilyr ym mhlwyf Trefdraeth hefyd. Dilynodd Gwalchmai ei dad Meilyr Brydydd fel pencerdd yn Llys Gruffydd ap Cynan yn Aberffraw. Ymddengys iddo dderbyn llain go helaeth o dir yn rhodd gan y tywysog yn Nhrewalchmai yn y man lle y mae Gwalchmai heddiw.[1] Ond nid am ei phrydyddion y daeth Gwalchmai yn enwog, ond yn hytrach am ei phregethwyr, ei phorthmyn a'i photsiars. Y rhain a roes i Walchmai yr enw 'pentra'r tair P', enw a fu byw am ganrif a gwell ar lafar. Yr oedd y Gweilch yn enwog am eu glasenwau, ynteu ai rhywun o'r tu allan a roes iddynt yr enw? Byddai hen wraig fach o'r pentref yn arfer diolch am y potsiars, 'Heb y rhain pentra "pi pi" fyddai Gwalchmai,' meddai.

Mae'n debyg mai Owen Richard Jones, Ty'n 'Rardd, porthmon moch enwog a gwerinwr hynod o ddiwylliedig, a roes sylw cyhoeddus i'r enw newydd. Cynrychiolai Owen Richard y pentref mewn rhaglen radio i bentrefi Cymru dan olygyddiaeth Ifan O. Williams. Y mae'n enw a gariai faich o hanes lleol ar ei war. Bu i ddau o bregethwyr amlycaf Cymru ddod o Walchmai: Y Parchedig Ddr Thomas Charles Williams, Yr Hafod a'r Parchedig Ddr Thomas Williams, Brynteg. Go brin fod yna yr un pentref yn y wlad a gododd fwy o bregethwyr, ac yn siŵr neb gwell na phregethwyr Gwalchmai! Bu yma borthmyn hefyd, yn enwedig porthmyn moch. Daw enwau fel Robert Williams, Brynteg a Harri, ei frawd, a theulu Ty'n 'Rardd i'r meddwl yn syth.[2] Bu i rai fel Evan Drip a Pitar Jones gyfryw ag i adael enwau ar eu hôl. Tybed ai am ei photsiars y bu Gwalchmai enwocaf? Ond gan fod y rheini yn bobl yr ymylon ni fu coffa da iawn amdanynt. Er hyn, mae'r drydedd 'P' cyn bwysiced â'r ddwy arall.

Yr oedd teulu Brynteg yn gyfuniad o'r tair 'P' yma. Yr oedd Robert Williams yn flaenor Methodist o'r iawn ryw, yn gul ac yn hynod o biwritanaidd. Eto ni rwystrai ei grefydd iddo yrru bargen galed iawn hefo tyddynwyr Môn wrth fargeinio am eu moch. Yn hyn o beth yr oedd yn ddelw o'i dad, Pitar Williams, Pencraig. Pan holodd Edward Mathews, Ewenni, Pitar ar derfyn oedfa rhywle ym Môn, 'Oes gennych chwi'r un gorchwyl arall ond dilyn pregethwyr, mewn difrif, ŵr da?' 'Oes wir, syr, prynu anifeiliaid, ac y mae hwnnw yn waith sydd yn mynd yn iawn hefo dilyn pregethwyr. Rwyf yn gallu gwneud y gorau o'r ddau fyd,' meddai Pitar. Nid oedd yr un gair o sôn am botsiar gan Pitar Williams na'i fab Robert Williams, Brynteg. Wedi'r cwbl roedd yna agendor llydan rhwng potsiar a phiwritan. Ond roedd dau fab Brynteg, Tomi a Harri, yn llawn o nwyd y potsiar. Onid campau'r milgwn oedd ymffrost y plant yn yr ysgol? Nid ceir na chyfrifiaduron fyddai diddordebau a gorchestion plant yn nau a thri degau'r ganrif honno, ond cyflymdra'r milgi. Yr oedd gan feibion Robert Williams, Brynteg filgi neu ddau ond fyddai wiw eu cadw gartref. Cafodd y milgwn lety da yn Teilia Bach heb i Robert Williams wybod dim. Wedi ei lencyndod aeth Thomas i'r weinidogaeth anglicanaidd a dod yn rheithor i Lechcynfarwydd ac arhosodd Harri adref i borthmona a dod yn flaenor Methodist fel ei dad, yn Jerwsalem, ond ni chollodd yr un o'r ddau'r nwyd i hela na herwhela dichon. Do yn siŵr, fel y dywed Huw Llew Williams, fe glymwyd darn pwysig o hanes Gwalchmai yn ystod y ddwy ganrif ddiwethaf wrth fywyd porthmyn a phregethwyr. Yn siŵr fe ddylai gynnwys y potsiar, ac eto nid oedd y drydedd 'P' yn paru'n dda hefo'r ddwy arall ddeugain mlynedd yn ôl. Ond dichon byth fe gynhwysid y potsiars yn ambell faled a chân werin a hynny gyda rhyw anwyldeb:

> Bu llawer yn canu clodydd
> I bentref Penygroes,
> A hefyd i Gob Malltraeth
> A stesion bach Tŷ Croes.

Ond heno ffrindiau annwyl
Rhowch ennyd im gael sôn
Am Walchmai, yr enwoca
O holl bentrefi Môn.

Mae yma le cysurus,
A phobol neis di-lol
Heb neb yn codi twrw
Nac edliw hen gybôl.
Bu yma sgethwrs enwog
A beirdd yr awen wir
A phorthmyn teg, ac yma
Mae potsiars gorau'r sir.

A beth tybed a gâi John Griffiths, Bryncla, hanner brawd i'r pregethwr mawr, Thomas Williams, ei ddweud am y lle yn y pill yma?

Nid oes unlle yn y north
Mor anodd ennill torth â Gwalchmai,
Ond roedd hanner ffair y Borth
O Walchmai.[3]

Ond beth a oedd i'w gyfrif fod Gwalchmai mor enwog am y tri chymeriad diddorol yma, yn enwedig y potsiar? Wrth holi a chwilio hanes yr hen botsiars yr oedd pawb a holais yn fy nghyfeirio tua Gwalchmai. Yr oeddynt yn reit siŵr mai o Walchmai y deuai pob un ohonynt a fu ar yr Ynys hon erioed! Ac, er mynd i lygad y ffynnon, roedd yn drist synhwyro fod gwir stori'r potsiar a'i gymdeithas bron â mynd i golli bellach.

Yr oedd dau draethawd gan ddau fyfyriwr o'r 1940au ar hanes Gwalchmai a gresyn eu bod wedi mynd ar goll. Mae i bob pentref ei nodweddion a'i gymeriad ei hun ar gyfrif ei leoliad ac amgylchiadau'r trigolion. Ac onid hanes llafar yw'r gwir ddarlun o fywyd unrhyw gymuned? Arbrofodd yr Athro Raphael Samuel yn y maes hwn ar Headington, pentref a lyncwyd bellach gan dyfiant maestrefol Rhydychen. Dengys ef mor egnïol ac annibynnol y gall cymunedau o'r fath fod. Cyhoeddodd ei ymchwil mewn traethawd ar hanes llafar: 'Bywyd a Gwaith yn Headington, 1860-1920'.[4] Casglodd ei ddefnydd gan y trigolion hynaf o ddiwedd chwe degau'r bedwaredd ganrif ar bymtheg. Llwyddodd yr awdur i greu darlun llawn iawn o fywyd a gwaith yn y pentref dan sylw a'r plwyfi cylchynol.

Mae'n syndod mor ddibynnol oedd y trigolion ar y tir agored a'r tir comin yn yr ardaloedd hyn. Mae'n rhyfeddol mor ddygn yr ymdrechai'r bythynwyr a'r tyddynwyr hyn i grafu bywoliaeth o dir mor dlawd a llwm. Dibynnent yn gyfan gwbl am eu tanwydd o'r coed tân a gasglent ar y tiroedd agored. Yr oedd gan bawb ei flocyn torri coed wrth y drws cefn ac roedd milgi wrth y drws ffrynt, gan fod y tir comin yn fyw o gwningod. Casglent amrywiaeth o ffrwythau gwylltion i jamio ar gyfer y gaeaf a digonedd o fadarch yn eu tymor. Byddent yn cynaeafu'r rhedyn i'w werthu'n sypiau i'r bythynwyr a'r tyddynwyr a gadwai foch ac, yn ystod tymor y Nadolig, gwerthent ganghennau o gelyn yn y farchnad leol.

Ond, heb os, y potsiar a wnâi'r fywoliaeth orau, er nad oedd ei fyw yntau yn fras o bell ffordd. Gwerthent y cwningod yn y farchnad leol ac âi rhai i'r farchnad yn Rhydychen a chael gwell pris amdanynt. Ond gwerthai'r rhan fwyaf eu helfa o ddrws i ddrws yn lleol am ryw chwe neu naw ceiniog y gwningen. Yr oedd y potsiar yn gymeriad adnabyddus a hoffus gan bawb gan eu bod mor ddibynnol arno am gig rhad. Byddent yn archebu eu cwningen ymlaen llaw ac yr oedd yn gaffaeliad gwerthfawr iawn iddynt gan fod cig ffres mor ddrud. Daethant yn nodedig am eu ryseitiau ar y dulliau o goginio'r gwningen. Yr oedd *hot-pot* Headington yn bur enwog, yn cynnwys dwy gwningen a thipyn o rwdins a maip a'r cyfan wedi'i ferwi'n dda. Yn ôl un hen frawd a gofiai gynffon y cyfnod, y cinio tair seren oedd cwningen wedi'i berwi hefo lwmp o facwn a thwmplenni siwed.

Mae'n rhyfeddol fel y daliodd y bobl gyffredin hyn eu gafael yn y rhandiroedd o'u cylch a'u hawlio trwy ddefnydd yn hytrach na thrwy gyfraith. Yn wir pan ddaeth cyflenwad o lo ar ddiwedd y bedwaredd ganrif ar bymtheg, mynnai'r bythynwyr hyn ddal i losgi coed. Ac er pob bygwth a fu ar eu tiriogaeth, yn enwedig gyda chyfraith Cau'r Tir ym 1895, methiant fu pob cynnig. Yna ceisiodd Coleg Brasenose feddiannu tir agored a brydleswyd i ffermwyr lleol, ond ni lwyddwyd. Haerai un hen frawd yn y llys iddo botsio, tresbasu a chasglu coed tân am hanner can mlynedd ar diriogaeth Brasenose, 'Ac os y dowch draw bore fory, mi fyddaf yno yn gwneud un o'r tri pheth,' meddai.

Y mae hon yn stori ddigon cyffredin am gymunedau yn y bedwaredd ganrif ar bymtheg, pobl gyffredin yn dibynnu am gynhaliaeth ar gynnyrch tir, na feddent led troed ohono, ac yn mynnu cadw'r hawl hwnnw iddynt eu hunain.

Gwelir yr un annibyniaeth ym mhobl 'Sarsen' – pentref dychmygol gan y naturiaethwr enwog Richard Jefferies.[5] Nid oes yno yr un tirfeddiannwr cefnog na'r un Ustus Heddwch yn byw. Ar wahân i'r ffermwyr bychain mae yno ugeiniau o berchnogion bythynnod a phob un yn annibynnol. Mae'r dafarn hen a llwm yn llawn o gŵn; cŵn dan bob bwrdd a chadair ac ar fainc y ffenestr a chŵn yn dihefod ar gerrig oer y lloriau. Y mae clustogau'r soffa yn dew o flew cŵn, ac i bob golwg mae'r dafarn yn eiddo i'r cynllwyngwn hyn. Ond nid oes neb yn malio. Dyma weriniaeth heb unrhyw debygrwydd i lywodraeth. Gan ei bod ar gwr bwrdeistref y mae gan y bythynwyr bleidlais ac, o ganlyniad, ni ddylid eu hanwybyddu. Prif alwedigaeth y trigolion yw betio, chwarae cardiau, bridio ffureti a magu cŵn, potsio a gwleidydda.

Ar gwr y pentref y mae ystadau mawr ond fydd y perchnogion byth yn erlyn y werin gythryblus, rhag colli eu pleidleisiau. Ond chwarae teg i botsiars 'Sarsen' fe gadwant yn glir o Gyntedd Sancteiddiolaf y ffesantod. Ond ymgollant yn llwyr gyda'u ffured, y ci a'r gwn, ac ni thrônt eu trwynau ar y petris o bryd i'w gilydd. Yn yr un modd gyda'r groglath; y gwastadeddau agored yw eu tir hela, yn arbennig felly ar niwl!

Yn ei nofel The Mayor of Casterbridge mae gan Thomas Hardy gymuned hynod o debyg yn ei 'Mixen Lane'.[6] Rhyw fath o ddinas noddfa oedd 'Mixen Lane' i'r pentrefwyr cylchynol. Yno ffôi'r trallodus, y dyledwr ac, yn wir, y neb a oedd mewn helbul o unrhyw fath. Yr oedd yno groestoriad rhyfedd – gweision ffermydd a gwerinwyr o fath arall yn ceisio gwneud bywoliaeth ar ychydig o ffermio ac ychydig o botsio. Mae'n ymddangos fod y ddeupeth yn cydweddu'n iawn â'i gilydd. Yr oedd yma beirianwyr oedd yn rhy ddiog i gadw'u gwaith a gweision sifil oedd yn rhy anhydrin i neb eu goddef.

Yr oedd corstir eang yn ymestyn at gwr y dreflan gydag afonig yn gwahanu'r gors â 'Mixen Lane' a thu hwnt i'r gors yr oedd stad helaeth. O ddyfod at 'Mixen Lane' o gyfeiriad y gors byddai'n rhaid cylchynu cryn ffordd ond, i'r trigolion, yr oedd ffordd gyfrinachol arall. Yr oedd gan bawb ohonynt styllen naw modfedd o led a digon o hyd i ffurfio pompren dros yr afonig. Cuddient y styllen o dan y grisiau gan fod rhyw ias ryfedd o ddirgelwch ynghylch y bont symudol. Pan glywid chwibaniad yn hwyr y nos gwyddai'r trigolion mai'r potsiar oedd wedi cyrraedd at yr afon a byddai rhywun wedi carlamu yno'n llechwraidd ac estyn pompren iddo ef a'i faich. Dro arall byddai rhywun yn y dafarn – y 'Peter Finger' – wedi clywed yr alwad a byddai pont i'r crwydryn mewn dim o dro.

Mae'n wir mai tlodi a throeon croes bywyd a yrrodd yr anffodusion hyn at ei gilydd i 'Mixen Lane', eto yr oedd lleoliad y dreflan rywfodd wedi eu gorfodi i fod yn ddibynnol iawn ar ei gilydd, ac yn annibynnol ar y byd y tu allan. Diolch am y corstir eang a'i darth a'i niwl i ffurfio palis rhyngom ni a nhw; a diolch am yr afon i ffurfio terfyn. Fel ym mhentref Richard Jeffries y mae 'Mixen Lane' yn weriniaeth heb arlliw o lywodraeth ar ei chyfyl. Er mai cymunedau dychmygol dau awdur ar ddiwedd y bedwaredd ganrif ar bymtheg yw'r rhain, eto, fel y mae David J.V. Jones yn ein hatgoffa, mae pentrefi go-iawn fel y rhain i'w cael. Pentrefi gan amlaf yn agos i gorstir, tir comin, gwinllannoedd a chwareli, ystad neu ystadau neu ffermydd go fawr. Fe noda bentrefi a chymunedau fel hyn yn ne Lloegr fel Parley ar gwr Bournemouth, er enghraifft.[7]

Y mae John Watson braidd yn swil o enwi'r teip yma o gymunedau yn ei lyfr, cyfeiria atynt fel 'pentrefi cysglyd'.[8] Ond fe bwysleisia nad pentrefi dychmygol mohonynt. Gwyddai am bentref lle roedd y postmon a'r person yn hen law ar botsio. Arferai'r person gario (neu guddio) ei helfa mewn cwdyn du a ddefnyddiai i gario'r elorwisg. Yr oedd gof y pentref yn prynu helfa'r potsiars – cymwynas werthfawr. Yn wir yr oedd pawb bron yn y pentref yn ymhél â photsio mewn rhyw ffordd. Yr oedd merched y bythynnod yn rhwydo pysgod ac yn cornelu cwningod a 'sgwarnogod yn eu gerddi ar dywydd caled y gaeaf. Yn ystod nosweithiau meithion y gaeaf byddent yn cywiro'u rhwydau a gwneud croglethi ac yn torri'r milgwn i mewn. Gan eu bod yn bentrefi agored, y tu allan i ofal a dylanwad y tirfeddianwyr mawr, dyma bentrefi yn ôl Watson oedd yn ffyrnig o annibynnol! Pobl nad oedd modd eu hargyhoeddi fod potsio yn drosedd. Mi fynnai un hen botsiar yng ngharchar Carlisle mai gwrthdaro rhwng moesoldeb poblogaidd a rhyw ddeddfwriaeth ddiweddar oedd y cwbl. Yr oedd agwedd rhai o'r cymunedau hyn mor gryf dros yr hawliau hyn, a'r gosb yn eu herbyn mor ysgafn fel y caent eu hadnabod fel *'poaching villages'*.

Y mae rhyw nodweddion arbennig i'r pentrefi a'r cymunedau 'potsiars' hyn. Mae eu lleoliad yn bwysig fel y nodwyd eisoes, yn agos i gorstir a thir comin, coedlannau a chwarel ac ar derfyn stad neu stadau mawr a ffermydd breision. Yn ddiddorol iawn fe berthyn y nodweddion hyn i gyd o'r bron i Walchmai, a phe gallem ddod o hyd i Walchmai y bedwaredd ganrif ar bymtheg, rwy'n siŵr y byddai'r trigolion a'u hamgylchiadau yn debyg, a dichon yn ffyrnig o annibynnol, fel trigolion y pentrefi a nodwyd.

Fe saif Trewalchmai ar gwr un o stadau mwyaf Ynys Môn, Stad Bodorgan. Bu'r stad hon yn enwog am ei choedlan a'i heldir ciperiaid; yr oedd ynddi gymaint â saith o giperiaid ar un amser. Yno roedd bridfa ffesantod fwyaf Môn, ac fe ddeil felly o hyd. Yr oedd dwy stad lai na Stad Bodorgan ar yr ochr arall i'r pentref, Stad Presaeddfed a Stad Treiorwerth. Rhwng y tair stad yma roedd digon o ffesantod i'r ysgweiriaid a'r potsiars. Perthynai'r ffermydd mawr a gylchynai'r pentref i stad Bodorgan.

Yr oedd cynifer â naw o siopau yng Ngwalchmai ar un amser. Sam Lewis oedd y cariwr a forolai am yr holl nwyddau o stesion Bodorgan i'r siopau hyn ac ni châi drafferth yn y byd i gael dwylo i'w gynorthwyo yn y gwaith. Gwirfoddolai'r potsiars i'w helpu. Rhoddai'r daith hon gyfle da iddynt arolygu eu tiriogaeth eang yng ngolau dydd – gweld lle'r oedd bwlch neu adwy a beth oedd ansawdd y gwrychoedd.

O'r sgwâr yng Ngwalchmai Uchaf, gyrrent at Berffro hyd at groeslon Cerrighafal, yna troi i'r chwith ar draws gwlad i Soar. Erbyn hyn byddai dau neu dri o'r potsiars ar eu traed yn y wagan ac yn gorchymyn i'r gyrrwr ddal ar ben y wedd iddynt gael golwg iawn ar gaeau mawr Cerrigmynna, Cwyrtai a Bodwrda, ac yna ymlaen tua Soar. Wedi llwytho'n drwm yn stesion Bodorgan troi am adref, ond y tro hwn ar hyd ffordd arall er mwyn gwneud yn siŵr y caent olwg ar gymaint ag a oedd modd o'r caeau. Câi'r potsiars well golwg ar eu ffordd adref o ben y llwyth. Wedi troi i'r dde o Sgwâr Soar fe ffinient ar dir Sgubor Fawr, Rhosydd a Thyndryfol cyn troi am Walchmai a chip ar Bencraig a Thyddyn Gwyn, a dyna'r cylch yn grwn. Cafodd Sam Lewis y cariwr ei lwyth yn ddiogel o Fodorgan a chasglodd y potsiars wybodaeth fuddiol ar gyfer y nos – byddai'n llawer haws rhodio'r llwybrau yn y nos wedi cael golwg iawn arnynt yn y dydd!

Yr oedd tir comin yn rhan allweddol o'r 'pentra potsiar' ac yr oedd iddo le pwysig iawn yng Ngwalchmai hefyd. Dengys mapiau'r degwm 1840 fod rhandir eang o dir comin yr ochr arall i'r A5. Bu rhannu'r tir comin rhwng y tirfeddianwyr mawr yn golled eithriadol i'r bythynwyr a'r ffermwyr bychain yn Sir Fôn, fel mewn llawer man arall. Yr oedd perchnogion degymau ar eu mantais yn fawr hefyd er na fu iddynt wario ceiniog ar ffensio na llafurio i godi'r cropiau. Ond ni anwybyddwyd y tlodion yn llwyr; fe geisiwyd sicrhau peth manteision iddynt o'r tir a rannwyd. Fe brynwyd yn Llangefni beth o'r tir yma i'r tlodion ac aeth pobl Llangeinwen gam ymhellach trwy werthu peth o'r tir comin a chodi rhes o dai hefo'r arian ar gyfer yr oedrannus a'r gwael, am rent isel.

Ar wahân i hawl pori ar y tir comin yr oedd hen hawl arall i'w gael hefyd, sef yr hawl i godi tŷ dan amodau arbennig. Os y llwyddai neb i godi tŷ o ryw fath ar y tir comin mewn diwrnod a chael mwg trwy'r simdde cyn nos, yna fe gâi fyw yno yn ddi-rent. [9] Fel y gallesid disgwyl manteisiodd pobl Gwalchmai ar yr hawl hwn! Pan aed ati ym 1870 i gau'r tir comin yr oedd yno sgwatwyr i lawr ar y tir comin yn byw ers tro yn eu tai bach gwael ond fe'u cyfrifid gyda'r un hawliau â rhydd-ddeiliaid. Chafodd y tirfeddianwyr mo'u ffordd yng

Ngwalchmai. Fe gododd y trigolion eu tai gan gydio'r tir comin wrthynt. Y mae enwau'r bythynnod a'r tyddynnod yn fiwsig i'r glust ac yn brawf o ryw annibyniaeth barn a nodweddai'r bobl hyn: Pwll Llig, Tŷ Newydd, Ty'n 'Rardd, Brynteg, Porthmawr, Crosskeys a'r enwocaf dichon, Commins House: teulu Maggie Jones y siop, mam Peter Jones, a gododd Commins House ac a gydiodd y 'Mynydd' i'w ganlyn.

Dyma'r teulu a roes dir i godi'r cloc yn ddiweddarach. Yn ddiddorol iawn nid oedd gan Stad Bodorgan hawl saethu yn Commins House na'r Mynydd, ac er sawl ymdrech trwy'r blynyddoedd i gael yr hawl hwnnw mae'r gêm yn dal yn eiddo i Elwyn Jones, ŵyr Maggie Jones, sy'n dal yn berchennog. Y mae Cyril Hughes yn fab i ferch Ty'n 'Rardd a châi dreulio rhan o wyliau'r haf yno yn y pedwar degau, ac yr oedd yn gryn newid i blentyn o Fae Colwyn. Ni châi Cyril drafferth yn y byd i bartneru hefo plant bro Tŷ Nain a deuai'r plant i'w ganlyn i Dy'n 'Rardd gan fod yno le godidog i chwarae – tir agored i chwarae a moch ddigonedd bob amser. Mae'n amlwg i Nain synhwyro na ddeuai rhyw lawer o dda o'r holl blant ac fe allai'r rhain ddal i ddod i Dy'n 'Rardd wedi i'r ymwelydd fynd yn ôl i Fae Colwyn. Siarsiwyd yr ŵyr i orchymyn i'r plant gadw draw o Dy'n 'Rardd ond fu'r plant fawr o dro yn rhoi ar ddeall i'r dieithryn o Fae Colwyn fod gan bawb hawl ar y tir, gan mai tir comin oedd hwn! Doedd neb i ddod i Walchmai i sôn am hawliau.

Ar wahân i'r tir comin yr oedd rhandir eang rhwng Gwalchmai a Bodffordd – tir a brynwyd yn ddiweddarach gan y Weinyddiaeth Amddiffyn i bwrpas Maes Awyr. Dyma'r maes lle'r arferid rhedeg ac ymarfer y milgwn a chan ei fod yn anifail mor bwysig yng Ngwalchmai daeth y maes hwn yn ddynfa boblogaidd iawn. Yma y profid eu gallu ar y pryf mawr. Cheid dim llawer o helfa arno ac eithrio ambell 'sgwarnog gan mai tir gwael iawn ydoedd. Yr oedd yn eiddo i'r Cyngor Plwyf a byddent hwythau yn ei osod yn rhannau, yn dir pori. Ond fe gymerai'r helwyr eu hawl ar y lle gan mai eiddo'r plwyf ydoedd. Gan ei fod yn gryn beithdir galwyd y maes yn 'Canada', cwbl nodweddiadol o bobl Gwalchmai yn rhoi eu henwau eu hunain ar diroedd ac ar bobl! Mae'n debyg y byddai Cors Bodwrog yn amgenach tir hela a byddai'n arferiad erstalwm i helwyr Gwalchmai fynd i'r gors honno ar ddydd Nadolig i hela hefo'u milgwn.

Yr oedd llain arall o dir comin yng Ngwalchmai a elwid yn Bant y Fflamiau. Dywedir y ganwyd sawl potsiar yno ac ambell borthmon amlwg ac roedd yno ryddid a hawl i'r sipsiwn garafanio. Y rhain a roes dusw o friallu ar fedd yr enwocaf o borthmyn Gwalchmai, nos ei angladd. I'r llecyn hwn y deuai'r sioe bach hefyd. Nid rhyfedd fod Pant y Fflamiau yn dal yn annwyl iawn i bobl y fro hon o hyd.

Heb os, y mae Gwalchmai yn ffitio darlun y 'pentrefi potsio' y soniwyd amdanynt yn well nag unrhyw bentref arall ym Môn. Ond fe haedda 'Berffro yr ail safle yn siŵr. Bu'r 'Berffro yn bur enwog am ei photsiars ac fel y soniwyd eisoes bu cryn wrthryfel ar y Tywyn yno pan geisiodd George Meyrick ennill hawl hela ar y rhandir hwnnw. Dyma ardal W. J. Griffith a *Storïau Henllys Fawr (1938)*. Oni theimlir peth o'r annibyniaeth yma yng nghymeriadau ei storïau? Ac fe leisiwyd yr un awyrgylch yn nramâu'r Parchedig E. Arthur Morris a fu'n weinidog yno o 1925 hyd 1938. Mae'n debyg fod lleoliad daearyddol 'Berffro yn siŵr o fod yn fanteisiol i fagu'r math yma o annibyniaeth. Pentref yn y 'pen draw' ydyw a does dim dihangfa ond i'r môr. Ddaeth neb o Aberffraw heb droi yn ôl.

Y mae safiad Llanfair-yng-Nghornwy yn gywir yr un fath yn hyn o beth, ond mae i'r ardal hon nodwedd arbennig arall a'i gwna'n 'bentref potsiars'. Yn ôl David V. Jones fe geid y math yma o bentrefi ar hyd arfordiroedd a gartrefai smyglwyr ac roedd y môr garw a pheryglus yn ddelfrydol am gynhaeaf y môr yn Llanfair-yng-Nghornwy. Nid heb reswm y'i galwyd yn 'Ardal Wyllt'![10] Bu yma sawl llongddrylliad a thebyg i sawl môr-leidr fod yn gyfrifol am ambell un! Nid rhyfedd i'r bobl hyn fagu rhyw annibyniaeth barn a'u gwnâi'n reit unigryw ar lawer cyfrif. Fu yma erioed groeso i neb mewn awdurdod, yn arbennig y rheiny a fentrai roi eu trwynau yn eu brwas nhw. Ni fyddai deddfau o unrhyw fath fyth yn dderbyniol yn yr Ardal Wyllt. Yr oedd y plismon yn cynrychioli cyfraith gwlad iddynt ac o ganlyniad amheuent ef. Yn yr un modd byddai mwy nag amheuaeth yn eu hagwedd tuag at asiant yr

Ymddiriedolaeth Genedlaethol. Yr oedd hwn, pwy bynnag fo, yn amharu ac weithiau yn torri ar eu hawliau hen. Doedd wiw i neb rwystro'r rhain rhag cyrraedd y môr.

Gan fod yn Llanfair-yng-Nghornwy ddwy stad fechan, Caerau a'r Mynachdy, yr oedd yma sawl potsiar hefyd. Fe lwyddai'r potsiar a'r smyglwr i gyd-fyw'n ddigon cytûn ac roedd hyn yn wir am sawl un yn Llanfair yn yr hen fyd. Ond heb os, pentre Gwalchmai o holl bentrefi Môn, a haedda le ymhlith 'pentrefi potsiars'. Nid rhyfedd felly, pan holais ynghylch potsiars, i bawb fy nghyfeirio tua Gwalchmai, gyda'r eglurhad swta – 'O Walchmai roedd y potsiars yn dŵad!'

[1] Jones, Bedwyr Lewis (gol.) *Gwŷr Môn*, 1979.

[2] Richards, E., *Porthmyn Môn*, Gwasg Pantycelyn, 1998.

[3] Williams, Huw Llewelyn, *Thomas Williams Gwalchmai*, Gwasg Pantycelyn, 1961.

[4] Samuel, Raphael, *Village Life and Labour*, Routledge & Kegan Paul Ltd, 1975.

[5] Jefferies, Richard, *The Amateur Poacher*, London, 1879.

[6] Hardy, Thomas, *The Mayor of Casterbridge*, D. Campbell Ltd, Everyman's Library, 1983.

[7] Jones, David J. V., *Crime, Protest, Community and Police in Nineteenth Century Britain*, Routledge & Kegan Paul Ltd, 1983.

[8] Watson, John, *Poachers and Poaching*, Chapman & Hall, 1891. Ail arg. E.P., 1974.

[9] Williams, E. A., *The Day Before Yesterday*, G.W. Griffith, 1988.

[10] Richards, E., *Yr Ardal Wyllt*, Cyhoeddiadau Modern Cymreig, 1983.

Gorau Cipar, Hen Botsiar

Cyfeiria Ian Niall at herwhela fel y 'gelfyddyd goll', ac mae hynny yr un mor wir am fyd a gwaith y cipar hefyd.[1] Mae'r cipar, fel y potsiar, cyn hyned â'r drefn ffiwdal ei hun. Yr oedd yntau fel sawl un arall dan y drefn honno yn dibynnu ar y sgweiar a'r tirfeddiannwr cefnog am ei fywoliaeth. Yr oedd byddin gref o weithwyr ar lyfrau'r plas: seiri coed a maen, garddwyr a dalwyr cwningod a thyrchod, pob gradd o forwynion a gweision lawer ar y fferm a berthynai i'r plas. Caent i gyd eu galw'n 'weithwyr y stad'. Deil rhai o hyd i gofio'r balchder arbennig a oedd gan y gweithwyr hyn gyda rhyw deyrngarwch a ymylai ar fod yn wasaidd. Cydiai Ifan Gruffydd yng nghwt yr oes a'r drefn honno yn Nhreyscawen ym Môn.[2] Ond rhaid cadw mewn cof fod statws y cipar gryn dipyn yn uwch na'r un o'r gweithwyr hyn a byddai un olwg arno yn ddigon i brofi hynny. Yn wir pe gwelech hwn ar fore braf o wanwyn yn sefyll ar lawnt y plas a'i gŵn chwareus yn tin-droi o'i gwmpas, mi gredech yn siŵr mai ef oedd Arglwydd y Faenor. Yr oedd y cipar yn sefyll yn reit uchel yn hierarchaeth y plas, dim ond ychydig iawn yn is na'r stiward.

O rai o stadau mawr Lloegr a'r Alban y daeth y ciperiaid i Gymru yn y bedwaredd ganrif ar bymtheg, a rhai cyn hynny. O ganlyniad byddai ganddynt fantais ar y gweithwyr eraill gan iddynt gael eu magu yn awyrgylch a byd yr aristocratiaid cefnog. Yr oedd o'r pwys mwyaf bod meibion y ciperiaid yn dilyn galwedigaeth eu tad, ac o ganlyniad byddai'r plant wedi eu magu yn nullweddau'r plas. Yn naturiol bu iddynt godi acen y bonheddwyr hyn, a'r sgweiar yn medru siarad a thrafod yn syth, heb ganolwr, â'r cipar. Bu i sawl bonheddwr o Gymru fanteisio ar y cipar a adnabu fywyd y plastai mawr er mwyn eu hefelychu mewn rhai arferion. Ond yn bennaf dim, daeth y ciperiaid hyn ag arferion a gwybodaeth werthfawr ryfeddol i fyd helwriaeth stadau Cymru. Yr oeddynt yn gymeriadau hynod o ddylanwadol, a pha sgweiar a feiddiai amau eu gwybodaeth?

Ar gyfrif ei waith yr etifeddai'r cipar y statws neilltuol yma. Gwarchod, magu a meithrin y gêm oedd prif ddyletswyddau'r cipar, ac onid y gêm oedd yr em ddisgleiriaf yng nghoron byddigions y plastai? Mae'n anodd i ni ddychmygu beth a olygai'r ffesantod a'r petris i'r sgweiar; nid eu gwerth ariannol yn siŵr, fel y cawn weld. Rhoddai'r adar hyn rhyw falchder neilltuol iddynt, am mai eu heiddo nhw, y byddigions, oeddynt a neb arall. Yr oeddynt yn rhan o'u hetifeddiaeth er pan rannwyd y tiroedd, neu, fel y dywed Hugh Evans yn *Cwm Eithin*, 'er pan gymerwyd ein tiroedd'.

Y mae hanesyn diddorol, yn nes adref o lawer, yn arddangos perthynas y sgweiar â'i gêm. Yr oedd Robert Parry, Fferam, Llantrisant, yn gymeriad arbennig iawn, ac yn fawr ei barch yn yr ardal honno. Ef a gludodd efo'i drap a'i ferlen berson Llanrhuddlad, neb llai na Nicander, i'r eisteddfod enwog honno yn Aberffraw 1849 pan enillodd y gadair am ei awdl 'Y Greadigaeth'. Ond yn y cyswllt hwn fe gaiff merch Robert Parry fwy o sylw na'i thad. Bu i Pellet y ferch briodi â Thomas Price, prif beiriannydd iot y Frenhines Victoria. Daeth y gŵr hwn i gryn amlygrwydd gan iddo ddyfeisio'r 'sadiwr' ar longau, dyfais i'w anrhydeddu am ei gyfraniad neilltuol i forwriaeth. Ond roedd Price yn llawer iawn rhy gwrtais i dderbyn sylw ac anrhydedd o unrhyw fath, yr oedd mor fodlon ei fyd fel prif-beiriannydd ar gwch hwylio'r frenhines. Yn achlysurol, deuai Thomas Price a'i briod i Fôn, i gartref Pellet yn y Fferam. Byddai gofyn am gryn baratoi ar gyfer ymweliad mor enwog. Rhan o'r trefniant fyddai disgwyl amdanynt oddi ar y trên yng Nghaergybi ac mae'n debyg mai'r un trap a'r un ferlen a ddygodd Nicander at ei wobr ag a gyrchai'r mab-yng-nghyfraith enwog oddi ar y trên. Ar un o'r siwrneion hyn y sylwodd Thomas Price y potensial oedd i gob Caergybi. Ar y daith i Lantrisant, rhoes ei feddwl ar waith a chynlluniodd y cob. Eisteddodd ymhell i'r nos yn yr hen dŷ ffarm ar hen fwrdd crwn bach a oedd mor nodweddiadol o ddodrefn yr oes. Yno, wrth olau gwan y gannwyll, tynnodd gynllun o dwrbein trydan yn y cob, a oedd yn safle delfrydol i brosiect o'r fath. Wedi cwblhau'r cynllun, aeth am Gaergybi i'w ddangos i'r Arglwydd Stanley o Benrhos, perchennog y cob a'r holl diroedd ar Ynys Cybi. Cafodd y peiriannydd groeso mawr ym Mhenrhos a lledaenodd ei gynllun ar fwrdd mawr y plas – cynllun a fyddai'n gryn chwyldro i dref Caergybi. Heb os, yr oedd Thomas Price yn ddyn o flaen ei oes. Craffodd y bonheddwr yn ddeallus uwchben y cynllun heb ddweud yr un gair na gofyn yr un cwestiwn. Yr oedd fel pe bai'n deall pob llinell ohono. Yna troes yn sydyn at y peiriannydd fel pe bai wedi gweld drychiolaeth, ac meddai, *'Is it likely to upset the pheasants?'* Fe gâi tref Caergybi fod yn y tywyllwch os golygai bod y cynllun cynhyrchu trydan yn tarfu ar ffesantod y plas. Nid oedd yr Arglwydd Stanley yn ddim gwahanol i'r sgweiriaid eraill yn eu hagwedd at yr adar hyn.

Yr oedd llawer iawn mwy i fywyd a gwaith y cipar na'i gysylltiad â sgweiriaid a stiwardiaid y plas. Wedi'r cwbl yr oedd byd y cipar yn fyd unig ac unigryw ar lawer cyfrif. Rhyw un ochr i'w gymeriad oedd ei lordio hi ar dir y plas, ei arbenigedd wedi'r cwbl oedd byd natur. Yr oedd ei waith yn ei ynysu oddi wrth gymdeithas a phobl. Cuddiai ei deimladau personol tuag at bobl a'i siomiant gyda'i gyflogwyr ysbeidiol. Er y gallai gloi'r drws ar fyrdd o gyfrinachau ac ar wybodaeth o fyd adar a gwylltfilod a'u holl arferion, eto gwyddai'r cipar yn iawn y gallai ei elyn pennaf ddatgloi pob drws o'i eiddo. Ni fu dau elyn erioed mor debyg i'w gilydd na'r potsiar a'r cipar.

Er mwyn dangos y tebygrwydd hwn mae gan y Saeson hen ddihareb sy'n dyddio o'r unfed ganrif ar bymtheg: *'The greatest deer-stealer make the best park-keeper.'*[3] Y mae'r ddihareb yn adlewyrchu oes y stadau mawr yn eu gogoniant yn Lloegr pan fyddai parciau'r bonheddwyr yn llawn o geirw. Deuai'r potsiars hynny mewn gangiau i ddwyn y ceirw. Mae hanesion am ymladdfeydd gwaedlyd rhwng y potsiars a cheidwaid y parciau hyn. Mae'n debyg mai efelychiad o'r ddihareb Saesneg yw'r ddihareb Gymraeg sy'n adlewyrchu math gwahanol o botsio: 'Gorau cipar, hen botsiar,'[4] ond yr un yw neges y ddwy ddihareb, sef nodi arbenigedd neilltuol y potsiar a'r cipar. Nid yn unig y mae byd y ddau yn hynod o debyg i'w gilydd, mae eu gwaith a'u byd mor ddieithr i bawb arall. Mae'n debyg y byddai raid i ddyn gael ei eni i fod yn gipar ac yn botsiar. Honna'r hen gipar hwnnw George Watkin fod y cipar yn cael ei alw i'w waith a'i bod yn alwad sy'n tynnu dynion o bob oed a dosbarth ym mhob oes.[5] Yn ôl yr hen gipar mae'n alwedigaeth sydd cyn hyned â herwhela. Yn anffodus, ychydig iawn o ymchwil a wnaed yng Nghymru ar arbenigrwydd cymdeithasol potsio a chipera.

Ond er bod y cipar a'r potsiar yn rhannu cymaint o gyfrinachau â'i gilydd a'r rheiny'n eu gwneud yn ddau arbenigwr tebyg iawn i'w gilydd, eto fe wahaniaethai agwedd y cyhoedd yn fawr tuag at y ddau hyn. Nid oes unman, fel y gwelsom, yn well na'r ddrama Gymraeg i ddangos y ddwy agwedd hon. Portreadwyd y potsiar ym mhob drama Gymraeg o'r bron fel gwrthrych rhamantaidd a haeddai bob cydymdeimlad. Ni châi'r gynulleidfa drafferth yn y byd i ffafrio'r potsiar yn hytrach na'r cipar, gan ei fod ef yn destun gwatwar ym mhob drama. Y foment yr agorai ei geg, fe greai rhyw awyrgylch wamal a smala a chwbl estronol. Fe'i gwnaed i faglu dros eiriau bach syml unsill, ac ennynai lond neuadd o chwerthin wrth geisio dweud y peth mwyaf difrifol. Fu erioed y fath drybola o gamdreiglo erioed. Cred Dafydd Glyn Jones fod y cipar a'r stiward wedi colli'u Cymraeg, ynteu y doent o'r Alban neu Loegr, a'u bod yn y broses o ddysgu'r iaith Gymraeg. Bu i'r rhan fwyaf ohonynt orfod dysgu'r iaith, neu ni fyddai gobaith i'r werin eu deall yn eu hiaith eu hunain. Ac roedd y werin yn ddigon balch o osod rhyw fath o orfodaeth ar yr estroniaid hyn. Yn ôl Dafydd Glyn eto, 'nid yw'r ciperiaid yn ieithyddol lawn llathen ac wedi gosod eu hunain y tu allan i gymdeithas pobl normal.'[6] Yn wir daeth perfformiad y cipar yn y ddrama yn lasenw ar y neb a fyddai'n camdreiglo – 'Cymraeg Cipar Drama'.

Mae yma elfen gref o wir yn y modd y portreadwyd y cipar gan y dramodwyr hyn. Ar lawer cyfrif hen gymeriad sinistr oedd ef, yn stelcian yn y gwinllannau er mwyn dal ei gydddyn llai ffodus nag ef ei hun sy'n barod i dorri'r gyfraith er mwyn bwydo'i blant llwglyd a thlawd. Dyma fu tynged y cipar yn cynffonna'r tirfeddiannwr cefnog ac yn gwneud ei elynion ef yn elynion iddo'i hun. Fe lwythwyd y bai arno ef am gamwedd ei feistri ac am bechodau ei elynion.

Ond nid mewn drama yn unig yr oedd y cipar allan o'i ddyfnder, yr un yn hollol oedd ei hanes yn ardaloedd a phentrefi cefn gwlad. Ceir y disgrifiad yma ohono yn *Y Faner*: 'dynion eithaf digymeriad yn cario chwedlau mwy celwyddog na'i gilydd i'w meistri.'[7] Nid yn unig y byddai'n ddrwgdybus o'r potsiar, ond byddai felly tuag at denantiaid y stad; yn wir yr oedd yn ddrwgdybus o bawb ond y tirfeddianwyr a'r ysgweiriaid. Nid rhyfedd i elyniaeth anghymodlon godi rhyngddynt a'r holl ardal. Yn hyn o beth yn aml iawn yr oedd y cipar ei hun i'w feio. Mynnai i ryw ddieithrwch annaturiol fod rhyngddo a phawb a oedd y tu allan i'w gylch ef a'i feistr.

Rhoddai'r argraff ei fod ef a'i feistr ar yr un gwastad â'i gilydd a bod pawb arall yn llawer iawn is ar yr ysgol gymdeithasol. Mae'n wir ei fod tan goblyn o anfantais i gael ei dderbyn yn ei gymdeithas o'r cychwyn; yr oedd yn Sais uniaith yn byw yng nghanol Cymry uniaith, wedi eu mwydo mewn athroniaeth ymneilltuol a phiwritanaidd. Ar y llaw arall yr oedd byd a bywyd y ciperiaid estronol hyn mor wahanol gan iddynt gael eu magu a'u prentisio yn awyrgylch uchelwyr stadau mawr Lloegr o ganol y bedwaredd ganrif ar bymtheg. A heb os fe gollwyd llawer iawn o baill y dosbarth aristocrataidd ar genedlaethau o giperiaid Lloegr a chredent yn siŵr eu bod hwythau yn perthyn yn agos i'r byddigion hyn. Yr oedd y traddodiadau ciperaidd yn llawer iawn hŷn yn Lloegr nag yng Nghymru. Yn wir ychydig iawn o giperiaid Cymraeg a geid hyd at ddau ddegau'r ugeinfed ganrif. Doedd y Cymro ddim fel pe bai wedi ei eni i'r math yna o fywyd ac fe'i câi hi'n anodd iawn i erlyn ei gyddddynion. Nid rhyfedd felly mai Saeson ac Albanwyr oedd ciperiaid Cymru, yn ei lordio hi ar etifeddiaeth eu meistri – yn ddi-Gymraeg, yn Eglwyswyr ac yn ddiddirwest.[8] Fel hyn y cyfeiria Tom Ellis atynt: *'A crowd of English and Scottish gamekeepers were introduced and dotted all over the estate. I cannot describe the repugnance and loathing caused by the overbearing conduct and petty tyrrany of many of these gamekeepers.'*[9]

Ond er mor gas ei wyneb y gallai'r cipar fod hefo'r potsiars a'r tenantiaid, eto fe geid ambell denant a fyddai'n barod i droi'n achwynwr i'r cipar a gwerthu ei gymydog am bitw o gil-dwrn a chael hob-nobio yn y dafarn leol hefo'r cipar. Dyma yn siŵr yw ystyr yr hen ddywediad cefn gwlad 'gwas i was y neidr'. Fe gâi'r bradwyr hyn driniaeth ddidostur gan eu cymdogion.

Ond beth bynnag fu perthynas y cipar â phobl ei gymuned yng nghefn gwlad, rhaid cydnabod fod hwn yn bencampwr yn ei waith, a gwaith anghyffredin o ddiddorol ydoedd hefyd. Y mae Edgar Jones o Ben Llŷn wedi dangos hynny'n glir iawn inni. Mae'n anodd meddwl am unrhyw waith sy'n gofyn am gymaint o gymwysterau a'r rheini mor wahanol ac amrywiol. O ganol y bedwaredd ganrif ar bymtheg hyd ganol yr ugeinfed ganrif, cyfrifid swydd y cipar yn un dra phwysig. Gan fod gêm yn rhan mor bwysig o statws a bywyd y plastai yr oedd o'r pwys mwyaf bod y cipar yn bencampwr ar ei waith ac yn adnabod ei le ym mhatrwm bywyd y plas. Fel y dywedwyd yr oedd wedi bwrw prentisiaeth dda cyn dod i Gymru mewn stadau pwysig yn yr Alban a Lloegr. Yr oeddynt yn codi mwy na digon o giperiaid yn Lloegr ac felly byddai raid mynd allan i chwilio am stad a bu i laweroedd ohonynt gartrefu yma gan ddysgu'r iaith a thoddi'n naturiol i fywyd cefn gwlad. Bellach mae'r drydedd os nad y bedwaredd genhedlaeth yma ym Môn. Ceir enwau fel Sergant, Wilson, Gibbson a Joseph Dean, sydd wedi hen gartrefu yma. Gan y byddai niferoedd y ciperiaid hyn yn amrywio mae'n anodd dweud i sicrwydd sawl cipar a fyddai yma ym Môn ar amseroedd penodedig. Gwyddom y byddai yn y stadau mwyaf fel Baron Hill a Bodorgan rywle rhwng chwech ac wyth ohonynt ac yn y stadau llai fe geid o leiaf dri – cryn boblogaeth o giperiaid felly.

Gan ein bod bellach yn sôn am 'gelfyddyd goll' mae'n bwysig cadw rhai ffeithiau am fyd a gwaith y cipar. Y mae ym mhapurau'r gwahanol stadau gyfeiriad parhaus at y cipar a'i waith:

(i) Derbyniadau'r Cipar

Câi'r cipar ei dŷ yn ddi-rent ac yn ddi-dreth, a'i danwydd mewn glo a'r bwthyn mor agos i'r adar ag oedd modd. Byddai'r stadau wedi eu rhannu i bwrpas hela'r heldiroedd ac ar stad Bodorgan roedd saith heldir gyda bwthyn cipar ar bob un ohonynt ac erys y bythynnod yno o hyd.

Ym Modorgan roedd y pen-cipar yn byw yn y Kennels wrth y plas gydag un cipar arall mewn bwthyn ar diriogaeth y plas. Yr oedd bwthyn arall ar heldir Penyrorsedd gyda chytiau cŵn pwrpasol dros y ffordd. Ar gyfer heldir Gwalchmai ceid bwthyn y Grib, a bu hwn ar un amser yn Dŷ Tafarn gan mai 'Tafarn y Grib' yw'r enw ar hen fapiau. Yn rhandir Soar y mae bwthyn Penrhos, ac yna fe geir bwthyn arall – Caban – yn nes i Aberffraw. Yr oedd y bythynnod, a oedd ar siâp potel inc, wedi eu dotio dros y stad i gyd mewn mannau lle gallai'r cipar arolygu ei heldir.

Yr oedd cyflog y cipar, a gâi ei dalu bob mis, yn rhagori cryn dipyn ar gyflogau'r dydd, yn enwedig cyflogau gweision ffermydd. Dyma restr cyflogau ciperiaid Plas Newydd yn nau ddegau'r ugeinfed ganrif:

> Arthur Sergant (pen-cipar): £2 yr wythnos
> = £104 y flwyddyn.
> Joseph Dean (is-gipar): £1 yr wythnos
> = £78 y flwyddyn.
> William Jones (is-gipar) £1 12s 0d yr wythnos
> = £83 4s 0d y flwyddyn.

Ym 1935, daeth cipar newydd o'r enw Ashman i Blas Newydd, i Heldir Llwynogan, a nodir y manylion hyn amdano: Cyflog wythnos: £2 5s 0d; Bwyd i'r cŵn: 4s 6d dros bob ci yr wythnos. Un siwt y flwyddyn. Pensiwn: £1.[10]

Mantais arall i'r cipar fyddai cael ei ddillad yn rhad ac am ddim. Y pen-cipar fyddai â gofal o'r dilladau. Fe gâi'r cipar un siwt bob blwyddyn ac un gôt fawr bob pum mlynedd. Fel arfer byddai'r sgweiriaid am i'w ciperiaid fod yn y brethyn gorau gan y gwyddai pawb pwy oedd yn ei ddilladu. Wrth gwrs, y teiliwr lleol a gâi'r archeb. Brethynwyr o Dynygongl, yn Benllech, a ddilladai giperiaid Bodorgan a Phlas Newydd neu i roi ei deitl swyddogol: Edward Parry, Breeches and Sporting Specialist, Tynygongl. Yr oedd hon yn fath o iwnifform ac fe gâi'r cipar ddewis naill ai glos pen-glin neu un arall ar batrwm trywsus-dwyn-afalau. Ond clos pen-glin fyddai'r dewis gan amlaf. Yna legins melyn o ledr ystwyth gydag esgidiau yn paru â'r legins. Byddai'r het frethyn o'r un lliw â'r siwt. Yr oedd y gôt fawr o frethyn neilltuol o drwm ac yn faich cynnes ar ysgwyddau'r cipar i gadw'r oerni draw. Costiodd dillad ciperiaid Plas Newydd ym 1931 gymaint â £22 ac roedd hynny'n bentwr o arian ddeng mlynedd a thrigain yn ôl. Mae'n debyg mai John Charles Parry oedd yr olaf o'r teulu i fesur ciperiaid Môn am siwt a chofiwn yn dda amdano fel arweinydd côr enwog Bro Goronwy.

Rhag digwydd niwed i'w giperiaid wrth groesi lein y rheilffordd ar dir y stad, byddai Ardalydd Môn yn yswirio'r ciperiaid. Mae hyn yn dangos mor ofalus yr oedd y sgweiriaid o'u ciperiaid. Eto gwelwn yr un consýrn pan gafodd yr is-gipar Coles o Blas Newydd a thri o'r plant y dwymyn goch yn go ddrwg; anfonwyd nyrs yno gan y foneddiges i gynorthwyo'r fam.

(ii) Dyletswyddau'r Cipar

Yr oedd dyletswyddau'r cipar yn niferus ryfeddol. Fu erioed swydd a oedd yn gofyn am fwy o gymwysterau gan un person, ac ymestynnai'r dyletswyddau o naturiaethwr i blismon a thwrnai.

a) Tymor gori a deor

Yn gywir fel y mae gan y bugail ar fynydd a llawr gwlad ei dymor wyna felly hefyd y mae gan y cipar ei dymor gori a deor. Fu erioed aderyn mwy gwannaidd a mwy chwannog i farw na chyw ffesant, ond wrth gwrs o'r dwyrain y daeth yn wreiddiol ac ni fwriadwyd erioed i neb geisio ei fagu yn nhymheredd Sir Fôn. Ond cyn i'r un ffesant bach ddod i'r byd byddai cryn waith casglu'r wyau a chael digon o ieir gori. Byddai tymor nythu a dodwy yn trethu mwy ar y cipar nag odid unrhyw dymor. Gwyddai am bob nyth ffesant a phetrisen ar y stad, gwaith a ofynnai am graffter neilltuol iawn a synnwyr y naturiaethwr gan na fu erioed aderyn tebyg i'r ffesant am ei guddliw, wrth iddo ymdoddi'n naturiol i liwiau'r rhedyn crin a'r blodau eithin llachar fel pe bai'n tynnu sylw oddi wrth y nyth. Ond allai'r ciperiaid fyth ddod i ben i ymorol am yr oll o'r nythod a'r wyau, felly byddai'n bwysig cael cymorth eraill. Byddai gweision ffermydd yr ystad yn manteisio ar y cyfle i wneud pres poced allan o'r busnes a byddai digon o'r potsiar yn rhai ohonynt i synhwyro ble y nythai'r ffesant. Dyma'r cytundeb rhwng ciperiaid Bodorgan a'r gweision: câi'r gwas swllt am bob nyth a ffeindiai, yna cadw llygad ar y nyth am dair wythnos nes i'r wyau ddeor. Ond ni fyddai tâl nes i'r cywion ddod. Byddai rhai yn dwyn y wyau i'w gwerthu neu eu bwyta. Yr oedd rhai o'r nythod mewn mannau rhy beryglus i'w gadael: ar ymyl llwybr prysur, neu wrth redfa llygoden fawr a'r carlwm neu'r bladur a'r cryman. Byddai'r cipar weithiau'n gwneud siâp nyth mewn lle go ddiogel er mwyn denu'r ffesant yno. Credai'r ffesant mai y nhw a ddechreuodd y nyth a chan fod yr ysfa nythu mor gryf ynddynt byddent yn dechrau sawl nyth. Yr oedd y betrisen yn well mam o lawer na'r iâr ffesant a byddai'n barod i ryfygu ei bywyd i warchod yr wyau neu'r cywion. Gan fod y ffesant mor wael am fagu'r cywion byddai rhai o'r stadau mwyaf, ar ôl saethu, yn corlannu'r ieir i le caeedig, rai cannoedd ohonynt, ac yna yn dethol y ceiliogod gorau i'w gollwng atynt. Byddai ciperiaid Plas Newydd yn gweithio'r dull yma ac yn gwerthu miloedd o wyau ffesant bob blwyddyn. Yn ychwanegol at y ffesant byddai ganddynt ugeiniau o ieir dandi yn gori hefyd. Byddai llawer o'r ieir ffesant yn gori allan er na fyddent yn llwyddiant mawr. Yr oedd nyth y ffesant mor hawdd i fynd ato a chynifer o anifeiliaid bach barus am yr wyau. Yr oedd y draenog yn goblyn am wyau ffesant a phetris a fu erioed greadur bach mor anodd i'w droi draw. Yr oedd y carlwm fenyw yn ddigon call i ddisgwyl nes y byddai'r wy ar ddeori ac yn llawn gwaed, yna bwydai ei chywion ei hun â'r gymysgfa. O ganlyniad ymroes y ciperiaid i gael yr ieir ffesynt i baru ac i ori dan do. Chwilient am ieir gori ymhell ac agos, benthyca neu brynu.

Ond ni fyddai pob ystad yn mynd i'r gost a'r helbul o ddeor eu hwyau eu hunain a gadawent i'r ffesantod gymryd eu siawns. Byddai'n well ganddynt brynu wyau o Ffermydd

Gêm yn Lloegr. Bu cryn fasnachu mewn wyau ffesantod a phetris rhwng y stadau a'i gilydd ac arbenigai rhai stadau mawr mewn wyau. Y mae cofnod am un cwmni o'r enw Gilbertson and Page Ltd o Hertford a fyddai'n delio â stadau ym Môn. Yn eu hysbyseb cynigient gant hir o wyau ffesant (sef cant ac ugain) am gyn lleied â deuddeg swllt a naw ceiniog. Yr oeddynt yn barod i anfon cist o ddeuddeg cant o'r wyau. Ond ar y cyfan byddai'n well gan y ciperiaid wyau lleol, ac fe dradiai rhai o'r stadau ar gyfer y farchnad honno. Byddai ym Mhlas Newydd a Phlas Gwyn ddarpariaeth helaeth o wyau ffesantod a byddent yn gwerthu llawer iawn yn lleol.

Yn Chwefror 1929 bu i Pritchard Rayner, Treyscawen roi archeb am rai cannoedd o wyau o Blas Newydd a chafodd wybod mai chwe phunt y cant fyddai'r pris.

Yn ystod streic fawr 1926 bu cryn ddryswch i'r gwerthwyr wyau gan y dibynnent yn gyfan gwbl ar y trên i dderbyn ac anfon wyau.[11] Cwynodd stiward Plas Newydd mewn llythyr a anfonwyd ar y pymthegfed o Fai 1926 at gwsmer yn Llundain o'r enw Burrough. Yr oeddynt wedi llwyddo i werthu dwy fil o wyau am bris o £102, a bu'r costau'n ddeugain punt. Ond yr oedd ganddo bymtheg cant o wyau ar ei ddwylo na allai eu gwerthu er gofyn a holi pawb. Oherwydd y streic yr oeddynt wedi methu anfon archebion a olygai gannoedd o wyau – oddeutu saith mil. Yn ôl amcangyfrif y cipar, Arthur Sergant, dylai tri chant o ffesantod ddodwy chwe mil o wyau a fyddai'n werth deugain punt y fil, felly'n werth £240.

b) *Tymor magu a meithrin*

Ond pa ddull bynnag a ddewisai unrhyw stad, byddai pawb ar ddiwedd y tymor deor yn gorfod magu a meithrin y cywion ffesantod a'r petris. Dyma'r gwaith a hawliai fwyaf o arbenigedd a golygai'r gofal yma gryn sgìl ar ran y cipar. Byddai'n adnabod y ffesantod a'r petris yn eu hamrywiol ymddygiadau, ac roedd yr wybodaeth drylwyr hon a'i ymroad diflino yn gwbl hanfodol yn ei ymdrech i fagu ac i feithrin, yn arbennig yn ystod y dyddiau cyntaf. Byddai'r broses yn eithriadol o anodd cyn darganfod cyffuriau newydd, ond mae'n rhyfeddol mor gelfydd y byddai'r ciperiaid wrth gadw'r cywion yn fyw rhag y gelyn o'r tu fewn fel petai.

Yr oedd ganddynt hen arferion a meddyginiaethau a gadwyd o genhedlaeth i genhedlaeth. Treulient oriau, ddydd a nos, yn gwarchod y cywion. Yr oedd y chwe wythnos cyntaf yn gwbl dyngedfennol yn eu hanes. Gallwn yn hawdd ddychmygu'r helbul wrth i gannoedd lawer o wyau ddeor yr un pryd. Does dim byd sy'n fwy o dynfa i lygod mawr nag aroglau wyau yn deori a chywion bach egwan yn drwm o wlybaniaeth. Byddai raid cadw'r cywion dan do a chreu tymheredd cydnaws â'u natur. Gwres artiffisial oedd yr unig ffordd, ac nid oedd hynny'n waith hawdd bedwar ugain mlynedd yn ôl.

Yr oedd digonedd o adeiladau eang a digon hwylus i fagu'r ffesantod ar y stadau, gyda llofftydd mawr ac iddynt loriau coed cynnes. Yr oedd llofft y coetsiws yn lle delfrydol i fagu ffesantod. Tra byddai'r mamau diog a di-feind yn pesgi'n braf hyd y caeau ac yn ei jolihoitio gyda'r ceiliogod balch, byddai'r cipar druan yn ymroi i warchod miloedd o'u cywion amddifaid. Tyfai perthynas neilltuol iawn rhwng y cipar a'r cywion; wedi'r cwbl yr oeddynt yn dibynnu'n gyfan gwbl arno. Mae'n ddiddorol iawn cymharu ambell nythaid a fyddai wedi deor allan gyda'r iâr a ddihangodd ddiwrnod hel. Yn amlach na pheidio tri neu bedwar cyw fyddai ganddi allan o ddwsin. Ond dyma'r ffesynt y byddai'r saethwyr yn eu blysio; roedd y rhain yn wyllt ac yn codi'n uwch o lawer na'r cywion llywaeth a fagwyd o law y cipar.

Dan amgylchiadau mor ffafriol fyddai'r cywion dro bach na fyddent wedi tyfu'n fawr ac yn magu plu ar eu cefnau a'r rheini yn guddliw ar gyfer y cam hollbwysig nesaf yn eu gyrfa. Wedi cyrraedd oddeutu chwe wythnos oed byddent yn barod i adael cludwch eu cartref cyntaf. Dyma'r symudiad anoddaf yn yr holl broses o fagu ffesantod ond fe wyddai'r cipar i'r dim trwy brofiad sut i ddelio â'r cam hwn hefyd. Yn agos i'r plas, yr oedd coedlannau a digon o gysgod i'r cywion, ac mewn llawer stad yr oedd cae bychan neu ddau fel pe baent yn swatio yng nghysgod coed. Byddai'r tywydd ar ei orau o ran tymheredd ym mis Gorffennaf ac Awst a byddai'r cipar wedi paratoi ar gyfer y diwrnod hwn trwy osod cwbau pwrpasol ar gyfer y cywion mewn llanerchau cysgodol. Roedd y cwb yn mesur rhyw ddwy droedfedd sgwâr ac yn ugain modfedd o uchder yn y ffrynt. Yr oedd y to'n llithro gyda chaead yn y ffrynt ac wedi ei awyru'n dda. Y cam cyntaf fyddai rhoi ychydig o'r cwbau hyn mewn ffaldiau yn y cysgod. Gadawai'r rhain am rai dyddiau gyda'r cywion wedi eu cau i mewn, yna wedi iddynt setlo a chynefino elai â'r gweddill yno atynt. Ymhen rhyw fis neu chwe wythnos byddai'r cywion yn ddigon cryf i ehedeg dros ffens y ffaldiau a dyna dragwyddol ryddid wedyn.

Ond magwraeth annaturiol yw hon ac fe gydnebydd pob cipar na all ddysgu a deffro rhyw reddfau cynhenid yn y ffesantod bach. Un o'r gwersi pwysicaf a ddysgai pob iâr i'w chywion fydd rhybudd o beryglon. Gelyn pennaf y cywion bach wedi iddynt gael eu rhyddid fyddai'r ddau gudyll, y coch a'r glas. Fe ddeuai'r rhain yn gwbl ddirybudd gan godi'r cyw diniwed yn eu crafangau haearnaidd. Arferai Hugh Lewis dorri llwybrau trwy'r gwair hir er mwyn i'r cywion ddianc i'r tyfiant pan welent gysgod y gelyn yn dod. Yr oedd yn bwysig newid cae y ffesantod bob blwyddyn iddynt gael tir ffres.

Ond er i'r cywion adael eu nyth artiffisial a throi i'r coedlannau a'r caeau, daliai gofal y cipar yr un mor gyson drostynt drwy eu bwydo'n ddyddiol. Prynai bryfetach sych wedi'u cymysgu â blawd ceirch. Nid rhyfedd yn wir, gyda'r holl ofal a gâi'r cywion ffesant, iddynt dyfu'n adar mor bendefig a'u clochdar balch ar lawnt y plas. Ond diben y fagwrfa fyddai paratoi ar gyfer y cynhaeaf saethu.

Wrth sylwi a manylu ar yr holl batrwm o fagu a meithrin y ffesantod a'r petris, mae'n amlwg mai hon oedd un o'r eitemau mwyaf costfawr yn economi'r stadau. Mae hyn eto yn brawf mor bwysig y cyfrifid helwriaeth gan y bonheddwyr. Diogelwyd y cyfrifon ym mhapurau'r stadau, yn arbennig yn llyfrau cownt y ciperiaid. Gan nad oedd y fath beth â chwyddiant i amharu rhyw lawer ar y ffigyrau o flwyddyn i flwyddyn, fe ellir dewis unrhyw gyfnod o ganol y bedwaredd ganrif ar bymtheg hyd at ugeiniau'r ganrif ddiwethaf.

Cyfeiriwyd eisoes at streic fawr 1926 ac fel y crëwyd cryn

ddryswch yn y patrwm arferol o brynu a gwerthu wyau ffesantod a phetris. Gofynnodd Ardalydd Môn o'r Plas Newydd i'w stiward Kitson a'r pen-cipar, Arthur Sergant, lunio amcan gost i fagu'r ffesantod i gyd gan na allent werthu'r wyau fel arfer. Dyma ganlyniad eu harolwg:

(i)	Cost corlannau a chadw tri chant o ffesynt am y cyfnod gofynnol:	£ 60 0s 0d
(ii)	Cost o fagu pedwar cant o adar ar gyfer stoc i'r stad:	£ 40 0s 0d
(iii)	Bwydo'r adar hyn yn y cyfarau:	£ 20 0s 0d
(iv)	Ychwanegiadau a hapiau:	£ 20 0s 0d
	Cyfanswm:	£140 0s 0d

Cawn ffigyrau diddorol iawn ym mhapurau Stad Bodorgan o gofio mai dyma un o'r stadau mwyaf ar Ynys Môn ddiwedd y bedwaredd ganrif ar bymtheg. Amrywia cyflogau'r ciperiaid o fis i fis, gan y byddid angen mwy o giperiaid ar rai adegau o'r flwyddyn.

Cyflogau'r ciperiaid a chymysgfwyd y ffesynt am y flwyddyn 1898

Ionawr 8fed	Cyflogau'r ciperiaid am fis	£17 13s 0d
	Blawd Ceirch	£ 4 0s 0d
Chwefror 5ed	Tunnell o lo i'r ciperiaid	18s 4d
Mawrth 5ed	Cyflogau'r ciperiaid	17s 0d
	Blawd Ceirch	£18 0s 0d
Ebrill 2ail	Blawd Ceirch i giperiaid y Grib a Phen'rorsedd	£ 2 16s 0d
Ebrill 30ain	Cyflogau'r ciperiaid	4s 0d
	Blawd ceirch	£17 17s 0d
Mai 25ain	Costau'r ciperiaid	£ 1 8s 0d
	Tunnell o lo i'r ciperiaid	18s 4d
Gorffennaf 23ain	Costau'r ciperiaid	£ 2 14s 4d
Awst 20fed	Costau'r ciperiaid	£ 1 8s 0d
	Blawd ceirch a gwenith	£ 9 14s 0d
Medi 17eg	Costau'r ciperiaid	£ 3 3s 6d
Hydref 15fed	Costau'r ciperiaid	£15 10s 6d
	Blawd ceirch	£23 4s 0d
Tachwedd 12fed	Costau'r ciperiaid	£15 10s 6d

	Ceirch	£28 1s 4d
	Tunnell o lo i'r ciperiaid	18s 4d
Rhagfyr 10fed	Cyflog ciperiaid	£12 0s 0d

Yr oedd saethu a chiperiaeth yn ei fri yn negawd cyntaf yr ugeinfed ganrif. Cafodd Bodorgan dymor saethu eithriadol o dda yn ystod 1908 fel y gwelwn:

Hydref 3ydd	Blawd a blawd ceirch	£19 10s 0d
Hydref 31ain	Curwyr ar gyfer pob cipar	£ 9 12s 6d
	Ceirch	£16 15s 0d
Tachwedd 28ain	Curwyr ar gyfer pob cipar	£ 8 11s 3d
Rhagfyr 26ain	Curwyr ar gyfer pob cipar	£10 7s 6d
	Blawd ceirch	£ 7 0s 0d

Rhydd y ffigyrau hyn inni syniad o'r gost o gynnal a chadw system helwriaeth ar y stadau hyn. Mae'n amlwg nad oedd y system yn ei chadw ei hun yn ariannol o bell ffordd. Ond yng ngolwg yr ysgweiriaid yr oedd o'r pwys mwyaf fod y drefn hon yn aros costied a gostio, ac er mor herfeiddiol oedd y potsiar, mynnai'r byddigions gadw'r gêm yn eiddo iddynt eu hunain ac fe gytunai pob cipar â'i feistr.

c) Bridio a Hyfforddi Cŵn

Byddai cryn gost ar y sgweiar i gadw a hyfforddi'r cŵn hefyd. Yr oedd y cŵn, fel y ffesantod, yn rhan gwbl hanfodol o drefn helwriaeth y plas ac yn rhan o gyfrifoldeb y cipar. Fel y potsiar, ni welid fyth mo'r cipar ychwaith heb ei gŵn o'i gwmpas. Y milgi a'r cynllwyngi oedd dewis gŵn y potsiar tra dewisai'r cipar y llamgi, y sbaengi a'r adargi mawr. Gan fod y cipar yn hynod o ddewisol ynglŷn â'i gi, ni châi neb arall ond y fo ymwneud â'i gi, ac o ganlyniad byddai perthynas neilltuol rhyngddo a'i gi, cymaint felly fel na weithiai'r ci i neb ond ei feistr. Roedd cryn wahaniaeth rhwng cŵn y cipar a chŵn y potsiar. Câi ci'r potsiar dragwyddol ryddid i'w reddfau i hela a lladd, ond nid felly yn hanes ci'r cipar. Bydd raid i'r cipar ei ddysgu i beidio lladd ac i barchu'r adar a'r gwylltfilod, yn ogystal ag i warchod ei feistr a'i gartref. Bydd wedi ei ddysgu yn y fath fodd fel y byddai'n barod i amddiffyn ei feistr ar un alwad, a bod yn llygaid ac yn glust i'w feistr. Fe sonia cyn-gipar Epping Forest, Sidney Butt, am gi neilltuol a fu'n eiddo iddo ef. Croesiad o adargi dugoch hefo ci defaid Seisnig oedd Roger, ac os digwyddai potsiar gyffwrdd â'i feistr byddai ar ben arno. Yr oedd wedi ei hyfforddi yn y fath fodd fel y gallai ddal ei afael mewn ci arall gerfydd ei goler yn ddiollwng. Yr oedd gan Sidney enghraifft o'r ci yn gweld potsiar yn tagu ceiliog ffesant, ac ar archiad ei feistr cornelwyd y potsiar fel na fedrai symud fodfedd.[12]

Yn ddi-os yr oedd y cipar yn bencampwr am hyfforddi ei gŵn, yn arbennig o gofio fod mwy o waed yn y brid oedd ganddo o'i gymharu â'r ci defaid neu'r cynllwyngi. Mae ysbryd sbringar gwyllt yn yr adargwn a'r sbaengwn a byddai raid wrth ddigonedd o amser heb sôn am amynedd Job i'w hyfforddi. Arferai John Wilkins, hen gipar enwog, ddweud fod yna sawl ffordd i hyfforddi ci ond mai dim ond un ffordd lwyddiannus: Caredigrwydd, Amynedd a Dyfalbarhad.[13] Gwnaeth Wilkins enw iddo'i hun fel hyfforddwr cŵn adar, 'cŵn y cipar'. Mynnai eu cael yn ifanc, o wyth i ddeuddeng mis oed, ac fel rhan o'r hyfforddiant byddai raid dysgu'r ci i godi, cario a gollwng i law ei feistr. Dull yr hen gipar o dorri ci i mewn fyddai curo peg i'r ddaear gan adael rhyw droedfedd yn y golwg. Yna, fe glymai raff fain wrth y polyn, tua ugain llath o hyd, a'i chlymu i goler y ci, yna rhedeg yn gyflym gyda'r ci gan gyflymu fwyfwy; yn sydyn daw'r ci i ben ei dennyn gan fwrw ei din dros ei ben. Yna rhedeg yn ôl ar yr un cyflymdra gan weiddi 'down' yn sarrug wrth y peg. Parhâi i ailadrodd y broses hon ddwsin a mwy o weithiau nes bo'r ddau, y ci a'r cipar, bron â diffygio. Yn araf bach llonydda'r ci a gorwedd ar archiad ei feistr oedd yn dal i alw'n bendant a sarrug.

Wedi oriau o ymarfer fel hyn câi'r ci ifanc fynd i hela yng nghwmni hen gi ufudd gan fod rhyw reddf ryfeddol mewn ci ifanc i efelychu ci arall, megis pob creadur arall. Byddai'r cipar yn ailadrodd y broses hon drosodd a throsodd, gan ofyn am ddyfalbarhad a'r amynedd anhygoel. Nid oedd dim byd a roddai fwy o foddhad i'r cipar, yn ôl Jack Wilkins, na gweld llamgi ifanc, gwirion yn ufuddhau i archiad ei feistr. Ond er

PORTABLE COPPERS

These Coppers are exceedingly useful for gamekeepers for preparing the food on the rearing-field. They work equally as well in the open air as under cover, and their use means a great saving of fuel. The frames are made entirely of cast iron, and the fire-chamber is lined with fire-brick; they are fitted with galvanized coppers, which can easily be removed for cleaning. Unless other instructions are received, a piece of smoke-pipe, 2 feet long, is sent with each copper. Extra lengths can, however, be supplied.

Prices of Coppers

6 gallons	..	66s.
10 ,,	..	84s.
15 ,,	..	102s.

Carriage charged extra.

Galvanized Iron Copper Lids (extra).

6 gallons	..	11s. 6d.
10 ,,	..	11s. 6d.
15 ,,	..	12s. 6d.

DRINKING CUPS

For supplying the hens with water on the rearing-field; out of reach of the chicks.

7s. per dozen, carriage paid.

COOPS FOR GAME REARING

Plain, strong and serviceable. Particulars—Well painted with red lead paint, sliding lid in roof, removable shutter in front, well ventilated.

Size, 23 in. by 23 in. ; 20 in. high at front.
Price 10s. 6d. each.

Six Coops carriage paid.
Coops charged 9d. extra if sent to Scotland.

GALVANIZED PANS

7 in. diameter. 7s. 6d. per dozen.

BOILERS WITH STRAINERS

Fitted with special strainers; just the thing for cooking rice and eggs.

3 gall. Boiler and Strainer, 25s.
5 ,, ,, ,, 35s.
Carriage paid.

KEEPERS' SIEVES

For rubbing hard-boiled eggs through. Ordinary mesh, 6 holes to the inch ; fine mesh, 8 holes ; extra fine mesh, 12 holes.
Round, 16 in. diameter.
7s. each. Postage paid.

WOODEN BOATS

For carrying the feed to the birds on the field, etc.

20 in. long	➡	3s. 9d. each.
21 in. ,,	➡	4s. ,,
23 in. ,,	➡	4s. 6d. ,,
25 in. ,,	➡	5s. ,,
27 in. ,,	➡	5s. 6d. ,,

Carriage paid.

WIRE
WEIGHT
SAFE
TRIGGER
BARREL SAFE
TABLE

ALARM GUNS

Single	➡	25s.	each.
Drop	➡	26s. 6d.	,,

STRONG BRIGHT TINNED MIXING PANS

For preparing the feed. 24 in. diameter, 7s.
Carriage paid.

SPARROW TRAPS

TRY ONE OR MORE IN YOUR REARING-FIELD

7s. 6d. each. Carriage paid per passenger train. Cane, 12s. 6d. each
Wire, 19s. 6d. each.

Celfi'r Cipar

186

garwed yr hyfforddiant, fe dyfai partneriaeth unigryw rhwng y ci a'i hyfforddwr.

Byddai'r cipar, fel y potsiar, wrth ei fodd yn tradio hefo'i gyd-giperiaid am gŵn a byddai pawb yn chwilio am y ci penigamp, er fe dybiech wrth wrando ar y ciperiaid yn canmol eu cŵn fod y ci hynod hwnnw yn eu meddiant yn barod. Mae'n naturiol y ceid cŵn o waedoliaeth neilltuol ar rai o stadau mawr Lloegr a chan i gynifer o giperiaid ddod i Gymru o Loegr mae'n naturiol iddynt ddod â chŵn da i'w canlyn. Yn ôl gohebiaeth ddiddorol iawn rhwng Arthur Sergant, cipar Plas Newydd, a chipar o dde Lloegr, prynodd y naill ddau gi adar (*retrievers*) gan y llall. Clensiwyd y fargen, yn ôl y llythyr, ar 15 Hydref 1928 a chyrhaeddodd y ddau gi ar y trên i orsaf enwog Llanfairpwll. Yr oedd cipar Plas Newydd yno'n aros yn eiddgar amdanynt fel pe bai'r cipar o Loegr wedi anfon ei wraig ato. Cafodd Sergant orchymyn i anfon y ddwy dsiaen a'r ddau fwsel yn ôl. Talodd bum punt a deugain ymlaen llaw am y cŵn.[14]

Gan fod y cŵn mor werthfawr a hanfodol i waith y cipar, yr oedd yn bwysig iawn iddo allu trin eu hanhwylderau. Darllenwn eto am ryw gipar o'r enw Alfred Mansell o'r Amwythig yn anfon at gipar Plas Newydd hen rysáit at fendio *hysteria* ar gi. Dyma'r feddyginiaeth: chwe thropyn o'r gymysgfa ganlynol a'i roi yng nghlust y ci ac yna ei blwgio am bymtheng munud. Y gymysgfa oedd un dram o Napthol, tri dram o Ether a deg dram o olew olewydd. Cawn gan yr un cipar, rysáit ar gyfer ffitiau ar gŵn, sef ychydig o Hydrated Choral mewn hanner llond gwydryn gwin o ddŵr bob bore am wythnos, ac yna'n achlysurol. Deillia'r *hysteria* a'r ffitiau o baraseits bychain yng nghanol y glust (*middle ear*) a'r rheiny'n raddol yn effeithio ar yr ymennydd, yn gywir fel y gwna'r gynddaredd.

ch) Gwarchod y Gêm

Heb os, un o brif ddyletswyddau'r cipar oedd gwarchod a diogelu'r gêm. Yr oedd gan y ffesant gymaint o elynion ac yntau'n aderyn mor ddiymadferth i'w amddiffyn ei hun a bu'n gymaint ymdrech i geisio'i fagu, fel y gwelsom. Pan fyddai'n ddigon atebol i fynd ar ei liwt ei hun yn ei gynefin, yr oedd lleng o elynion yn disgwyl amdano. Byddai'r gelynion hyn yn gas gan bob sgweiar hefyd a dyna paham y byddai pob cipar yn gwneud arddangosfa o'i helfa o'r paraseitiau hyn a'u gosod mewn man y byddai'r meistr yn siŵr o'i gweld. Ni roddai dim fwy o foddhad i ŵr y plas na gweld celanedd y drwgfilod hyn. Yn ôl cofnodion y ciperiaid, mae'n amlwg y caent dâl ychwanegol am yr helfa hon. Mor ddiweddar â 1964 bu i Syr Richard Bulkeley o'r Baron Hill dalu pedwar swllt a naw ceiniog i'w gipar, George Pimborough, am saethu tair cath, saith bronwen, naw llygoden fawr a chwe brân.

Y mae rhestr helfa Arthur Sergant, cipar Plas Newydd, yn llawer hwy nag eiddo Pimborough, ond nid oes cyfeiriad iddo ef gael unrhyw ychwanegiad at ei gyflog. Dyma restr helfa cipar Plas Newydd ym 1936: un ar ddeg o frain, pymtheg draenog, naw deg dau o lygod mawr, saith deg pedwar o garlymod, chwe phioden, chwe sgrech y coed, chwe jac do, pedwar hebog, pedair bronwen ar ddeg a dwy dylluan fach. Dyma gyfanswm o ddau gant tri deg o barasitiaid digon enbyd ar diriogaeth y cipar, a gorchest y cipar fyddai amddiffyn pob ffesant a phetrisen a'u cadw'n fyw ac yn iach erbyn y cynhaeaf mawr a fyddai'n cychwyn ym mis Medi.

Ond nid oedd y busnes difa yma mor hawdd ag yr ymddengys. Tueddai'r cipar dibrofiad i ddifa'n ddi-reol gan ladd popeth nad oedd yn gêm. Ond roedd digon o'r naturiaethwr yn y cipar profiadol i wybod bod y gelynion pluog blewog hyn yn byw ar ei gilydd. 'Lladdwch y llygod bach a mawr i gyd ac yna fe fydd y dylluan, y gath a'r hebog yn llwgu – ac yna fe droant i chwilio am y ffesant ifanc,' meddai George Henry, hen gipar profiadol.[15] Ac os lleddir y dylluan sgubor, fe gynydda'r llygod. Gwyddai'r cipar i'r dim faint o'r gelynion hyn i'w difa ac fe geisiai drwy ei gymedroldeb gadw pawb mor fodlon ag y byddo modd. Gwnâi'n siŵr y byddai ambell gorffyn ar gyfer y frân dyddyn a'r bioden neu fe aent i'r coedlannau i chwilio am gyw ffesant ifanc. Nid saethu popeth oedd yr ateb, gan y byddai hynny'n gwneud rhai yn fwy llwglyd a barus ac ni fyddai modd eu cadw rhag tarfu ar ffesantod. Ar rai o'r stadau mawr fel Bodorgan a Baron Hill, byddai gwarchod cyson dros y cywion ifanc gan gyflogi llafnau ifanc i'w gwylio. Mentrai ambell hen gudyll digywilydd am y cywion er gweld y cipar yno. Mae'n amlwg nad yw rhif y celanedd hyn ar fortiwari'r plas ynddo'i hun yn ddigon o dystiolaeth fod y cipar wedi difa gelynion gêm ei feistr. Fe ŵyr y naturiaethwr craff i'r dim sut i reoli'r plâu hyn drwy eu perswadio i gyfeiriad arall o gae'r ffesynt ifanc. Gŵyr yn iawn hefyd mor sensitif yw byd natur, a pha mor bwysig yw ei barchu.

d) Erlid y Potsiar

Ond roedd rhaid i'r cipar gael mwy na'i reddf a'i wybodaeth o fyd natur i ymlid y gelyn arall – y potsiar. Tueddwn yn aml i feddwl am y cipar yn unig fel gelyn ac ymlidiwr potsiars ac mai ei unig ddyletswydd a'i dynged yn y byd fyddai 'dal potsiars'. Mae'n eitha gwir fod gwarchod y gêm rhag yr herwheliwr yn rhan bwysig iawn o'i waith ond fel y gwelsom wrth ddadansoddi ei ddyletswyddau amrywiol a thrafferthus, go brin y byddai yna ffesant na phetrisen ar gyfer sach y potsiar na bwrdd y plas oni bai am ofal y cipar o'r gêm. Ac fe fyddai bywyd y potsiar a'r sgweiar yn llwm iawn heb ffesant.

Gyda'r Ddedf Helwriaeth, rhoddodd y gyfraith rym ac awdurdod i ymgyrch y cipar yn erbyn y potsiar, ond fel y gwelsom eisoes, nid oedd gan y cyhoedd ddim cariad at y ddeddf hon, ac o ganlyniad daeth y cipar yn fwy fyth o elyn, nid yn unig i'r potsiar ond i'r cyhoedd yn gyffredinol. Er mwyn ei awdurdodi i roi'r gyfraith mewn grym, byddai gan y cipar gytundeb cyfreithiol. Dyma enghraifft o'r ddogfen:

Penodiad neu Ddirprwyaeth Cipar
Deddf Helwriaeth 1831. Adrannau 13,14,15

Bydded hysbys i bawb sy'n bresennol fy mod i A.B. ysgweiar, Arglwydd y Faenor D. yn Sir K. Yr wyf trwy hyn yn enwebu, awdurdodi, penodi ac yn dirprwyo C.D. i fod yn gipar i mi yn fy stad D. gyda'r holl freintiau, hawliau aelodau a phob peth perthynol i'r swydd yn ystod fy ewyllys a'm dymuniad gyda phob gallu, trwydded ac awdurdod i ladd 'sgyfarnogod, ffesynt, petris, cwningod neu rhyw gêm arall ac adar gwyllt a physgod ar fy ystad i'm defnydd i fy hun a'm mantais. Yn ogystal, i gymryd a meddiannu, i'm defnydd i, pob milgi, cynllwyngi, cyfeirgwn neu unrhyw gi hela, a phob ffured, gynnau, bwâu, rhwydi, croglethi, rhwydi sgyfarnog neu unrhyw erfyn arall i ddal neu ladd gêm a ddefnyddir ar fy ystad i gan unrhyw berson neu bersonau sydd heb gymhwyster nac awdurdod i ddefnyddio'r arfau hyn ar fy ystad. Ymhellach, fy mod i A.B. yn ystod fy ewyllys a'm dymuniad a phob gallu ac awdurdod i wneud a gweithredu yn unol â chyfraith y Deyrnas hon i amddiffyn y gêm ar fy ystad ac i ddal y troseddwyr yn ôl y gyfraith. Yn yr un modd bydd ganddo hawl i feddiannu a chadw i'm defnydd i bob rhwyd, genwair neu ehedlam neu unrhyw erfyn i bysgota a geir gan berson neu bersonau a fydd yn eu defnyddio heb fy nghaniatâd i ar dir (afon) yn fy ystad i A.B. Dan sêl fy llaw y dydd hwn.

Arwyddwyd A.B. Gyda stamp o ddeg swllt.[16]

Yn ychwanegol at gytundeb ei gyflogaeth roedd gan y cipar bwerau cyfreithiol arbennig. Trwy Ddeddf Drwyddedu 1860 Adran 10 a Deddf Helwriaeth 1831 Adrannau 31, 32 a 36, roedd gan y cipar hawl i ofyn am drwydded hela gan unrhyw un a welai ar dir ei feistr, ei rybuddio i adael y tir a gofyn am ei enw a'i gyfeiriad. Os gwrthodai'r person dan sylw ymateb i'r cais, gallai'r cipar ei restio a'i ddwyn o flaen yr ynadon. Er hynny, ar dir ei feistr yn unig yr oedd yr hawl hwn, gan na fyddai ganddo'r awdurdod i chwilio'r tresbaswr na dwyn ei gêm ar y ffordd fawr fel oedd gan yr heddlu (Deddf Atal Potsio 1862). Pe gwelai'r cipar unrhyw berson ar dir ei feistr yn ystod y dydd neu'r nos a gêm yn ei feddiant newydd ei ladd, gall hawlio'r gêm honno oddi wrth y person a hyd yn oed ei gymryd oddi arno pe gwrthodai hwnnw. Ond nid oedd ganddo'r hawl i chwilio am y gêm pa mor gryf bynnag fyddo'r amheuaeth fod ganddo gêm gynnes, gan y byddai raid i'r cipar weld y gêm cyn y gallai ei meddiannu.

Os gwelai'r cipar unrhyw berson yn y nos ar dir ei feistr gallai ei arestio a'i roi i'r heddlu. Os byddai unrhyw un yn gwrthwynebu ei arestio gan y cipar dan yr amgylchiadau hyn, byddai'n euog o gamymddygiad a wrandewid mewn Aseisus ac nid yn y Llys Chwarterol, a'r gosb uchaf am y math yma o drosedd oedd saith mlynedd o benyd-wasanaeth. Ond os byddai tri neu ragor o bersonau dan yr un amgylchiadau yn y nos, byddai'r gosb yn bedair blynedd ar ddeg o benyd-wasanaeth.

Pe byddai'r cipar yn ceisio arestio potsiar yn gyfreithlon a phe byddai'r troseddwr yn ymosod arno'n ffyrnig gall ymddwyn yr un mor ffyrnig yn ôl ato. Os digwydd i'r cipar gael ei ladd yn y ffrwgwd, byddai'n achos o lofruddiaeth. Ond os digwydd i'r cipar arestio'r potsiar heb fod ganddo hawl i wneud hynny, a phe digwydd i'r potsiar gael ei ladd yn y sgarmes, cyfrifid y weithred honno'n ddyn-laddiad.

Yr oedd yn angenrheidiol i'r cipar wrth y pwerau hyn er mwyn cyflawni ei waith o amddiffyn gêm ei feistr, ond fe all pwerau yn llaw ambell un fod yn beryglus o'u camddefnyddio. Bu'r diffyg hwn yn amlwg yn hanes ymddygiad sawl cipar ac o ganlyniad fe grëwyd sefyllfaoedd cwbl di-alwamdanynt, ac fe ddygwyd sawl potsiar gerbron y llys heb odid ddim sail na thystiolaeth. Yn sgil yr agwedd drahaus hon tynnodd y cipar lawer o bobl i'w ben. Cydnebydd Henry Watkin, hen gipar o Sais, 'nad oedd wiw i gipar roi argraff o ryw deyrn gormesol yn ei lordio hi fel petai ef oedd piau pob llathen o dir a gerddai arno.'[17] Dyma dystiolaeth cipar ei hun a oedd yn dilorni'r fath agwedd gan giperiaid eraill. Siawns gyfyng iawn fyddai i'r potsiars ddygymod â'r fath agwedd. Cyhuddid y ciperiaid o wrando a derbyn straeon gan achwynwyr celwyddog a oedd yn barod i wneud unrhyw beth er mwyn cael tâl fel tystion yn y llys. Ar y llaw arall byddai rhai o'r ciperiaid yn cario clecs i'r heddlu a'r rheini'n straeon o'r tu allan i fyd helwriaeth.

Yr oeddynt hefyd yn llawer iawn rhy barod i ecsploitio'u safleoedd gan ddefnyddio'r potsiar drwy dderbyn llwgrwobrwyon ganddynt. Dro arall rhoent demtasiynau yn ffordd y potsiar er mwyn ei ddal. Llunient storïau cwbl gelwyddog ar gyfer y llysoedd er mwyn cael tâl achwynwyr, a hyn wastad yn creu cynnwrf a helyntion yn y llys. Dro arall byddai rhai o'r ciperiaid yn ymddwyn yn dreisgar heb achos o gwbl tuag at y potsiar er mwyn cael gwrthdaro'n ôl. Eto canran gymharol fychan o'r ciperiaid a fyddai'n camddefnyddio eu pwerau cyfreithiol i'r graddau hyn hefyd.

Arweiniodd hyn i gyd at sefyllfaoedd digon enbyd a pheryglus a barodd i frawdoliaeth y ciperiaid i gyd ddioddef. Daeth swydd y cipar yn enbyd a pheryglus o ganol y bedwaredd ganrif ar bymtheg hyd ganol yr ugeinfed ganrif.

Yr oedd rhaid wrth ddyn dewr iawn i fod yn gipar i fentro allan drymder nos i wynebu potsiar. Yn ôl cofiant John Watkins yr oedd y ciperiaid a'r beilïaid dan bwysau enfawr gyda chwynion y landlordiaid ar un llaw a'r tenantiaid a'r cyhoedd ar y llaw arall.[18] Ym 1844 bu i ddau o giperiaid Iarll Stradbrooke gyflawni hunanladdiad ac yr oedd ymddiswyddiadau a diswyddiadau yn uchel iawn ymhlith y ciperiaid yn y cyfnod hwn.[19]

Nid rhyfedd i'r cipar gael ei gam-drin i'r graddau y cafodd. Yn wir y mae sawl achos o lofruddiaeth yn hanes y cipar. Fe gyfeiriwyd eisoes at lofruddiaeth Joseph Butler, cipar yr Anrhydeddus Iarll Lisburne gan botsiar o'r enw William Richards o blwyf Llangwyryfon, Ceredigion. Bu yma ym Môn sawl ffrwgwd a allai fod wedi troi'n ddifrifol. Bu i ddau botsiar o gyffiniau Brynsiencyn fygwth cipar Plas Newydd, ac oni bai i Sergant symud o ffordd y gwn a dianc drwy'r coed, pwy a ŵyr beth fyddai wedi digwydd iddo. Yn yr un modd bu i ddau botsiar yng nghoed Baron Hill fygwth y cipar, George Pimborough, yn ffiaidd. Does wybod beth fyddai wedi digwydd yno chwaith pe bai'r cipar wedi mynnu ei ffordd.[20] Mae yna lawer iawn o straeon llai difrifol na llofruddiaeth, ac yn wir mae cymaint ohonynt wedi cartrefu ar gof pobl ac mewn ambell faled a chân werin, yn enwedig yn Lloegr mewn caneuon megis y 'Ruffoed Park Poachers' a'r faled 'Poor Slender'. Ac fel y gwelsom cafodd sawl cipar ei wneud yn gyff gwawd yn y ddrama Gymraeg, ac fe'i condemniwyd am ei fod yn rhy agos at y sgweiar a'r stiward. Mae ym Môn o hyd sawl stori orchestol gan botsiars a gafodd law uchaf ar y cipar, ac yn ôl rhai honiadau bedyddiwyd sawl cipar yn bur ddiseremoni drymder nos.

Ond os cafodd y cipar ei gam-drin fel hyn, ac mae pob lle i gredu bod hyn yn wir, fe gâi yntau ei ddiwrnod; yn wir fe'i câi bob blwyddyn. Pen llanw a phen tymor y cipar oedd tymor y saethu. Yr oedd 'diwrnod saethu' yn mynnu slot cymdeithasol yng nghefn gwlad Môn fel diwrnod dyrnu. Roedd rhai pethau yn ddigon tebyg ynglŷn â'r ddau achlysur yma a dynnai bobl at ei gilydd. Deuai'r curwyr, laweroedd ohonynt, i'r plas ar ddiwrnod saethu yn yr un modd ag y deuai gweision ffermydd yr ardal at ei gilydd ar ddiwrnod dyrnu. Pwy a all wadu nad oedd yr ymgynnull hwn yn gymwynas gymdeithasol werthfawr ryfeddol? Peth arall a wnâi'r ddau achlysur yn debyg fyddai'r cinio mawr. Gallwn ddychmygu ambell gurwr distadl yn eistedd wrth fwrdd mawr y plas i ginio a chymaint o arfau ar ei gyfer fel siop y gof arian yn y dref.

Gan fod saethu yn sbort gallai fod yn ddigon peryglus o gofio'r gynnau a'r gangiau o bobl ddigon anghelfydd ar lawer cyfrif. Yr oedd yn bwysig iawn fod popeth wedi ei drefnu'n ofalus. Y ciperiaid a'r stiwardiaid fyddai'n trefnu 'safiadau'. Yr oedd o'r pwys mwyaf fod pawb yn adnabod ei le, boed hynny yn safiad y saethwr neu linell y curwyr. Byddai llygaid barcud y pen-cipar ar bob symudiad a galwai yn groch ar bawb; yn wir yr oedd yr holl beth fel darpariaeth i ryfel, ac yn wir mewn gwirionedd dyna oedd hi – 'rhyfel y ffesantod' a phob rhyw dderyn arall a gyfrifid y tu fewn i etholedigaeth y gêm.

Y curwyr fyddai'n cychwyn gyntaf, gan aros ar gwr y goedlan (*covert*) neu'r gyfair. Mae Einion Thomas yn agor ei ddarlith ar giperiaid y Rhiwlas gyda dyfyniad o lyfr lòg ysgol Capel Celyn ger y Bala am ddydd Gwener, 23 Medi 1892: *'The Rhiwlas gamekeepers called at dinner time and induced the bigger boys to go with them to drive the game on the mountain.'*[21] Ac rwy'n siŵr fod pob hogyn bach oedd yn yr ysgol yn fflamio na fuasant hwythau yn hogiau mawr – er mwyn cael mynd i godi ffesantod.

Yr oedd ym mhob stad goedlannau pwrpasol ar gyfer saethu, sef mannau i'r ffesantod gynnull ynghyd. Ceid cryn gyfrif o'r cyferi hyn ym mhob ystad er bod amryw ohonynt yn dirywio ac yn bylchu erbyn hyn. Mesurent rywle o ddeugain i drigain acer, ac unwaith byddent hefyd yn creu warin cwningod a fu'n fendith fawr i'r potsiar.

Yr oedd y ciperiaid yn adnabod y cyferi hyn wrth eu henwau, a diddorol yw sylwi fod llawer iawn o'r hen enwau hyn yn aros o hyd. Cawn nodyn yn llyfr cownt cipar Plas Newydd fel y bu iddo ef a Walker y stiward drefnu cyferi, neu yn iaith y saethwyr *'Arranging the Stands'*, a chawn ganddynt enwau rhai o'r cyferi: *Llwynogan Plantation and adjoining roots*; Rhoslas; *Grand Lodge Wood to the opening caused by the wind falls*; *Opening down to West Lodge*; *West Lodge Wood*; *Dairy Wood*; *Pwllfanogl Wood* a Glan y Môr a'r Chwarel. Dyma'r enwau ar rai o gyferi Stad Bodorgan: *Church Walk*; *Front Lodge*; *Deer Covert*; Cyfer Pig a *Back Lodge*.

Gyda phawb yn barod, a hithau wedi troi hanner awr wedi naw yn y bore, deuai'r fyddin ynghyd. Yr oedd yn bwysig i'r saethwyr fod ar ei 'safiad' yn hanner cylch yng nghwr isaf y cyfer. Fe gâi pob un ohonynt gerdyn ac arno rif, rhif oedd yn cyfateb i'r rhif oedd ar beg wrth y cyfer. Gwahoddedigion y sgweiar fyddai'r saethwyr gan amlaf, pobl bwysig o fyd arian, gwleidyddiaeth neu ddiwydiant. Yr oeddynt yn bencampwyr o saethwyr. Ni fyddai raid iddynt gymaint â llenwi'r gwn, gan y byddai rhai o'r ciperiaid yno'n barod i lodio a'r gynnau'n tanio nes eu bod yn boeth. Byddai rhai o'r saethwyr wedi gwario ffortiwn er mwyn cael yr holl ffigiarins oedd ynglŷn â'r sbort. Fu dim golygfa debyg i hon – dynion yn mwynhau saethu a gwylio a dysgu am gyfrwystra aderyn yn lle dichellion dynion o fyd busnes. Anghofio byd oer y stocbrocer ynghanol chwerthin iach a'r acen agored braf.

Yr oedd safle'r coedlannau'n hynod o bwysig i'r saethwyr. Byddai mantais tir a choed go dal yn set berffaith iddynt. Yn wir byddai ambell saethwr profiadol yn gyndyn iawn o saethu'r aderyn os na fyddai wedi codi'n ddigon uchel. Tueddiad naturiol y ffesant yw ehedeg yn isel a phlymio ar ei drwyn i'r ddaear. Myn y saethwr roi cyfle i'r aderyn, a dyna pam y mynnent iddo 'ddringo', fel y'i gelwid. Ni chymerai saethwr da fyth fantais ar ei aderyn. Os byddai mynd go dda ar y saethu, byddent yn rhyw hanner canu:

> *Up goes a guinea* (cost magu'r ffesant),
> *Bang goes a penny* (pris y getrisen),
> *Down comes half a crown* (pris y ffesant).

Mae'n amlwg nad oedd y ffesant yn talu am ei lle o gryn dipyn.

Gwaith llafurus iawn oedd curo i godi ac i yrru'r ffesantod o'u cuddfa. Byddai drain a mieri yn gloffrwm llwyr ar y curwyr hyn tra curai calon pob un o'r ffesantod swil wrth adael eu gwâl a'u cuddfan am y tro olaf. Byddai rhai o'r curwyr yn gwarchod y terfynau rhag i'r ffesantod ddianc i diriogaeth stad arall a'r 'Stopars' fyddai enw'r rhain. Gwaith i arbenigwyr fyddai codi'r adar clwyfedig. Pechod digon anfaddeuol fyddai i saethwr hanner lladd yr aderyn a byddai o'r pwys mwyaf chwilio amdanynt i'w lladd rhagblaen. Onid dyma a wnaeth y Frenhines fis Tachwedd 2000 pan synnodd bawb iddi afael mewn ceiliog ffesant braf a rhoi tro yn ei gorn gwddw?[22] Ymateb yn reddfol fel saethwraig yr oedd hi na ddylai yr un aderyn ddioddef yn ddiachos.

Rhan arall bwysig iawn yn y ddrama fyddai rhan y cŵn, gan nad oedd neb yn mwynhau eu hunain fel y rhain. Yr oeddynt yno yn fywyd i gyd ac yn batrwm o ufudd-dod. Deuent o hyd i bob aderyn a'u codi a'u cario i law eu meistri heb gymaint â gadael arogl eu dannedd miniog ar gnawd meddal yr adar.

Wedi'r curo a'r saethu am deirawr a gwell, clywid llais y pen-cipar yn galw'r rhyfelwyr i'r wledd yn y plas. Byddai awyrgylch Nadoligaidd i'r holl achlysur, a diddorol fyddai clywed y gwahanol acenion yn toddi i'w gilydd. Yr oedd y cinio'n werth eistedd wrtho a'r gwin yn hynod flasus. Cofnoda stiward Plas Newydd am ddiwrnod saethu yno: 'Eisteddodd pymtheg ar hugain i ginio poeth a gostiodd swllt a chwech y pen.' Yr oedd hynny'n gryn swm o arian ar ddechrau'r ugeinfed ganrif.

Byddai Hugh Lewis y Creigiau – pen-cipar Arglwydd Boston – yn sôn llawer am ddiwrnod saethu yn Llys Dulas. Yn wahanol i'r arfer, cafwyd lobsgows i ginio. Ond fel yr arferai'r cipar bwysleisio, nid unrhyw fath o lobsgows mohono – ond lobsgows y plas. Haera Hugh Lewis fod yn y lobsgows hwnnw lympiau mawr o gig maethlon. Fel arwydd o'i werthfawrogiad o'r fath wledd mi ganodd cipar y creigiau fel hyn:

> Yn wir mi dd'wedaf wrthych
> Am diwrnod curo'r plas,
> Y bwrdd yn llawn danteithion
> A'r cig, nid anghofia'i flas.

Os byddai'n anodd ymlwybro drwy'r cyferi dryslyd yn y bore, byddai'n saith gwaith gwaeth yn y prynhawn. Rhwng y cinio mawr a'r gwin meddwol fe gâi'r curwyr hi'n anodd symud trwy'r drain, ond roedd llais treiddgar y cipar yn atseinio drwy'r coed: *'keep in line'*. Erbyn diwedd y prynhawn byddai bawb wedi blino'n llwyr wedi'r curo a'r cerdded drwy fân-goed y coedlannau a lleithder y corstir, tra safai'r saethwyr yn fuddugoliaethus a'u hwynebau coch yn furlun o falchder ar gwr plancedi o gelanedd o ffesantod.

Amrywiai cyfrif yr helfa o gyfer i gyfer ac o ddiwrnod i ddiwrnod, o dri chant i gymaint ag wyth gant o ffesantod. Ceir cyfeiriad yn ambell hunangofiant cipar o saethu cymaint â deunaw cant gan chwe saethwr mewn diwrnod. Ond roedd cyferi Môn yn llawer iawn llai na'r rhai a geid ar stadau mwyaf Lloegr.

Nid eiddo'r saethwyr fyddai'r ffesantod a saethwyd, dim ond pâr a gaent hwy; byddai'r helfa yn eiddo i sgweiar y stad a fyddai neb fyth yn gwarafun iddo gael y cwbl. Yr oedd pob saethwr mor falch o'r anrhydedd unigryw hon a byddai ganddynt destun sgwrs llawn brol am ddyddiau wedi'r fath achlysur. Yr oedd gan y sgweiar gartref i bob un o'r adar a saethwyd, ac yn ôl cyfrifon cipar Plas Gwyn a Phlas Newydd[23] dyma faint saethwyd yn ystod tymor 1936-1937 a'r modd y dosbarthwyd hwy:

Y Gêm	Rhoddion	Gwerthu	At iws y tŷ	Cyfanswm
Ffesantod	316	764	110	1190
Petris			18	18
Sgwarnogod	14	23	10	47
Cwningod	88	71		159
Cyffylog	18	8	12	38
Sneip	39	54	184	277
Hwyaid Gwyllt	2	1	4	7
Tîl	8		6	14
Colomennod	19		44	63

Mae'n amlwg oddi wrth y rhestrau hyn nad oedd unrhyw ymdrech i elwa oddi wrth y gêm, gan mai gwerthu'r hyn a fyddai dros ben a wnaent. O Dachwedd 1937 i Ionawr 1938 ym Mhlas Newydd y gwerthiant am y tymor oedd £153 15s 3d. Gwerthwyd i William Richard – Gwerthwr Game, Bangor:

Gêm	Prisiau
Hwyaid Gwylltion	1s 3d
Ffesantod, y pâr	5s 9d
Cwningod, y cwpwl	1s 3d
Têl	4d
Sgwarnog	1s 0d
Colomen	3d
Cyffylog	1s 6d
Petrisen	9d
Sneipen	4d

Yr oedd llawer iawn o'r gêm yn rhoddion i wahanol deuluoedd a sefydliadau. Byddai ffesant o'r Plas yn rhodd neilltuol iawn ac yn arwydd o ffafr arbennig. Cyfrifid pâr o ffesynt yn rhodd deilwng iawn ar unrhyw achlysur ac i unrhyw berson. Pan alwai'r delwyr moch draw o Loegr heibio i'r porthmyn yng Ngwalchmai, fe'u hanrhydeddid gyda rhodd o bâr o ffesynt. Ac er bod teulu Brynteg a Thy'n 'Rardd yn Fethodistiaid cul a phiwritanaidd, eto, ar yr achlysur blynyddol hwn fe gysylltent â'r potsiar gydag archeb am barau o ffesynt o'r radd flaenaf. Câi'r potsiars eu talu'n dda am yr helfa honno a rhan o'r tâl fyddai iddynt beidio yngan gair am y pryniant wrth neb yn enwedig wrth yr un Methodist.

Y mae rhestr derbynwyr rhoddion y plas yn ddiddorol iawn a chawn fod i'r rhoddion hyn eu pwrpas gan fod cymaint o wasanaethau y dibynnai'r plas arnynt a byddai'r sgweiar am ddangos ei werthfawrogiad o'r gwasanaethau hynny. Yr oedd teulu'r plas a'u cydnabod yn ddibynnol iawn yn y dyddiau hynny ar y gwasanaeth trên a'r post drwy'r flwyddyn. Er eu diogelwch ac i warchod eu heiddo dibynnent ar wasanaeth yr heddlu. A byddai'r pwys mwyaf ar i denantiaid y plas fod yn fodlon ar eu byd. Yr oedd pâr o ffesantod yn mynd yn go bell er sicrhau y byddai'r gwasanaethau hyn yn parhau. Wedi'r cwbl nid yn nhermau pum swllt a naw ceiniog y dylid meddwl am y rhodd hon o bâr o ffesynt. Gwyddai'r postfeistr o gefn gwlad Môn ei fod yn yr un dosbarth â Iarll Uxbridge pan dderbyniai'r rhodd hon o swyddfa stiward y plas. Dyma un o'r rhestrau rhoddion o Blas Newydd yn y flwyddyn 1936:

Derbynwyr	Rhoddion
Iarll Uxbridge	dau bâr o ffesynt
Iarlles Drogheda	dau bâr o ffesynt
Y Parchedig William Lewis, person Llanddaniel Fab	un ffesant
Postfeistr Llanfairpwll	un ffesant
Gorsaf feistri:	
Caergybi	pâr o ffesynt
Bangor	pâr o ffesynt
Caer	pâr o ffesynt
Euston	pâr o ffesynt
Is-feistri:	
Euston	pâr o ffesynt
King's Cross	pâr o ffesynt
Victoria	pâr o ffesynt
Porthladd feistri:	
Dofr	pâr o ffesynt
Folkstone	pâr o ffesynt
Miss Thomas Tafarn Pentre Berw	pâr o ffesynt
Yr Heddlu:	
Llanfairpwll	un ffesant
Porthaethwy	un ffesant
Pentraeth	un ffesant

Câi'r holl denantiaid bâr o ffesynt hefyd ac yn ddiddorol iawn fe gâi'r ffermwyr hynny a oedd yn ffinio â ffermydd y stad yr un rhodd. Dyma syniad hynod o gyfrwys ar ran y sgweiar. Byddai fferm neu ddyddyn yng nghanol tir y stad weithiau er nad oeddynt yn rhan o'r stad. Yr oedd hynny'n anhwylustod mawr i'r sgweiar ar ddiwrnod saethu gêm gan nad oedd ganddo hawl i saethu dros y tir hwnnw. Cawn ohebiaethau ym mhapurau Stad Plas Newydd rhwng y stiward a'r ffermwyr a'r tyddynwyr hyn. Cytunodd William Hughes, Tyddyn Mawr ac R. J. Williams, Tyddyn Adda i saethwyr y stad gael saethu dros eu tiroedd am ddwy bunt ar bymtheg. Yn yr un modd byddai stiward stad Bodorgan yn daer am gael saethu dros dir Tŷ Mawr yn Llanbeulan a thir y Comin yn y Gwalchmai. Ond mae'n ddiddorol sylwi nad yw'r ffermwyr hyn yn barod hyd heddiw i werthu'r gêm i neb!

Yr oedd y rhodd o bâr o ffesynt i'r tenantiaid yn eu gosod hwythau dan rwymedigaeth i gydnabod mai eiddo'r tirfeddiannwr oedd y gêm. Gwyddai pob tenant mai'r pechod pennaf yn erbyn y landord fyddai saethu'r ffesant. Mae stori am un tyddynnwr o Fôn a ddaliwyd yn saethu ffesant y stad, iddo ddweud y credai'n siŵr y byddai'n well arno pe bai wedi saethu gwraig y sgweiar na saethu ei ffesant!

Ar derfyn y tymor saethu fe geid un saethiad i'w gloi; hon fyddai 'Cyrch y Ciperiaid'. Mewn rhai cylchoedd, 'Cylch glanhau'r gynnau' fyddai'r enw arni. Dyma'r unig gyrch pryd y saethai'r ciperiaid eu hunain a bodolai cryn orchest ymhlith y ciperiaid er mwyn profi i'w meistri eu bod cystal saethwyr â'r byddigions o wlad bell. Dyma'r cyrch a fyddai'n boddi'r cynhaeaf a thymor arall o saethu'r stad, ac yr oedd hwn yn achlysur cyn bwysiced – os nad pwysicach – na diwrnod talu rhent.

Ond er mor dragwyddol ddiogel yr ymddangosai'r drefn ffiwdal, hamddenol hon, cyn diwedd y bedwaredd ganrif ar bymtheg fe glywid rhyw sŵn ym mrig y morwydd fod newid yn y gwynt. Yn wythdegau'r ganrif bu trobwynt ym mywyd gwleidyddol Cymru. Rhoddwyd, trwy Ddeddf Ddiwygio 1884, bleidlais i'r tenantiaid a'r gweision ffermydd yn ogystal ag i weithwyr mewn diwydiannau fel dur ac alcam. Dyma hefyd pryd y penodwyd Comisiwn Brenhinol ar Diroedd Cymru. Bu sefydlu'r Brifysgol Genedlaethol ym 1893 yn gymorth i symbylu dadeni llenyddol. Yn ystod hanner cyntaf yr ugeinfed ganrif bu dau Ryfel Byd yn Ewrop a newidiodd patrwm cymdeithas wyneb i waered. Effaith amlwg y Rhyfel Byd Cyntaf ar Gymru fu ymyrraeth y wladwriaeth ym mywydau'r bobl. Sefydlodd y llywodraeth fyrddau i reoli diwydiannau ac amaethyddiaeth a chynyddodd darpariaeth gymdeithasol yn amlwg. Ond yr Ail Ryfel Byd a roes yr ergyd farwol i'r drefn ffiwdal a fodolai er cyn cof ac y credai pawb na fyddai byth yn newid. Daeth cyd-berchnogaeth yn gyffredin, cododd safonau byw y dosbarth gweithiol ac fe erydwyd y gwahaniaethau dosbarth.[24]

Sonia Ifan Gruffydd am deulu Tresgawen yn cael coblyn o sioc wrth dderbyn cais am ddeugain mil o bunnau o dreth ychwanegol ar eiddo. Aeth awel fain oer drwy goridorau'r plas a phob gwas, morwyn a chipar yn ymwybodol iawn o'u safle ansicr. Yr oedd pawb yn beio 'yr hen Lloyd George ddiawl yna'. Bu John Wilias y saer yn ddigon hir yn Nhresgawen nes ei fod yn gymaint o Dori â'r Cyrnol ei hun. Bytheiriai'r saer, 'Be ddaw o'r wlad yma os ydyn nhw am ddynnu'r bobol fawr i lawr? Gynyn nhw mae'r pres.'[25] Fu'r fath chwalfa erioed i was na meistr, i botsiar na chipar – hen drefn gadarn fel hon yn dechrau simsanu! Mae'n wir na ddiflannodd pethau'n llwyr dros nos; yn raddol iawn y bu farw'r hen drefn. Yn naturiol gorfodwyd y byddigion hyn i dorri i lawr ar eu staff a'u gweision. Ond chwarae teg i Gyrnol Tresgawen, fel sawl un arall, mynnai ef, er y gwasgu, y byddai'r gweision hynaf i gyd yn cael aros i derfyn eu dyddiau gwaith. Roedd mwy o dosturi yn perthyn i'r byddigion hyn nag a fyddwn yn barod i'w gydnabod.

Erbyn ail a thrydydd degawd yr ugeinfed ganrif yr oedd esgid gŵr y plas yn gwasgu'n go egr ac fe welwyd cryn newid ynghylch y plastai. Bellach yr oedd ciperiaid proffesiynol o stadau mawr Lloegr yn rhy gostus i stadau bychain Cymru. Byddai'r ciperiaid hyn yn ddigon diarbed yn eu gwario gan na wnâi ond y gorau y tro iddynt. O dipyn i beth cyflogwyd ciperiaid lleol a fu'n cyflawni dyletswyddau amrywiol ar y stad. Yr oedd yn bwysig iawn i'r ciperiaid newydd fod yn gyfarwydd â bywyd ac â diwylliant y plas. Cymry oedd y rhan fwyaf ohonynt, wedi eu meithrin yn nefodau a moesgarwch bywyd y plas. Mae'n ddiddorol fel y câi'r ciperiaid newydd hyn fwy o ddylanwad a gwell gwaharddiad ar y potsiars na'r hen giperiaid. Ond er y newid fe barhaodd y dodwy a'r gori, y magu a'r meithrin ffesynt ar stadau Môn er rhoi boddhad i'r sgweiar a'r potsiar.

Mae'n wir fod y stadau hyn wedi arfer pwyso am gynhaliaeth ariannol y tu allan i weithgareddau'r stad. Bu rhenti'r ffermydd yn ddigon isel a dinewid drwy'r blynyddoedd a defnyddid y rhenti hynny i gynnal a chadw'r adeiladau. Ond dibynnai'r ciperiaid a'r gêm am gyllid o'r tu allan a ddeuai o fuddsoddiadau a bu buddsoddi doeth dros y blynyddoedd yn foddion i gadw safon y rhan hollbwysig honno o fywyd y stadau. Ond daliai'r esgid i wasgu a bu raid dal i newid a thorri i lawr.

Un newid amlwg, erbyn dau ddegau'r ugeinfed ganrif, fu i'r stadau hyn osod y gêm i gwmnïau mawr cefnog i saethu. Bu hyn yn ateb boddhaol i sgweiriaid gan y caent barhau i fagu ac i saethu'r ffesynt a'r gêm i eraill. Ym 1928 rhoes Syr George Meyrick, Bodorgan, y gêm i'w gosod i bobl a chwmnïau cefnog fel Dr Robinson a Macalpine a daeth y gêm i gynnal ei hun bellach. Aeth y stadau ati i hysbysebu eu helfeydd er mwyn denu saethwyr cefnog. Hysbysai Plas Newydd a Phlas Gwyn y gêm yn ôl mesurau'r heldiroedd: Plas Newydd 2142 o erwau a Plas Gwyn 3531 o erwau.

Y rhent a ddisgwylid oedd £400 0s 0d, yn cynnwys trethi ond heb gyflog y ciperiaid, neu fil o bunnoedd yn cynnwys y dreth a chyflog saith o giperiaid.

Er mwyn sicrhau adar i'r saethwyr newydd hyn arbedwyd swydd y cipar. Wedi'r cwbl, yr oedd yn gwbl angenrheidiol i'r cipar fod dan gyflogaeth y plas. Erbyn canol y dau ddegau, yn ôl cyfrifon ciperiaid y stadau ym Môn, yr oedd enwau'r rhelyw ohonynt yn enwau Cymraeg. Dyma enwau ciperiaid Stad Bodorgan yn eu heldiroedd:

Pen Yr Orsedd – Tom Evans
Y Grib – Owen Roberts
Kennels – David Lakin
Penrhos (Soar) – Gibbson

Daeth John Jones yn gipar i'r Grib ar ôl Owen Roberts. Ganwyd a magwyd John Jones yng Ngwalchmai ac o ganlyniad yr oedd pob potsiar yn ei adnabod ac yntau'n adnabod pob potsiar. Bu John yn ddigon cyndyn o gymryd at y swydd, gan gredu na allai fyth gyflawni'r fath swydd i fodlonrwydd y sgweiar. Ond fu'r cipar newydd dro bach yn dysgu'r grefft dan adain hen gipar profiadol fel Gibbson. Daeth gofal heldir y Grib a oedd yn cynnwys Gwalchmai i John Jones. Hawliai fwy o barch gan botsiars Gwalchmai na'r un cipar a fu o'i flaen. Wedi'r cwbl yr oedd John yn un

201

ohonynt. Gwyddai'r cipar newydd am eu holl gyfrinachau a'u cuddfeydd. Gwyddai hwn 'gudd feddyliau calon' pob potsiar. Beth a wnaent ond ei barchu? Wedi'r cwbl, 'gorau cipar, hen botsiar'.

Pan ymddeolodd David Lakin yntau, cymerwyd ei le gan laslanc o'r ardal, Henry Prince – mab y 'Prince' Aberffraw, a buan iawn y profodd Henry ei hun yn llawn o'r cipar.

Yr un oedd y newid yng nghwr arall yr ynys hefyd, draw yn Llys Dulas. Yr oedd yno dri chipar a'r tri yn Gymry lleol. William Jones oedd y pen-cipar, yna Sam Jones yn safle'r ail gipar a Richard Roberts oedd y trydydd cipar. Yr oedd gweinidog parchus o'r enw Llywelyn C. Lloyd yn byw ar stad Dulas yn y cyfnod dan sylw. Morolai'r gweinidog am ei ginio Sul tua chanol yr wythnos. Âi draw i goed y plas bob nos Fercher a saethu ffesant ar gyfer y Sul. Yr oedd y Foneddiges Dinorben yn wraig hynod o garedig, ond fe wyddai na ddylai neb o'r tenantiaid ymddwyn yn y modd yma ac er bod y potsiar yn ŵr parchedig credai y dylid ei rybuddio o'r drosedd. Rhoes y foneddiges y cyfrifoldeb ar y trydydd cipar, Richard Roberts, na fu neb addfwynach nag ef. Fe wyddai'r foneddiges yn iawn y byddai Richard wedi maddau i'r troseddwr cyn i'w ginio Sul oeri yn ei fynwes. Dyna enghraifft o'r newid a ddaeth gyda'r ciperiaid newydd hyn. Dan bwysau'r byd newydd bu i'r sgweiriaid newid gryn dipyn hefyd.

Rhwng stad Llys Dulas a Phlas Gwyn Pentraeth yr oedd stad fechan Lligwy, sef eisteddfa'r arglwydd Boston, pendefig addfwyn a maddeugar. Hugh Lewis o'r Creigiau oedd â gofal o gêm Lligwy a gofalai am adar ei arglwydd fel pe baent yn eiddo iddo'i hun. Roedd yn fab i fasnachwr mewn gêm a chwningod, sef William Lewis, Brynrefail. Byddai Hugh Lewis ar ei heldir yn gynnar yn y bore ac ni fyddai neb yn siŵr iawn pryd yr âi i glwydo'r nos. Byddai potsiars yr ardal yn dal sylw arno'n troi am adref gan adael y stad a'r adar i ofal rhagluniaeth a gwelai'r potsiars olau gwan y gannwyll o'i ffenest llofft. Fe wyddent i'r dim lle'r oedd pob cipar a ffesant yn cysgu. Cyn dim dyna hi'n dywyllwch yn llofft y Creigiau a, chan dybied ei fod yn ei wely, dyna gychwyn yn llechwraidd am goed Lligwy. Ond cyn iddynt gyrraedd, yr oedd Hugh Lewis yn eu dilyn. Mae hanes amdano yn cael y fath ddylanwad ar un potsiar nes ei droi i'r weinidogaeth ac aralleirio'r adnod honno – 'mi a'ch gwnaf yn botsiars dynion'. Bu i Hugh Lewis oroesi ei holl botsiars a bu fyw i fod yn gant ac un oed. Yn wir yr oedd nwyd hen gipar gwlad ynddo i'r diwedd ac roedd yn naturiaethwr craff a diddorol ei gwmni.

Yn yr un cyfnod yr oedd neb llai na mab Ponc yr Aur yn gipar ym Mhlas Gwyn Pentraeth: Llew Llwydiarth. Yn ôl y teyrngedau a dalwyd iddo cyn ac ar ôl ei farw fe'i gwnaed yn bopeth, o bregethwr cynorthwyol i gaewr adwy ond soniai neb yr un gair amdano fel cipar. Yn ôl un hen frawd o Lannerch-y-medd, cipar oedd Llew yn anad unpeth arall. Pan holais pam, atebodd fod ganddo drwyn cipar, 'trwyn oedd yn cyrraedd o'i flaen i bobman'. Fu neb addfwynach na'r Llew hwn, ac rwy'n siŵr na freuddwydiodd y duwiau erioed i Llew Llwydiarth fod yn gipar o holl swyddi'r byd. Ac rwy'n siŵr nad oedd Llew ei hun yn ffansïo'i hun yn gipar, gan mai bod yn fardd oedd ei uchelgais. Ond fe fu Llew Llwydiarth yn gipar Plas Gwyn, a dichon na fu yn rhyw lwyddiant ysgubol neu mi fyddai'n sôn llawer mwy am y tymor hwnnw yn ei fywyd. Er ffyrniced ei olwg a garwed ei enw, cipar diniwed iawn oedd mab Ponc yr Aur. Cymerai potsiars Pentraeth gryn fantais arno, gan ei berswadio eu bod i gyd yn gefnogol iddo. Ar un achlysur fe'i perswadiwyd fod potsiars yng nghwr pellaf ei heldir, draw yng nghyffiniau Llanffinan. Aeth y cipar yno yn eiddgar drwy'r corstir enbyd. Manteisiodd y potsiars ar eu cyfle i gael sawl ffesant yng nghoed Plas Gwyn, a'r cipar druan yn cyrraedd adref ar ddiffygio. Ond er hyn fe fu Llew Llwydiarth ar ddechrau'r daith yn perthyn i'r frawdoliaeth Gymreig honno o giperiaid Môn.

Yn ddiddorol iawn yr oedd hanner brawd i Llew – Thomas Edward Owen – yn gipar i Syr Harry Verney, Ystad y Wern, Llanddona, ac ymgartrefodd ef a'i briod yn y Wern Uchaf. Dyma brawf bod cipera yn etifeddol mewn teulu. Mae'n gryn syndod fod stad mor fechan â Stad y Wern yn medru cadw cipar. Dilynodd William H. Owen, eu mab, eto yng nghamre'i dad fel cipar, sef nai Llew Llwydiarth. Aeth

William yn gipar i deulu'r Vivians ym Mhlas Gwyn a byw yn y Bwlch dros y ffordd i fynedfa'r plas ar ben yr allt a bu ei briod, Mary Rhianwen, yn gogyddes yn y plas. Ond bu William farw'n ddyn ifanc dwy a deugain oed a gorfu i'r weddw a'i thri mab adael Tŷ'r Cipar a daeth olyniaeth ciperiaid Ponc yr Aur i ben.

Ond nid ciperiaid yn unig a fagwyd ym Mhentraeth – roedd yno botsiars ddigon! Un o'r rheini oedd Thomas Jones, Coch Mieri, a ddaliwyd yn saethu ar dir Baron Hill heb drwydded. Aeth Thomas i Fangor drannoeth a gofyn i glerc y llys ddyddio trwydded iddo bythefnos ynghynt oherwydd iddo fethu cyrraedd pryd hynny. Gwnaeth y clerc hynny heb gwestiynu rhagor: yr oedd Bangor yn bell iawn o Bentraeth yn yr oes honno. Aeth Thomas Jones i'r Llys yn ôl yr wŷs a dderbyniodd a phan gyhuddwyd ef tynnodd y drwydded allan. Gofynnwyd iddo pam na fuasai wedi dweud fod un yn ei feddiant, a'i ateb oedd: 'Ofynnodd y cipar na neb arall am un i mi.' Mae'n werth cofnodi fod y Thomas Jones hwn yn hen (hen) ewythr i'r Parchedig R. E. Hughes, Nefyn!

Yr oedd stad fechan Llanddyfnan yn terfynu ar Blas Gwyn a than berchnogaeth yr un teulu, sef y Vivians. Er nad oedd Judd, yr hen gipar, yn Gymro, eto yr oedd yn nodweddiadol iawn o giperiaid y cyfnod newydd. Rhwbiodd ddigon yn y Gymraeg i'w ddeall i bwrpas ei waith, ac fe'i siaradai cystal ag unrhyw gipar drama. Yr oedd yn gymeriad hynod o boblogaidd efo'r potsiars ac efo'r ychydig nad oeddynt yn botsiars. Dyma enghraifft o'i rybudd diniwed i un o botsiars y plwyf: '*I saw you in the bog last night, shooting my birds. I don't mind you having one for the pot, but don't make a habit of it.*' Fe haedda yntau berthyn i Urdd yr Addfwyn Rai.

Stad gymharol fechan yw Tregaian yn terfynu ar stad Tresgawen. Dyma eisteddfa uwchgapten Roger Lloyd gyda George Roberts yn bugeilio'r adar a'r cwningod. Yn ôl y Parchedig Edgar Jones o Lanfachraeth, teirgwaith y flwyddyn y byddai cipar Presaeddfed yn mynychu Eglwys y Plwyf: Noswyl y Nadolig, bore'r Pasg a phnawn dydd Diolchgarwch. Rhydd y person yr argraff y byddai'n eitha bodlon ar ffyddlondeb ei gyfaill o gipar. Ar fore'r Nadolig yr âi Sgweiar Tregaian a'i gipar i Eglwys y Plwyf yng nghysgod coed y plas. Mewn oedfa felly unwaith aeth Roger Lloyd a'i gipar i lawr at yr allor gan benlinio'n ddefosiynol ac i dderbyn eu cymundeb blynyddol. Cyn iddynt sythu eu pennau a syllu ar ffenestr ddwyreiniol y Llan, synhwyrent fod dau arall yn penlinio, un ar y llaw dde a'r llall ar yr aswy – dau botsiar amlyca'r ardal oeddynt – Now a Huw bach – mor edifeiriol ag y gall dau botsiar fod. Mynnodd yr offeiriad roi'r bara i'r uwch-gapten ac yna i'r cipar ac yn ddiwethaf oll i'r ddau botsiar. Rhoes y bara yn llaw fawr Huw bach ac yna draw at Now. Rhywfodd roedd eu presenoldeb wedi drysu cryn dipyn ar rediad pethau. Yn yr un modd rhoes y person y gwin yn yr un drefn, o'r mwyaf hyd y lleiaf. Ar derfyn yr oedfa ymlwybrodd y sgweiar i ddymuno gorau'r ŵyl i'w denantiaid, ac er i Now a Huw bach fod ar ei lwybr ni ddisgynnodd yr un glyfiniad o baill ei ddymuniadau da ar y ddau botsiar. Ond doedd yr un o'r ddau ddim dicach wrtho, canys yr oedd pedwar o ffesynt y plas yn coginio'n braf, dau ym mhopty Now a dau ym mhopty Huw bach. Rwy'n siŵr bod y ddau wedi mynd i'w cartrefi wedi eu cyfiawnhau gymaint â'r cipar a'i feistr.

Ond heb os, yr anwylaf o giperiaid Môn yn nhri degau'r ugeinfed ganrif oedd William Griffith, cipar Parciau Llaneugrad, stad Laurence Williams. Bron na chredid y byddai William Griffith yn edrych y ffordd arall os gwelai dresbaswr ar dir ei feistr. Eto yr oedd yn ŵr a enillai barch pob potsiar ac edmygedd ei feistr. Yr oedd gan Laurence Williams feddwl uchel iawn ohono. Mae'n debyg ei fod dan orchymyn ei feistr i beidio ag erlyn yr un o denantiaid y stad gan y mynnai Williams gadw ar delerau da â'i denantiaid. Fe ddywedodd rhywun am William Griffith ei fod fel pe bai wedi ei benodi'n gipar trwy bleidlais y potsiars.

Byddai Thomas Owen, Glanrafon Uchaf yn arfer dweud na welodd o erioed baratoad nac angladd tebyg i un yr hen gipar. Thomas Owen oedd clochydd a thorrwr beddau plwyf Llaneugrad. Sylwodd y torrwr beddau pan ddechreuodd ar ei waith fod ceiliog ffesant yn cerdded o gylch y bedd â'i ben yn ddwfn yn ei fynwes bluog. Yna ar ddydd angladd y cipar yr oedd y ffesant yn eistedd ar lwyn o ddrain yn gwylio'r gwasanaeth. Priddwyd y bedd a rhoes Thomas Owen dorch flodau'r teulu ar y bedd caeedig. Cyn iddo droi am adref sylwodd fod y ceiliog ffesant wedi nythu yn y dorch flodau. Pwy a ŵyr na wybu'r ceiliog ffesant hwn faint ei golled.

Dilynwyd William Griffith yn y Parciau gan Owen Richard Williams, Tŷ Coch. Yr oedd Owen Richard yn gipar nodedig iawn ac yn naturiaethwr gwych a rhyw ddawn neilltuol ganddo i gadw'r ffesynt o fewn terfynau'r stad. Fu erioed aderyn mwy crwydrol na'r ffesant, a hynny ar droed. Tueddai ambell gipar i dynnu ffesynt o'r stad ar y terfyn i'w stad ei hun. Tueddai Hugh Lewis o'r Creigiau ar blas Lligwy i wneud felly hefyd ac fe synhwyrodd Owen Richard hynny. Deuai'r ffesynt o gryn bellter at y dwysfwyd. Aeth cipar y Parciau draw ar dir plas Lligwy a rhoes Rendarine yn gylch o gwmpas y dwysfwyd ac aeth yn ôl am y Parciau gan ollwng dipyn o geirch ar y llwybr. Daeth y ffesynt afradlon adref a dod ag amryw eraill i'w canlyn.

Ond er y chwalu a'r siglo ar y drefn hon a fu am gyhyd yn asgwrn cefn i gymdeithas cefn gwlad, tybed ai'r cipar a ddaeth allan ohoni orau o neb, wedi'r cwbl. Dyma hen wehelyth arbennig iawn, sydd yma o hyd a heb newid rhyw lawer o'i gymharu â'r gwas fferm, y tenant a gweithwyr y stad. Y mae wedi goroesi'r sgweiar, y stiward a'r potsiar. Ac ef a haedda'r gair olaf yn eu hangladd i gyd:

Milgi a genwair a gwn
A wna ŵr cyfoethog yn ŵr llwm.

[1] Niall, Ian, 'Poaching is a Dying Art', *Country Quest*, Gaeaf 1962, t. 27.
[2] Gruffydd, Ifan, *Tân yn y Siambar*, Gwasg Gee, 1966.
[3] Tilley, M. P., *A collection of the Proverbs in England in the 16th and 17th century*, 1950, ailargraffiad 1966.
[4] Hughes, John, dyfyniad o *Briwsion Bro*, Gwasg Gee, 1985.
[5] Niall, Ian, *The Game Keeper*, London, 1965.
[6] Jones, Dafydd Glyn, 'Hen ddramâu, hen lwyfannau' yn *Llwyfannau Lleol* (gol. Hazel Davies), Gwasg Gomer, 2000.
[7] *Y Faner*, 1868.
[8] Thomas, Einion, 'Ciperiaid, Ffesants, Potsiars a Pholitics Stad Rhiwlas, y Bala 1859-1888'; darlith a draddodwyd ym Mhlas Tan-y-bwlch, 9-11 Chwefror 2001.

[9] *Royal Commision of Land in Wales*: 1897.
[10] *Plas Newydd:* Series viii MSS. Rhif 5759.
[11] *ibid*, Rhif 5762.
[12] Speakman, Fred J., *Keeper's Tale*, London, 1962.
[13] Wilkins, John, *An English Gamekeeper*, 1892.
[14] *Plas Newydd*: Series viii MSS. Rhif 5761.
[15] Niall, Ian, *op.cit.*
[16] Mead, L. (gol.), *Oke's Game Law*, 1912.
[17] Speakman, Fred J., *op.cit.*
[18] Watson, John, *Poachers and Poaching*, Chapman & Hall, 1891. Ail arg. E.P., 1974.
[19] Wilkins, John, *op.cit.*
[20] *Baron Hill* (Further Additional) MSS Rhif 8192.
[21] Thomas, Einion, *op.cit.*
[22] *Daily Post* (Liverpool) 22 Tachwedd 2000.
[23] *Plas Newydd*: Series viii MSS. 5759.
[24] Jones, T. Graham, *Hanes Cymru*, Caerdydd 1994. Williams, Gwyn A., *When was Wales*, Pelican, 1985.
[25] Gruffydd, Ifan, *op.cit.*